古龍

盛期之風貌

臥龍生作品　帶動武俠風潮

《飛燕驚龍》開一代武俠新風

《飛燕驚龍》(1958)爲臥龍生成名作，共48回，約120萬言。此書承《風塵俠隱》之餘烈，首倡「武林九大門派」及「江湖大一統」之說，更早於香港武俠巨匠金庸撰《笑傲江湖》(1967)所稱「千秋萬世，一統」達九年以上。流風所及，臺、港武俠作家無不效尤；而所謂「武林盟主」、「江湖霸業」等新提法，竟成爲社會大眾耳熟能詳的流行術語了。

《飛燕》一書可讀性高，格局甚大。主要是寫江湖群雄爲覬覦傳說中的武林奇書《歸元秘笈》而引起一連串的明爭暗鬥；再以一部假秘笈和萬年火龜爲餌，交插敘述武林九大門派（代表正派）彼此之間的爾虞我詐，以及天龍幫（代表反方）網羅天下奇人異士而與九大門派的對立衝突。其中崑崙派弟子楊夢寰偕師妹沈霞琳行道江湖，卻如夢似幻地成爲巾幗奇人朱若蘭、趙小蝶之絕世武功技驚天龍幫，而海天一叟李滄瀾復接連敗於沈霞琳、楊夢寰之手；致令其爭霸江湖之雄心盡泯，始化解了一場武林浩劫云。

在故事佈局上，本書以「懷璧其罪」（與真、假《歸元秘笈》有關）的楊夢寰屢遭險難，卻每獲武林紅妝垂青爲書膽(明)，又以金環二郎陶玉之嫉才害能，專與楊夢寰作對(暗)爲反派人物總代表。由是一明一暗交織成章，一波未平，一波又起，極盡波譎雲詭之能事。最後天龍幫冰消瓦解，陶玉帶著偷搶來的《歸元秘笈》跳下萬丈懸崖，生死不明，卻予人留下無窮想像空間。三年後，作者再續寫《風雨燕歸來》以交代陶玉重出江湖，爲惡世間，則力不從心，當屬狗尾續貂之作。

在人物塑造方面，臥龍生寫男主角楊夢寰中看不中用，固然乏善可陳，徹底失敗；但寫其他三名女主角如「天使的化身」沈霞琳聖潔無瑕，至情至性，處處惹人憐愛；「正義的女神」朱若蘭氣質高華，冷若冰霜，凜然不可犯；「無影女」李瑤紅則刁蠻任性，甘爲情死等等，均各擅勝場。乃至寫次要人物如「賓中之主」海天一叟李滄瀾之雄才大略，豪邁氣派；玉簫仙子之放蕩不羈，爲愛痴狂；以及八臂神翁聞公泰之老奸巨猾，天龍幫軍師王寒湘之冷傲自負等，亦多有可觀。

與

摘自 葉洪生、林保淳著

《台灣武俠小說發展史》

台港武侠文

流行天

臥龍

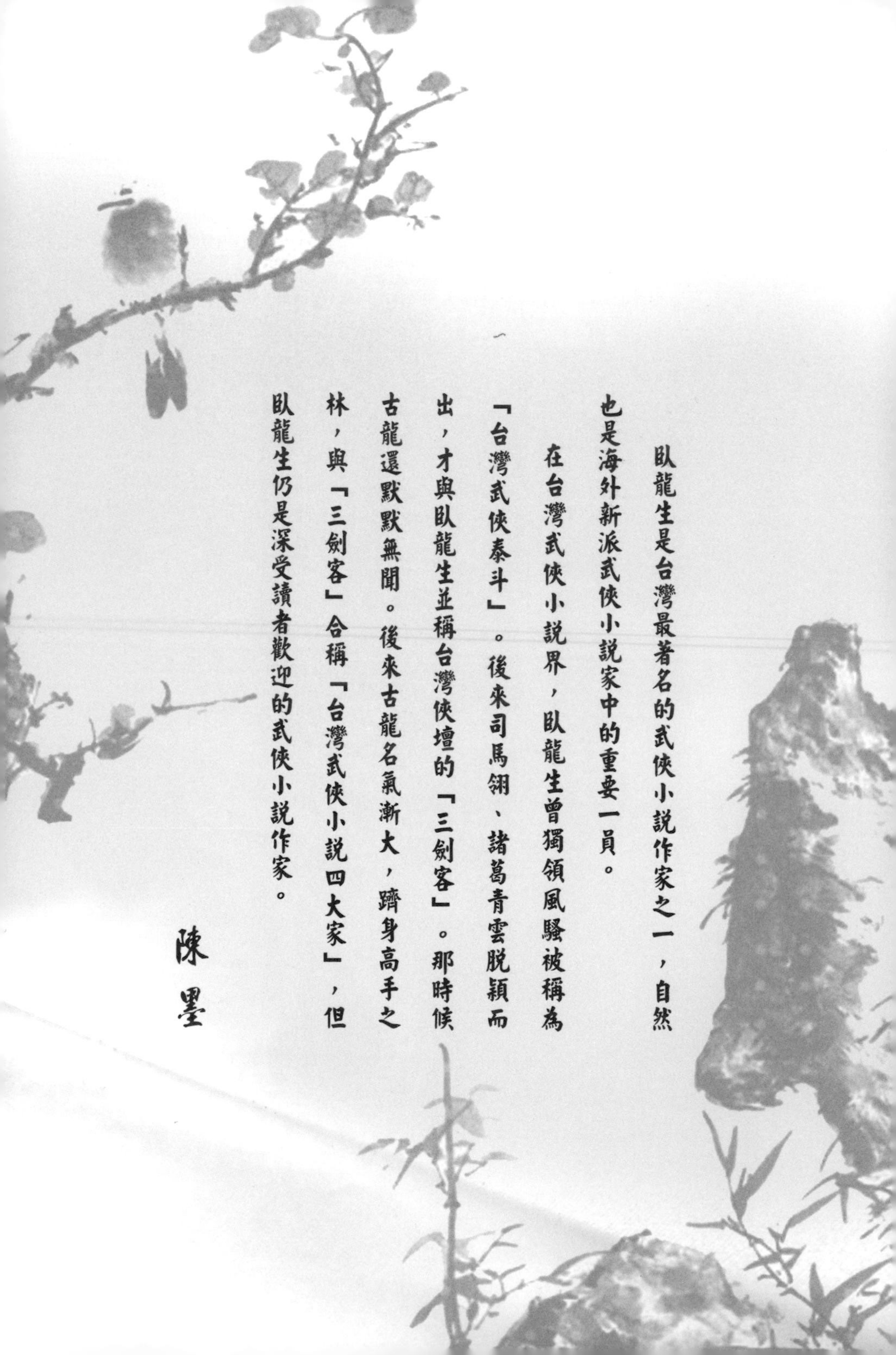

臥龍生是台灣最著名的武俠小說作家之一，自然也是海外新派武俠小說家中的重要一員。

在台灣武俠小說界，臥龍生曾獨領風騷被稱為「台灣武俠泰斗」。後來司馬翎、諸葛青雲脫穎而出，才與臥龍生並稱台灣俠壇的「三劍客」。那時候古龍還默默無聞。後來古龍名氣漸大，躋身高手之林，與「三劍客」合稱「台灣武俠小說四大家」，但臥龍生仍是深受讀者歡迎的武俠小說作家。

陳墨

天香飆
（三）
臥龍生
武俠經典珍藏版
15
臥龍生

天香飆
臥龍生
精品集15
(三)

目錄

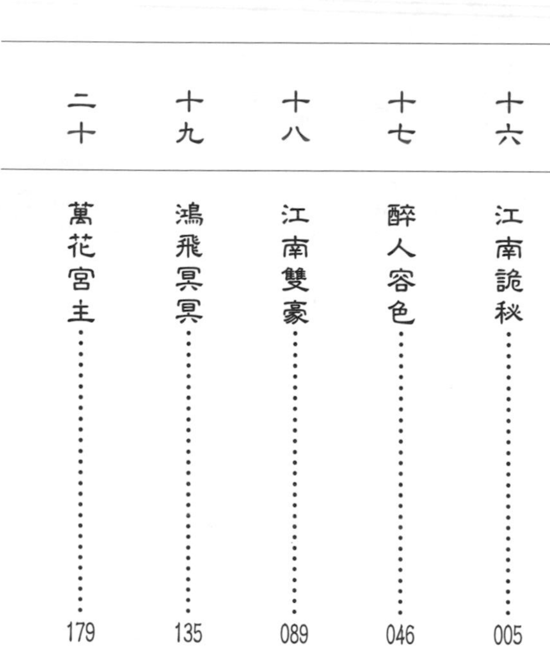

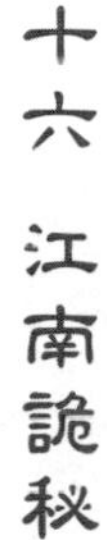

十六 江南詭秘

他一回到跨院之中，立時覺出了不對，四面一片漆黑，不見一點燈光。

他故意放重了腳步，走到谷寒香臥室門前，重重地咳了一聲，叫道：「夫人休息了麼？」

他一連問了數聲，不聞回答之言，不禁大生驚慌，舉起右手，暗運內勁，用力在門上一堆，想震斷門栓，推開雙門。

哪知兩扇門，竟然是虛掩著，鍾一豪手指一和木門相觸，兩扇門立時大開，但他蘊蓄在掌心的內勁，已難再收回，隨著兩扇大開的房門，撞入房中。

但聞一聲蓬然大震，室中桌、椅，吃他掌力擊中，桌上的茶杯、茶壺，相撞一起，一陣呼呼亂響，碎片橫飛。

鍾一豪心戀谷寒香的安危，已不顧及本身危險，室門一開，立時縱身而入，口中叫了一聲：「夫人！」人卻疾向室中一角閃去。

室門一觸而開，鍾一豪已然想到暗中可能藏有敵人，是以腳落實地之後，立時舉起雙掌，護住前胸。

哪知事情又出了他的意外，除了那一陣連續的杯盤響聲之外，再無其他動靜。

天香飆

他經過一陣靜站之後，目光已可在夜暗之中見物，仔細把房中看了一遍，毫無可疑之處，再從懷中摸出火摺一晃而燃。

火光初亮，突然由門口傳來了步履之聲。

鍾一豪探手摸出一把毒針，扣在手中問道：「什麼人？」

耳際間傳來了余亦樂的聲音，道：「是鍾兄麼？」

鍾一豪伏身撿起地上的蠟燭，燃了起來，室中登時一片通明。

余亦樂緩步而入，人到鍾一豪身前，目光已然遍掃全室，低聲問道：「夫人哪裡去了？」

鍾一豪道：「兄弟亦正為此事焦慮不安……」

余亦樂目光一掃那散落在地上的茶杯碎片，還未來得及開口，鍾一豪已搶先說道：「這茶壺、茶杯，乃兄弟掌力所毀，奇怪的是，苗素蘭和江北三龍等，都守在此地，竟然不經搏鬥，而讓人把夫人劫走了。」

余亦樂低頭沉思了良久，突然抬頭笑道：「鍾兄怎知夫人是被人劫走？」

鍾一豪奇道：「不是被人劫走，難道是她自願而去不成？」

余亦樂笑道：「不錯！正是她自願而去……」

他微微一嘆，接道：「胡夫人的智慧和聰明，高出咱們甚多，不是兄弟自滅威風，兩年之後，她將玩咱們如掌上木偶，她的美麗正和她的聰明一般，超絕人寰，最可怕的是她嬌憨的神情，遮蓋了她的智慧，使人對她不生戒心，誤把她認做了一個楚楚可憐的弱女子去惜憐愛護……」

鍾一豪不耐地說道：「眼下最要緊的事，是如何查出胡夫人的下落？余兄高論……」

余亦樂笑道：「如鍾兄能夠先知道胡夫人的性格，才能相信兄弟推斷之言。」

鍾一豪道：「那余兄就先說出胸中高見。」

余亦樂知他對谷寒香失蹤之事，有著雙重憂慮，既怕她受到傷害，又有著一種強烈的妒忌，輕輕嘆一口氣，道：「苗素蘭深藏不露，但她的武功絕不在江北三龍之下，萬映霞、文天生也不是容易對付的人，江北三龍久走江湖，對綠林中悶香之類，一目就可辨識，除了夫人自願隨來人而去之外，非經過一番搏鬥，絕不致被人劫走。」

鍾一豪道：「如果她自願而去，總不能不留下一點消息。」

余亦樂道：「唯一不解的，就是這一點了，但胡夫人爲人，不可以常情測度。」

鍾一豪突然抬頭望望天色道：「現在天色不到一更，余兄如果有興，咱們不妨到屠龍寨去瞧瞧？」

余亦樂道：「縱然夫人是被屠龍寨中之人帶走，也不會直回屠龍寨中。」

鍾一豪眉頭一皺，道：「余兄的意思是，咱們守在這裡等消息了？」

余亦樂道：「縱然要去找，也得等麥小明回來再說，以兄弟之見，明日午時之前，夫人必然有消息傳來。」

忽覺一陣微風，拂動了案上燭光，一條人影飄然而入，接道：「我怎麼樣？」

鍾一豪道：「你師嫂不見了。」

麥小明雙目圓睜，滿室瞧了一眼，道：「怎麼不見了？」

他微微一頓之後，尖叫道：「這鬼地方，惹得我動了火，燒它個片瓦不存。」

鍾一豪心中暗暗忖道：「余亦樂爲人持重，和他走在一起，反而礙手礙腳，倒不如和麥小明聯袂行動，可以放手大幹。」一心念轉動，微笑說道：「余兄告訴我們屠龍寨方向去路，兄弟和麥小明去走一趟，余兄就請守在客棧之中，等候消息。」

余亦樂道：「兩位一定要去，兄弟也難攔阻，但望遇事三思而行，免得樹下強敵。」當下給兩人說明屠龍寨的去路、方向。

鍾一豪、麥小明立時換了裝束，聯袂離開了金龍客棧。

幽靜跨院中，只餘下了余亦樂一人，他收拾一下打破的茶杯碎片，和衣倒在床上睡去。

不知道過去了多少時間，忽覺一股脂粉芳香，觸鼻沁心。睜眼望去，蠟燭只餘下一寸長短，艷絕天人的谷寒香，嬌軀斜臥，就在他身旁睡去，鼻息微聞，似是睡得十分香甜。余亦樂凜然挺身而起，走下木榻，就案邊坐了下來。

谷寒香人見人愛的姿色，對他有著極大誘惑，他忍不住轉過臉去，多望了兩眼。

只見她嫩臉勻紅，星目緊閉，柳眉彎彎，櫻唇輕啓，襯著那雪膚冰肌，一襲紅裝，當真是耀眼生花，不自覺怦然心動。他輕輕站了起來，重又走近榻邊，低頭鑒賞那美麗的容色，只覺愈看愈是好看，不禁搖頭低吟道：「秀色可餐，古人誠不欺我……」

忽見谷寒香雙目啓動，緩緩坐了起來，笑道：「你在說什麼？」

余亦樂怔了一怔，道：「夫人幾時回來的？」

谷寒香道：「我剛回來不久，看你好夢正甜，不忍叫醒於你，但我睏倦得很，只好和衣躺下了。」

余亦樂道：「夫人怎不叫醒在下之後，再睡呢？」

谷寒香道：「我看你睡得很香，叫醒之後，你心中定然十分難過。」

余亦樂輕輕咳了一聲，道：「屬下不該擅自躺在夫人臥室之中。」

谷寒香道：「你又不知道我幾時回來，如何能夠怪你？」

余亦樂啞然一笑，暗暗忖道：「我也被她的美色所迷了，怎的說了半天，還未談到一句緊要之言？」當下一整臉色，問道：「大人哪裡去了？」

谷寒香微微一笑，道：「我要渴死了，你替我倒杯茶喝好麼？」

余亦樂只覺她那柔婉的一笑之中，潛蘊著無可抗拒的力量，叫人無力抗拒，只好依言轉過身去替她倒茶；哪知桌上茶壺、茶杯，盡都被鍾一豪掌力擊碎，一時之間，哪裡去找？看了半天，仍然找不出一個好的茶杯，搖頭一嘆道：「茶杯、茶壺，都被鍾一豪打破了。」

谷寒香一皺眉頭，道：「打破啦？」

余亦樂道：「鍾兄回客棧之時，不見了夫人行蹤，心中慌急，失手打破……」

谷寒香緩步下榻，淡淡一笑，接道：「他一定是心中生氣，才打破茶杯。」

余亦樂道：「鍾兄和麥小明爲追查夫人行蹤，已經趕到屠龍寨去了。」

谷寒香臉色一愣，道：「你爲什麼不勸住他們呢？唉！我又不是被人搶去的！」

余亦樂道：「他們去意堅決，屬下勸留不住。」

谷寒香沉吟一陣，忽微微一笑，道：「只要他們不殺傷別人太多，大概不會引起衝突。」

余亦樂聽得一皺眉頭，只覺她言語之中，含意極深，但卻無法完全了然，又不好再多追問，拱手一禮，道：「夫人既然睏倦難支，那就請早些休息了，屬下暫行告退。」

谷寒香星目轉注在余亦樂臉上，笑道：「只有我一個人回來，你一點也不覺著奇怪麼？」

余亦樂道：「夫人才華蓋代，想必早有安排，用不著屬下枉自操心。」

谷寒香忽地收斂了臉上歡笑之容，幽幽一嘆，道：「大部分和我相交之人，都是迷戀於我的容色，唯獨先生不然，你對我無求無慾。」

余亦樂輕輕嘆息一聲，道：「夫人過獎了。」抱拳當胸，側身而退。

這一夜余亦樂如臥針氈，席不安枕，谷寒香的突然歸來，留給他一個無法索解的疑團？這疑團也給了他極大的困擾。直到五更過後他才有了一點睡意，朦朧中忽聽房門聲響，立時睡意全消，轉眼望去，只見鍾一豪和麥小明一先一後，步入房中。

只聽麥小明尖尖的嗓門罵道：「什麼屠龍寨？王八烏龜寨，我總要放起一把火燒它個片瓦無存。」

余亦樂忙挺身坐起，說道：「你們回來啦。」

鍾一豪道：「回來啦！夫人有消息麼？」

余亦樂道：「你們走後不久，夫人已無恙歸來，只怕現在好夢正甜。」

鍾一豪沉吟不語，解下腰中緬鐵軟刀，和衣倒在床上。

兩人似是經過了一番劇戰，倦意甚重，麥小明隨手丟下了寶劍，倒頭而臥。余亦樂心中本有著甚多話，要對鍾一豪說，但見他睏倦模樣，又不忍驚擾於他，只好暫時憋在肚裡，迷迷糊糊地熟睡過去。三人一陣好睡，直到中未時分，才醒了過來。

大概谷寒香早已在房中相候，三人一醒，苗素蘭立時過來相請。

余亦樂怔了一怔，道：「你幾時回來的？」

苗素蘭微微一笑，道：「我一直沒有離開過金龍客棧呀！」

麥小明一躍下床，尖聲叫道：「你胡說八道，我們昨夜歸來，鬼都沒有一個，男男女女全都不見了，還說沒有出去……」

苗素蘭道：「你說話有點分寸好不好，什麼人胡說八道？」

麥小明似自知言語傷人，但他生性倔強，明知不對，也不願示弱於人，聳聳肩，道：「我說了又怎麼樣？」

余亦樂怕兩人衝突起來難以勸阻，趕忙接口笑道：「那麼夫人也沒離開過金龍客棧了？」

苗素蘭道：「夫人正在房中等待諸位，大概有事情和幾位說。」

鍾一豪目光一掃余亦樂和麥小明道：「咱們去吧。」

余亦樂、麥小明、苗素蘭魚貫相隨身後，走入谷寒香房中。

只見李傑、劉震、何宗輝、文天生、萬映霞等分坐兩側，谷寒香居中而坐。

谷寒香一見幾人，立時站起，笑道：「你們睡得好啊？」

余亦樂怔了一怔，凜然忖道：「是啊，縱然睏倦難支，也不致這等貪睡，怎的一覺睡到日升三竿以上？」忖思間，谷寒香已擺手笑道：「幾位請坐吧，我有重要的事要和你們商量。」

群豪依言落座，目光一齊投注在谷寒香的身上，個個神情肅然，一派關注之情。

谷寒香輕輕嘆息一聲，目光緩緩由余亦樂、鍾一豪、麥小明的臉上掠過，道：「我們幾乎見不到三位了。」

鍾一豪心頭一震，道：「夫人此言從何而起？」

谷寒香低聲說道：「昨夜我們都中了別人的暗算……」

鍾一豪道：「什麼人？有這樣大的膽子！」

谷寒香笑道：「那人智計多端，防不勝防，雖有李傑等守在室外，仍被他闖了進來。」

鍾一豪接道：「可是那『屠龍寨主』？」

谷寒香道：「這我就不知道了……」她微微一頓後，又道：「他說今日午時之前，來看你們，有事和你們談……」

余亦樂、鍾一豪，都爲之愕然一驚，不自禁地回頭向後望望。

麥小明卻冷哼一聲，道：「他來了，先和我打一百招，能勝我，咱們再和他談！」

谷寒香正待開口，忽然一陣極輕微的笑聲，傳入耳際。這笑聲雖然很小，但卻如長針穿進耳中一般，震動心神，聽得人十分不安。

鍾一豪長長吸一口氣，喝道：「什麼人？」

轉頭望去，只見一個身著葛布長衫，手搖摺扇，足登福履的老人，當門而立。

這人的衣著打扮，看去十分和藹，行動舉止間，也似乎異常文雅，但那臉色，卻使人望而生畏，不寒而慄。他的臉並不難看，只是死板板的，毫無表情，愈看愈不像一個活人臉。

余亦樂突然站起身來，舉手一拱，道：「大駕什麼人？」

那老人舉起手來，一拂胸前長髯微微一笑，道：「老夫一向來去自如，相逢何必曾相識，定要問名詢姓？」他這一笑，神情更是難看，常真是皮笑肉不笑，笑得陰氣森森。

麥小明縱身而起，尖聲叫道：「你這三分不像人，七分倒像鬼的老怪物，不通姓名，就別想進來！」

那老人又是淡淡一笑，道：「老夫向不信邪。」舉步直走過來。

麥小明翻腕拔出背上長劍一掄，劃出一道銀虹，道：「你闖一下試試看？」

那老人對那劃起的森森寒鋒，視若無睹，仍然舉步而行。

麥小明生性雖然慓悍，但卻從未遇到過這等鎮靜的人，呆了一呆，才失聲叫道：「你再前進一步可別怪我手下無情了。」

那老人望也不望麥小明一眼，仍然緩步而進，不慌不忙，若無其事一般。

麥小明冷笑一聲，暗運功力，手腕一張，撒出一片劍影，疾向那老人刺去。

這一劍十分辛辣，旋飛的寒光，籠罩了數尺大小。在這等狹窄的房間，想閃避開這等流動的劍影，實是一件十分困難的事。但那老人竟然視若等閒，手中摺扇一揮，立時有一股強勁之力，隨扇而出，把麥小明的劍勢逼住。

麥小明但覺手中寶劍，有如被一股強大的吸力吸住一般，別說刺人，就是移動一下，也不容易。

鍾一豪冷哼一聲，挺身而起，舉手一掌，直向那老人推去。

那老人輕輕咳了一聲，身子微微一側，滑溜無比地衝了過來。這一側的身法，奇奧無倫，竟把那麥小明的劍勢，鍾一豪的掌力，一起讓開。但見他身子搖了兩搖，人已到谷寒香的身側，屁股一抬，竟然在谷寒香旁邊坐了下來。

鍾一豪一擊落空，回身如風，疾向谷寒香身側撲去，右手同時解開腰中扣把，抖出緬鐵軟刀，人到刀出，一刀直向那老人前胸刺去。

那老人自進門之後，臉上始終沒一點表情，叫人瞧不出他心中是喜？是怒？他有著無比的鎮靜，也有著無比的冷漠。但他的言語，卻是充滿著和藹之情，只見他摺扇一揮，說道：「閣下稍安勿躁，真要想打，也容老夫把話說完，再打不遲。」

鍾一豪只覺他那隨手一揮之中，摺扇掃出了極強勁力，竟把手中的緬鐵軟刀震開。谷寒香素手一揮，低聲說道：「不要打啦！快坐下吧！」

鍾一豪已覺出對方武功，強過自己甚多，真要動手打將起來，也是自討苦吃，聽得谷寒香一說，也就借階下台，收了緬刀，回歸原位坐下。

那老人死板板的面孔緩緩轉動了一周，看清楚了在座的人，輕輕地咳了一聲，道：「老夫來此，並無惡意，只是想和諸位商量一件事，但不知諸位之中，哪一個能夠作得主意？」

谷寒香秀目一轉，輕啓櫻唇，說道：「你有什麼事，對我說吧……」她頓了一頓，又道：「昨晚咱們見過面麼？」

那老人揮揮摺扇笑道：「沒有，老夫今日才到長安。」

谷寒香怔了一怔，道：「不是你麼？」

那老人搖搖頭，道：「不是。」他臉上仍然沒有一點表情，似是任何震動人心的事，都不足使他生出一絲驚愕之情。

苗素蘭突然插口接道：「大駕何以不肯以真面目示人？」

那老人道：「老夫生就此相，看上去雖然有些怕人，但心地卻是忠厚仁和。」

苗素蘭道：「閣下戴著人皮面具，何以故意要危言聳聽？」

那老人忽然呵呵大笑，舉手在臉上一摸，說道：「不知姑娘何以指老夫戴有人皮面具？」

苗素蘭笑道：「老前輩這人皮面具製作得十分精巧，如非內行之人，絕然看不出來。」

那老人兩道目光，突然移注在谷寒香的臉上，咧嘴一笑，接道：「不知和姑娘相約之人，是什麼樣的人物？」

只聽谷寒香銀鈴般的聲音，在耳際響起道：「你既非和我們約定之人，定然非無因而來，什麼事？快請說吧！」

那老人輕輕搖揮著摺扇，道：「我來和姑娘商量一件事情……」他又冷漠地笑道：「我已經尋了三十年啦，好不容易才尋到你。」

谷寒香奇道：「尋到我？」

那老人道：「不錯！尋到你，這是我一生中最大的一個心願，現在已經完成了一半，下一半的事、那就要看你是否和我合作了。」

谷寒香道：「不知咱們如何合作？不過，我是絕不願吃虧的。」

那老人道：「自然，我不會讓你吃虧，這是對咱們雙方都有益的合作。」

谷寒香道：「既是對咱們雙方都有益，那就不妨談談吧。」

那老人目光緩緩由苗素蘭、鍾一豪等臉上掠過，道：「老夫此事，異常機密，目下這樣多人，說出來甚是不便，姑娘最好能摒退左右，由在下單獨和姑娘談談。」

麥小明突然站起身來，說道：「誰信你的鬼話，你想把我們騙出去，好單獨對付她一人，是也不是？」

那老人冷哼一聲，站了起來，道：「老夫不願勉強，無非是想和平的互惠合作，如果迫使老夫動手，你們這班人，絕非老夫敵手。」

麥小明道：「我一人雖然打你不過，但我們聯袂出手，你絕然不是敵手。」

那老人突然把手中摺扇一陣急揮，桌上的茶杯、茶壺，全都飛了起來，但杯中蓄水，卻是點滴不溢。但見手中摺扇逐漸放緩，茶壺、茶杯，重又歸落原位。這一手驚世駭俗的武功，使全室中人，無不臉色大變，面泛驚愕，只有麥小明仍然有著不服之色。那老人毫無表情的臉上，又泛現出一絲笑容道：「諸位心中還不服麼？」

麥小明道：「自然不服了，你那摺扇雖然能把桌子上的茶壺、茶杯搧了起來，但那是屬於一種偏激取巧的武功，算不得正宗之學，只能用來嚇唬一下外行而已。」

那老人兩目中閃射怒意，冷冷說道：「不知什麼樣的武功，才算得正宗之學？」

麥小明道：「咱們學習武功，講求刀法、拳路，克敵制勝，自然是能夠取人性命的武功，

才是正宗之學。」

那老人一陣陰冷的長笑後，道：「這麼說起來，你是非要和老夫動手不可了？」

麥小明忽然放聲大笑道：「這還有什麼不敢？大不了一死而已。」翻腕拔出寶劍一揮，接道：「走！室中狹小，動手不便，咱們到院中打吧。」

鍾一豪也隨著站了起來，對那老人說道：「你先勝了我們兩人再說。」

那老人眼看已無法推辭，低聲對谷寒香道：「這兩人在你屬下中，算不算一流高手？」

谷寒香道：「他們幾人，武功都在伯仲之間，並無第一、第二之分。」

她微一停頓之後，又道：「你不用和他們打啦，先把咱們合作的事情說出來，這些人無一不是我的心腹，不論什麼大的事，我也從不避忌他們。」

那老人突然站起身來，說道：「我先把你手下全部制服，咱們再談不遲。」摺扇一揮，突然向左面的何宗輝點了過去。他出手快迅無比，何宗輝又在驟不及防之下，匆忙起身避敵，前胸要害雖然讓開，但卻被那疾來摺扇，敲在「肩井穴」上，只覺身子一麻，全身力道突然失去，斜斜摔倒在地上。

那老人左手摺扇向左點出的同時，右手也向右面的「噴火龍」劉震點去。

劉震想不到他竟會突然出手，不禁微微一怔！身子還未站起，穴道已被點中，連人帶椅倒栽地上。

「多爪龍」李傑一躍而起，舉手一拳，直向那老人後背擊去。

一向穩重的余亦樂，似是也被那老人狂傲激了起來，冷哼一聲，探手入懷摸出鐵板，欺身而上，一陣寒芒閃動，直點「玄機」要穴。

苗素蘭、萬映霞也雙雙站了起來，保護住谷寒香退到一側。

文天生卻藉機會扶起了何宗輝、劉震。

那老人雙足一點，身子突然凌空而起，掠過桌面，讓開了余亦樂的鐵板和李傑的拳勢。

鍾一豪、麥小明早已拔出兵刃，伺機出手，眼看那老人縱身飛過桌面，立時欺身相迎，不待他身子落著實地，一齊出手，鍾一豪右腕振處，迎面劈出一刀，麥小明寶劍一揮，攔腰橫斬。

那老人一沉丹田真氣，正在向前飛行的身子突然向下一沉，閃避開鍾一豪迎面一刀，摺扇斜斜推出，封住了麥小明的劍勢。

余亦樂自那老人進入此室之後，一直注意著他的一舉一動，早已看出此人身負上乘武功，鍾一豪、麥小明既然出手，事情已成不了之局，倒不如群起相攻，一舉把他生擒，或是擊斃，當下疾躍而出，一招「流星趕月」，板芒閃動，疾點後背「命門穴」。

那老人身子向前一頓，避開鐵板，反手一記「雲霧金光」，撒出一片扇影，逼得余亦樂，斜向一側退開。

麥小明一劍「鐵索攔舟」，鍾一豪迎面一刀「丹鳳撩雲」，刀劍閃起了一片森森寒芒。

那老人冷哼一聲，身子橫移兩尺，手中摺扇一招「潮泛南海」，抽出一股暗勁，把襲來的刀劍一齊彈開。

但余亦樂卻又揮板疾攻而上。四人展開了一場凶險絕倫的惡鬥，但室中卻聽不到一點兵刃

相接聲，也不聞呼呼的拳風和掌力，只是以極辛辣的招術，無聲無息地指攻對方要害大穴。

原來幾人都怕驚動了客棧中人，是以，閃避開室中之物，以免不小心時撞上桌椅，弄出聲音。這是一場充滿著殺機的凶殘之鬥，流動的劍光，閃動的刀芒，忽點、忽刺的鐵板，夾雜著刀光劍影，變化詭奇難測，極是難防。

但那老人卻似有著無窮無盡的內力，逼退了鍾一豪和麥小明聯手一攻。

不大工夫，四個人已力拚了二、三十個照面。

大約過了一盞熱茶工夫，忽聽麥小明大叫一聲，向後疾退了三步，一屁股坐在地上，噴出一口鮮血。

鍾一豪、余亦樂一見麥小明傷在那老人手中，同時大喝一聲，一左一右地疾向老人撲去。

就在兩人發動的同時，一條人影，疾如流星一般，竄了進來。

一股暗勁隨著那衝入房中的人影，發了出來，直向手握摺扇的人撞去。

那老人反手一招「迴光返照」，摺扇帶起了一陣激蕩潛力，把兩人緬刀、鐵板逼開身子，藉勢向旁側閃讓五尺，避開迎面擊來的一股掌力。

那疾衝入室的人影，動作快極，一擊不中，第二招接連出手。

只見他人影一閃，又是一股暗勁，直向那手握摺扇的老人擊去。

那老人不但不退，反而直向前面迎來，但他在身軀移動的時候，已橫向旁邊閃開兩步，讓開那人的掌風，揮扇直擊過去。這老人來得已甚急，那疾衝而來的人影，也來得太過突然，使

鍾一豪、余亦樂都有了一種敵友難辨之感。

余亦樂鐵板一揮，架開了鍾一豪手中緬鐵軟刀，說道：「鍾兄且慢出手，咱們待事情澄清之後再說！」

鍾一豪點頭應道：「余兄說得不錯。」

緬刀護胸，貼壁而行，繞到麥小明身前，低聲問道：「你傷得重麼？」

麥小明正在閉著雙目運氣調息，聽得鍾一豪相詢之言，突然睜開雙目，說道：「我傷得很重，不過不要緊……」他似是極輕賤自己的性命，身受重傷，竟然毫無一點憂慮和痛苦的樣子，頓了一頓，微笑接道：「幸虧他傷的是我，如果傷的是你，那就有點麻煩了。」

鍾一豪奇道：「爲什麼？」

麥小明道：「因爲我學過當今之世最好的療傷辦法，身上也帶著最好的療傷丹藥，只要我還有一口氣在，傷得再重些也不要緊，我能半個時辰之內使身體復元，因此我一向不怕受傷。」

鍾一豪道：「有這等事？」

麥小明道：「你不信，我就當面試給你瞧瞧吧！」

探手入懷，摸出一個黑色的玉瓶，小心翼翼地打開瓶塞，倒出一粒丹丸，吞入腹中，然後，閉目運氣調息。

這時，那手執摺扇的老人，正和突然衝來的人影，打得正烈，但見摺扇飛舞，掌風呼呼，滿室翻飛，人影難辨。

待得相搏了百回合以上，雙方似是都覺到遇上了勁敵，已非短時間可以分出勝敗，攻守之間，也不似剛才那般疾急。兩人的人影漛漸地清晰可見，面目亦可分辨出來。

余小樂定神看去，只見衝入室中的人，是一個身材清瘦、細高的大漢，年紀四旬左右，下巴留著一片短鬚，一身月白長衫，面目陌生，從不相識。他好像覺到自己空手和人相搏，有些吃虧，突然退後兩步，探手入懷，摸出一件奇怪的兵刃。兵刃出手，那執扇老人忽然向後退了兩步，道：「我道是誰？原來是……」

「你」字還未出口，那瘦高大漢，已不容他再接下去，縱身進攻上去。

余小樂也看得心中一動，因爲那一對兵刃，乃江湖上極是少見之物。

那是一對形如車輪的鋼圈，護手處帶著兩片鋸齒，前端有一個月牙形的東西。

谷寒香看那兵刃長足不半尺，而且從所未見，忍不住低聲問苗素蘭道：「蘭姊姊，他用的兵刃，叫什麼名字？」

苗素蘭道：「那叫『護手月牙輪』，這兵刃在江湖上極是少見，一則因爲它太過短小，施用起來甚難發揮威力，而且它前有月牙，後有鋸齒，用時十分困難，一個不當，反將傷到自己，所以用這種兵刃的人不多……」

谷寒香點點頭道：「這麼說來，能用這等兵刃的人，武功一定很高強了！」

苗素蘭道：「不錯，施用這等兵刃的人，一般而論，都是武功高強之人，而且這『護手月牙輪』招數，也和一般兵刃不同……」兩人談話之間，雙方已打入緊要關頭，但見那「護手雙輪」化成兩片耀目的白光，疾如輪轉，一味地進攻招術。

那施用摺扇的老人，在對方雙輪緊迫之下，已有些相形見絀之感，被迫得只有招架之力。

谷寒香突然緩步走到余亦樂身側，低聲問道：「這兩人的武功如何？」

余亦樂道：「不錯！鍾一豪和屬下，都不是兩人的敵手。」

谷寒香道：「那咱們要不要把兩人收羅在手下？」

余亦樂道：「這兩個人似都非易與之輩，夫人有把握，能夠收羅在手下麼？」

谷寒香道：「試試看吧！」

當下高聲叫道：「你們不要打啦！」兩人果然停下了手，目光一齊轉注到谷寒香的身上。

谷寒香笑道：「二虎相鬥，必有一傷，你們兩人的武功，相差甚微，就當今江湖而論，已算得第一流高手，不論哪一個傷了，都很可惜。」

兩人相互望了一眼，默然不語。

谷寒香又道：「有什麼事，好好談談也是一樣，難道一定要用打架才能解決麼？」

那瘦高的中年大漢，微笑道：「不錯，我們兩個必須要有一個死去，事情才能算完。」

谷寒香奇道：「爲什麼呢？」

那施用摺扇的老人，突然一瞪雙目，答道：「爲你！」

谷寒香說道：「咱們素不相識，你們倆爲什麼要爲我拚命呢？」

那手握護手月牙輪的大漢，冷然一笑，道：「那是因爲你長得太美麗了。」

老人目光環掃了全場一眼，沉聲對那瘦長大漢說道：「眼下之局十分明顯，張兄如能和兄弟合作，不難一舉殲盡她手下之人，那時只餘她孤身一人，自是只有聽咱們擺佈的份兒了……」

那手執護手月牙雙輪的瘦長大漢冷笑一聲，道：「那時咱們兩人再來一場火拚，以決定勝負誰屬是麼？」

手執摺扇老人，輕輕掃搖了一下手中摺扇，說道：「兄弟言出肺腑，尚望張兄三思。」

谷寒香忽然緩步而出，接道：「你們口口聲聲為我而戰，但我還不明白，你們的用心何在？如果你們能夠坦然說出胸中之意，也許用不著你們打了……」

那瘦長大漢笑接道：「姑娘不用替我們費心，盡情袖手旁觀，看我們打個生死出來……」

谷寒香奇道：「為什麼定要如此呢？」

那瘦長大漢道：「姑娘一定要問，在下不妨相告……」他望了那手執摺扇的老人一眼，接道：「我和這位成兄之間，冰凍三尺，已非一日之寒，積怨已深，極難解得……」

谷寒香道：「你們積怨難解，和我無干無涉，為什麼偏要說為我而打呢？」

那手執護手月牙雙輪大漢笑道：「單是為此，也不致鬧成水火不容，誓不並存之局，最重要的還是為著姑娘，這位成兄和在下用心相同，那自然勢非要拚個死活出來不可。」

谷寒香嘆息一聲，道：「你們究竟是什麼意思呢？」

那手握摺扇老人突然一揮手中摺扇，厲聲說道：「張兄既然定要和兄弟拚個死活出來，咱們用不著在此地打……」他回顧了谷寒香等一眼，說道：「好在這些人也逃不到哪裡去，先把咱們之間一筆賬，結算清楚之後，再來找他們不遲。」

那手執護手月牙輪的大漢，微微一笑，道：「也好，反正咱們已成誓不兩立之局，能在事

先把我們之間的恩怨做一次總結，也可免去很多彼此阻擾。」一收雙輪，當先躍出室門。那手執摺扇老人，緊隨而出，但見兩條人影，閃了兩閃，消失不見。

這兩個人忽然而來，又突然而去，而且自說自話，毫不把谷寒香等放在眼中。

鍾一豪目送兩人去遠，輕聲一嘆，道：「這兩人武功不錯，只怕不在胡盟主之下。」

谷寒香淡然一笑，接道：「如若大哥還活在世上，他們絕不是大哥的敵手……」目光轉投到余亦樂臉上接道：「余先生久在江湖之上行走，可知道兩人的底細麼？」

余亦樂搖搖頭，道：「屬下不識這兩人……」

他微一沉吟之後，又道：「和夫人相約之人，怎地還不來呢？」

谷寒香道：「我心中也覺著十分奇怪，他昨夜和我相約時，說得那樣堅決，不像欺騙我們，唉！江湖上的事，當真是複雜得很，那兩人和咱們既不相識，又毫無恩怨可言，無緣無故地找上門來，和咱們打一場架，至今還叫咱們想不出原因何在？」

麥小明忽然接了一句，道：「我知道。」此言一出，不但使谷寒香聽得一怔！全室中人，也爲他的話，爲之呆了一呆。

余亦樂暗暗忖道：「這孩子人小鬼大，他的爲人正和他的武功一般，使人有一種莫測高深之感。」當下笑道：「你知道什麼？」

麥小明望了谷寒香一眼，道：「他們想利用我師嫂。」

萬映霞冷冷接道：「這個誰不知道？還用得著你說麼？」

麥小明瞪了萬映霞一眼，道：「你知他們要利用我師嫂幹什麼？」

萬映霞道：「這我就不知道了？」

麥小明道：「不知道的事，以後就別胡說亂接嘴。哼！一個大姑娘家，一點沒有嫻靜溫柔的樣子，我看你將來怎麼嫁人？」

萬映霞氣得粉臉變色，冷冷接道：「誰要你管？哼！死不要臉。」

麥小明身子一晃，直欺過去，卻被鍾一豪橫裡伸手一攔，擋住他的去路。

谷寒香嘆息一聲，揮手說道：「你這個孩子當真是不堪教養，還是快些給我滾出去吧。」

麥小明笑道：「我哪裡不對了？」

谷寒香道：「你出口罵人，出手打人，難道都是應該麼？」

麥小明道：「我打誰了？」

萬映霞看他在眾目睽睽之下，這般抵賴，心中更是氣忿，低聲對谷寒香道：「嬸嬸不用多管，讓我打一場，我不怕他！」

麥小明笑道：「我已經答應師嫂，不再和自己人打架了，誰要和你打呢？」

他微微一頓後，又道：「你舉手摸摸你頭上什麼東西？我要幫你把頭上東西取下來，誰要和你打架了？」

萬映霞怒道：「哼！誰要聽你的鬼話？」

麥小明聳聳肩，道：「你不信我就沒有法子了。」

谷寒香忍不住轉頭一看，果見萬映霞秀髮之上，飄盪著一片白箋，心中甚感奇怪？舉手取

了下來，展開一瞧，只見上面寫道：

今午之約，改為午夜三更。

下面既無署名，也沒有畫什麼記號。

鍾一豪充滿妒意地問道：「那張白箋上寫的什麼？」

谷寒香淡淡一笑，隨手將白箋遞了過去，目光卻轉移到麥小明的臉上問道：「你知道他們如何利用我麼？」

麥小明道：「當然知道，他們要把你當做禮品送人……」

余亦樂道：「有這等事？」

麥小明道：「絕錯不了！他們利用我師嫂的美麗，討取那殘廢老人的歡心，然後……然後……」他一連「然後」了六、七句，仍是然後不出一句話來。

余亦樂道：「然後怎麼樣呢？」

麥小明道：「這個我就想不通了，他們也許找機會把他殺掉，也許做進身之階，得以引身門牆，學那殘廢老人的絕世武功，不過，我師嫂卻要受盡折磨了……」

谷寒香道：「為什麼呢？」

麥小明道：「那老人不但身體殘廢，而且面貌奇醜無比，這都不去說他，最怕的是他那冷僻難測、喜怒無常的性格，只要有一天他發覺你某一處不順眼時，立時就要把那一處不順眼的

地方移開，或是改換一個位置……」

萬映霞只聽得心底泛起來一股寒意，嬌軀一陣顫抖，口齒啓動，欲言又止。

谷寒香亦似爲這聞所未聞的怪事，嚇得呆了一呆！停了半晌，才嘆息一聲，問道：「世上當真有這等嚇人聽聞的事麼？如果他看人的鼻子不順眼時，也能把它移換一個位置不成？」

麥小明微微一笑，道：「是啊！他自負醫道絕世，不論何等移置手術，均可施爲！在他安居的地方，有很多被他移置過鼻了、四肢的人，那裡好像另外一個世界，陰風森森，如入鬼獄……」他凝目沉思了片刻，接道：「那殘廢老人在他居住之處，建設了美輪美奐的宮院，移置了各種奇花異草，布置有如天堂一般……」話到此處，似是知道說溜了嘴，突然住口不言。

谷寒香聽得十分留心，看他突然不說，忍不住開口問道：「你說了半天，還沒有說出來那是什麼地方？」

麥小明爲難地嘆一口氣，道：「不說也罷，反正我不會危言聳聽，當今之世，確實有那麼一個地方就是。」

谷寒香道：「你怎麼知道有這樣一個地方呢？」

麥小明搖搖頭，道：「我去過那地方，自然是知道了。」

苗素蘭忽然接口說道：「你說的可是『天台萬花宮』麼？」

麥小明沉吟了一陣，道：「不錯，那地方正是『天台萬花宮』。」

谷寒香「啊」了一聲，道：「你怎麼能肯定他們要把我送到『天台萬花宮』呢？」

麥小明目光轉動環掃了四周群豪一眼，笑道：「除非是我，除了我之外，天下再也不會有

第二個人能夠看出他們的來路和用心。」他不畏生死的凶悍，和他謎樣的身世，以及無法測度的武功，都給人一種莫測高深的感覺，是以他這樣狂妄口氣，群豪一個個默然不語，似是對他的話，全都默認。

他沉吟了一陣，看眾豪無人接口，自行接道：「他們身上都佩有『萬花宮』的標幟，沒有那標識幟，誰也別想出入『萬花宮』中一步。」

谷寒香道：「這就奇怪了？他們既然都是『萬花宮』的人，為什麼卻還要自相殘殺呢？」

麥小明道：「那『萬花宮』宮主生性多疑，不論對什麼人都存著戒心和敵意，縱然是他最親近的人也不例外，在他宮中有一幅絕美的畫像，我不知那是什麼人的手筆，但那幅美女圖確實畫得栩栩如生、活色生香，他對圖像十分讚賞，而且立下諾言，不論什麼人，只要找到一個像那畫像一般美麗的女人，送入宮中，就可以得他的全部武功真傳……」

谷寒香道：「啊！我明白啦！那畫像上的女人，可是和我一樣麼？」

麥小明道：「那畫像什麼樣子，我已經記不得了，但師嫂確實很美麗，比那畫像，有過之而無不及；這些人為了貪得那殘廢老人的絕世武功，不惜奔走江湖，找尋那畫像上的美女，奉獻那殘廢老人，以求列身門牆，得他真傳……」

谷寒香聽了一陣，心情似是逐漸平復下來，微微一笑，接道：「這些人可就是只為想學那老人武功麼？」

麥小明道：「那是自然啊！那老人雖然武功絕世，但除去瞎眼、少腿、缺臂、禿頭，而且半身癱瘓，寸步難行，聽說他內腹還生有重病，單餘一條左腿，還長著一個大瘡，一年四季，流著奇臭難聞的白膿，每日坐在一個轉動的輪車上，行動完全要藉那輪車之力。」

谷寒香奇道：「他不是身負絕代醫術麼，爲什麼能替人移置四肢和五官的部位，卻不能療好他自己的病？」

麥小明道：「這件事，我也覺著十分奇怪，因那『萬花宮』滿布機關，常人難以涉足一步，是以，也沒有什麼病人讓他一顯身手，但從他移置人的五官、四肢部位來看，確然是一種既高明又是殘酷無比的醫術……」

萬映霞想到了一件事，早想追問，但又覺不好意思開口，忍了又忍，最後還是忍耐不住接口問道：「那些被他移置五官四肢的人，可都還活著麼？」

麥小明冷冷說道：「如果死了，那還算什麼醫術高明？你這人笨得連話都聽不明白！」

萬映霞一開口，就碰了麥小明一個釘子，心中難過至極，但麻煩是自己找來，又覺著無話可駁，只好強忍下心中忿怒，一張嫩紅的粉臉，氣得變成了鐵青的顏色。

余亦樂怕兩人吵了起來，不易制止，趕忙接道：「那兩人既然同是『萬花宮』中之人，爲什麼又自相火拚、殘殺？」

麥小明回目看了谷寒香一眼，接道：「這件事簡單不過，他們兩個人都想爭取那殘廢老人的歡心，可是我師嫂只有一個啊！而那殘廢老人也只收一個弟子，這是一個無法解開的死結，兩人之中，非得有一個死掉不可。」

余亦樂微微一笑，道：「小兄弟來自『天台萬花宮』中，難道就沒有存心得那殘廢老人的武功真傳麼？」

麥小明笑道：「數十年來，生離『萬花宮』的人，除了幫那老人尋找畫像的美女，得他允許之外，只有我一個人生離禁宮，但他總有一天會發現我的行蹤……」他臉上突然現出黯然之色，停口不言。

谷寒香緩步走了過去，輕聲說道：「你心裡難過了麼？」

一向悍不畏死的麥小明，突然變得怯懦起來，他黯然嘆息一聲，雙腿也似是不勝負擔他的體重一般，緩緩坐了下去，淚水滾下雙頰，說道：「師嫂想要替師兄報仇，這該是一條最好的捷徑，只要你能得到那殘廢老人武功的一半，就可以替他報仇了。不過，這卻是一樁十分危險的賭博……」他手中的寶劍，突然跌落在紅磚鋪成的地上，發出「噹」的一聲金石交響。

谷寒香無限溫柔地蹲了下去，輕盈地握住了麥小明的一隻手，道：「不要怕，慢慢地說給我聽。」

麥小明道：「反正我總有一天被他找到，不如我送你去吧！」

谷寒香道：「那老人半身癱瘓，寸步難行，如何還能下山呢？你只要不回『萬花宮』去，他就永遠無法找得著你。」

麥小明道：「師嫂話雖不錯，但那殘廢老人的武功，實非咱們能夠想到，他可以奴蛇役獸，又可以布設各種奇妙的機關，不用他親自下山找我，也一樣能夠查出我的行蹤。」

谷寒香道：「縱然查出你的行蹤，又有什麼要緊，他又不能下來找你？」

麥小明道：「他雖然不能來，但他可以派遣別人來……」

鍾一豪道：「這個小兄弟儘管放心，他如果是派人來此，就憑咱們幾個人的力量也足以對

抗了。」

麥小明搖頭說：「不行，他謀害人的方法太多了，叫人防不勝防。」

鍾一豪道：「不要緊，咱們早些離開此地也就是了。」

麥小明道：「咱們不能去死，也不能飛離人間，不論到哪裡他都有法子找到，與其讓他找到，不如我自投羅網，回去的好，也許他看在師嫂的面子上，饒恕我私離禁宮之罪？」

萬映霞心中暗暗忖道：「原來他很怕死啊！」忍不住微微一笑。

麥小明眉頭一皺，道：「你笑什麼？」

余亦樂急道：「咱們的心願，就是在轟動江湖，引出是非，哪裡還能怕事？一旦你被找著，咱們就索性一起到『萬花宮』去。」

谷寒香點頭笑道：「余先生說得不錯，那老人雖然醜陋殘酷，但我一點也不害怕，咱們自動上門，或將引起他懷疑，不如等他派的人逼咱們去得好。」

麥小明忽然一躍而起，道：「我幾次都將遭到那老殘廢移置五官四肢的危運，但每次都在最危險中來了替身，我常想自己已是死過的人，對生死之事從不放在心上……」他長吁了一口氣，臉上恢復了爽朗的笑容，接道：「當然，那殘廢老人也許對我有一點惜愛的成分，才幾次饒恕了我，但他生具殘酷的性格，喜怒無常，誰也沒法猜想他會做些什麼。我每天和他相處一處，終日提心吊膽，我看慣了他奴役鳥獸、生裂活人的慘事，但我並不害怕，卻害怕他那移人五官、四肢的慘絕手段……」他忽然把目光投注在萬映霞的臉上，冷冷說道：「如果他把一個人的鼻子，移置到眼睛上面，把手臂移置在後背上，想想看，那人是個何等的奇怪樣子？」

他這話雖非對萬映霞說，但他雙目中神光炯炯地凝注在萬映霞的臉上，神色間怨毒萬狀，只看得萬映霞「哎呀」一聲，向後退了兩步。

麥小明看她臉色嚇得一片鐵青，忍不住微微一笑，道：「原來你很膽小啊？」

谷寒香卻是毫無懼容，輕輕嘆息一聲，道：「那殘廢老人孤苦無依，每日間連一個陪他談話的人也是沒有，想來也十分可憐。」

麥小明道：「是啊！有時候他一個人坐在輪椅上面，到處遊走，除了和一些鳥獸唔呀唔呀的談話之外，再無其他的事做了，這是他唯一享受到的快樂。」

鍾一豪忽然插嘴接道：「夫人可是決定留此和那人見面麼？」

谷寒香目光一掠江北三龍和苗素蘭等，低聲說道：「眼下咱們一行人中，都已中了他的迷藥，據他告訴我說，這迷藥發作得十分緩慢，未發作前，和好人無異，但到發作之時，卻是半身癱瘓，全身武功，也將隨著失去……」

鍾一豪冷笑一聲，道：「哼，聽他的鬼話。」

余亦樂卻搖頭說道：「鍾兄稍安勿躁，夫人之言，並非空穴來風，以兄弟為例，昨宵雖然睏倦，也不致一睡日升三竿，這其間只怕有點原因？」

鍾一豪怔了一怔，默然不語。

谷寒香卻輕輕嘆息一聲，道：「鍾一豪，我不是故意騙你，昨夜中他們都是被迷藥迷倒，那人不費吹灰之力，就衝進了我的臥室……」

江北三龍和文天生不禁臉上一紅，齊聲說道：「我等保護不周，致害夫人受驚。」

谷寒香微微一笑，回顧了苗素蘭一眼，接道：「只有她和我沒有被迷藥迷倒，但那人武功高強，苗姊姊動手和他相搏一陣，就自知非敵……」

余亦樂接道：「那時我們正好追敵未歸，強敵乘虛而入……」

忽然想到江北三龍、文天生、萬映霞等都還留在家，這「乘虛而入」用得甚不恰當，趕忙住口不言。

鍾一豪卻接口說道：「那人先派人把我們引了出去，然後再施展迷藥，迷倒何兄等人，分明是早有預謀，兄弟和麥小明找上屠龍寨時，寨中人亦似早有準備，我們還未進寨，已被埋伏在外面的高手攔住，打了二個更次之久，仍是個不勝不敗，兩件事聯起一想，來人自然是『屠龍寨主』所爲無疑，眼下只有一件事，倒是我想它不通？」

余亦樂道：「什麼事？」

鍾一豪道：「何兄等早得警訊，事先有備，那人如何能神不知鬼不覺地施展迷藥，把人迷倒？」

「飛天龍」何宗輝道：「說來慚愧得很，兄弟等在鍾兄、余兄等追蹤強敵之後，一直守在夫人臥室四周，防禦偷襲，大約有一頓飯之久，未再發現敵蹤，但此時卻忽然發現正東方一座屋面上閃起一片瑩瑩火光，兄弟趕往察看，只見一束似香非香之物，正在熊熊燃燒，剛想用腳踏熄，忽覺一陣香氣撲鼻，人就暈了過去。」

「多爪龍」李傑、「噴火龍」劉震齊聲說道：「我們聽何兄摔倒的聲音，一齊追了過去，剛剛摸到，人已嗅到迷香……」

余亦樂嘆道：「這辦法倒是甚少有人施用，也難怪三位無法預防，就是兄弟也難想到。」

文天生接道：「我和師妹分守嬸母室外，突然聽得一聲似是瓦片觸地的輕響，撿起看時，原是一個紙盒子，一股異香，從那盒中沖了出來，當時就被迷暈過去。」

鍾一豪道：「此人這般精於心機，施用迷藥之法，無不大出人意料之外，當真是凶狡得很，但余兄和我，都未聞過他的迷香，不知何以也中了毒？」

谷寒香道：「這我就不清楚了，但他答應再和我相見時，要送解毒藥物給我。」

鍾一豪似是言未盡意，口齒啓動了一陣，但卻說不出話來，似是要說之言，礙於出口。

谷寒香微微一笑，道：「他對我很有分寸。」

這正是鍾一豪要問之言，谷寒香這般率直地講了出來，鍾一豪倒有些不好意思起來，俊臉微泛起兩朵紅暈。

余亦樂忽然大笑道：「咱們離開天香谷時，一直擔心無法引起武林中人物的注意，看來是多餘了。這行程第一站已有這樣多的高手糾纏，日後真不知要鬧成何等局面？」

谷寒香微微一笑，道：「愈多愈好，天下綠林道上的高手，全都找上來，那才好呢！」

鍾一豪輕輕嘆息一聲，突然轉過身子，緩步出門而去。

谷寒香玉手一揮，道：「你們都該休息一下啦，也許晚上還有事情。」

余亦樂當先告退而出，江北三龍、文天生、麥小明，相繼退出。

這一天過得十分平靜，晚飯過後，麥小明輕輕一扯鍾一豪的衣袖，先行離開臥室，走到一

處僻靜所在。

鍾一豪急步跟了上來，問道：「什麼事？」

麥小明道：「你是不是很煩惱？」

鍾一豪抬頭望看將要沉落下去的夕陽，默然不語。

麥小明道：「你不用騙我了，我知道你心裡很妒恨那個今夜要和我師嫂相會之人，師嫂言詞之間對他偏護，你心中定然感覺十分難過……」

鍾一豪掃掠了麥小明一眼，仍然一語不發。

麥小明雙目眨動了一陣，說道：「我願意幫助你殺了那人。」

鍾一豪道：「夫人偏護他，咱們如何下手？」

麥小明道：「咱們不讓她知道也就是了，待他和夫人見面後，告辭之時，咱們再追蹤趕殺，或是先行埋伏在什麼地方攔截於他。」

鍾一豪年齡究竟是大了一些，爲人做事較爲穩重，沉吟了良久，道：「眼下還難決定，到時見機而做吧！」

麥小明道：「你必須要我幫助，咱們單打獨鬥，未必是人敵手，但如聯起手來，咱們的武功，就不止增加一倍，對方武功再高，咱們也不致落敗。」

鍾一豪輕輕嘆息一聲，道：「咱們如果那樣做，只怕要傷夫人的心？」

麥小明笑道：「如果夫人對他好，咱們就不用殺他了。」這兩句平平常常之言，卻如一柄利劍，刺入鍾一豪之心，只見他臉色一變，道：「好吧！如果夫人對他垂青有加，咱們就追蹤

趕殺。」麥小明道：「就此一言為定，到時候你看我眼色行事。」

兩人計議妥當，心中反而定了下來，各自回房運氣調息，準備晚上一場惡戰。

天色二更時分，麥小明首先一躍下榻，走到鍾一豪床旁邊，低聲說道：「不早了，咱們去瞧瞧吧！」

鍾一豪緩緩睜開雙目，步下木榻，探首窗外，望望天上星辰，低聲說道：「咱們索性堂堂皇皇，直入夫人臥室，藉著保護她的名義，想她也不致見拒我們？」

麥小明笑道：「如果她讓咱們退出來呢？」

鍾一豪道：「咱們就以她安危大事作題，退守室外，看那人從哪裡進去？」

麥小明微微一笑，道：「好吧！」當先向谷寒香臥室之中奔去。

這是個沒有月亮的深夜，谷寒香房中的燈火，更顯得明亮。

麥小明輕輕一推房門，應手而開，不禁一皺眉，說道：「她連房門也沒有關呢。」

谷寒香似是已聽到房門推動的聲息，高聲問道：「什麼人？」

麥小明一伸舌頭，疾退到鍾一豪的身後，躲了起來。

鍾一豪自是不好和他一般地畏首畏尾，當下重重地咳了一聲，道：「屬下鍾一豪，夫人還沒有安歇麼？」

谷寒香道：「只有你一個人來麼？」聲音甜柔毫無怒意。

忽覺麥小明手掌在背上推了一下，低聲說道：「我要走了，你就說你一個人來的。」突然一晃雙肩，凌空而去。

鍾一豪好像不該相欺谷寒香般，結結巴巴地應道：「現在……只有屬下……一個人了。」

谷寒香道：「怎麼？麥小明跑了嗎？」

鍾一豪微微一怔，道：「他走了！」

谷寒香道：「你進來吧！」

鍾一豪緩步進去。只見室中高燃著一支兒臂粗細的火燭，谷寒香換著了一身白綾長袍，髮挽宮髻，倚案而坐，右手支腮，側目望著鍾一豪笑道：「這樣深的夜了，你跑來做什麼？」

鍾一豪道：「屬下惦念夫人安危……」

谷寒香緩緩站起嬌軀，道：「你這話可是由衷之言麼？」

鍾一豪道：「屬下怎敢相欺夫人？」

谷寒香輕輕一咬櫻唇，說道：「你可是怕我和那人一起跑了麼？」說完，嫣然一笑，緩步走了過來。燭光下，只見她肌膚瑩光，笑容如花，不禁看得一呆。

但見她緩緩舉起纖纖玉手，輕輕一握鍾一豪右手，柔聲說道：「你對我好，我知道，但你別忘了我志在替大哥復仇，這一生中，我不會再對任何人用情了，我的情感已相伴大哥陰靈，埋在那雪峰上了。」

鍾一豪只感前胸之上，如被人重重地擊了一拳，心神震動，緩緩垂下頭去。

這位以心狠手辣譽滿江北的綠林梟雄，機智豪勇，江北武林道上，聞他之名，無不懼讓三

分，但此刻，卻變成一副失魂落魄的情態，垂首靜止，黯然神傷。

一縷憐憫，由谷寒香心底泛了起來，只聽她輕輕嘆息一聲，幽怨地說道：「我們相見得太晚了……」

鍾一豪雙目中神光一閃，突然抬起頭來，凝注谷寒香臉上問道：「夫人正值青春年華，屬下也不過年屆而立，這相逢如何能夠算晚？」

谷寒香淒然一笑道：「相逢時我已心有所屬，大哥是第一個闖入我心中的男人，但也是最後一個了……」她輕輕嘆息一聲，眉宇間泛現出深情的惜憐，接道：「天下強過我谷寒香的人何止千萬？你何苦對我這殘花敗柳這般地一往情深？何況我心已經伴大哥埋在那雪峰上了，今生今世，永難再情海泛波，不論你如何的赤誠待我，也只是自討苦吃……」

鍾一豪淒涼一笑，道：「曾經滄海難爲水，除卻巫山不是雲！不論你如何對我，只怕也難使我回首登岸了。」

谷寒香道：「這又何苦呢？也許我的肌膚、容色還有點使你陶醉，但如你能想到春盡紅顏衰老，一坏黃土掩白骨，花容月貌，無非是過眼雲煙。我大哥生前是何等的英雄豪氣，如今長埋那雪峰之上，當今之世中，除我之外，真正懷情難忘的又有幾人？兩情相投，貴在知心。但我心如枯槁，餘下的只不過是一具行屍走肉，我要利用這一副沒有靈魂的軀體，替大哥報仇雪恨，要不然我就當面毀給你看！」

鍾一豪籠罩愁苦的臉上，突然泛現出一片開朗的笑容，道：「春蠶不死絲不盡，死灰或有復燃時？一朝春盡紅顏老，屬下甘做葬花人！」燭光下，只見他雙目中湧蘊著兩眶瑩晶的淚

水，閃閃生光。

谷寒香微微一嘆，道：「唉！你這人至死不悟！」

鍾一豪笑道：「但能得一掬有情之淚，死而何憾？」

谷寒香怒道：「你甘願愛一具行屍走肉，用心可誅……」

鍾一豪微笑接道：「情甘效命，生死不渝。」

谷寒香道：「哼！沒有出息！」

鍾一豪笑道：「有出息我也不致忍辱負重地跟著你們來了。」兩行淚水奪眶而出。

谷寒香輕嘆一聲，道：「你這般自尋煩惱，終非長久之策，我不忍害你，你還是走吧！」

鍾一豪微微一怔，道：「你要我到哪裡去？」

谷寒香道：「回江北做你的綠林人盜，咱們分開了，也許會對你好些……」

鍾一豪臉色微微一變，道：「夫人，可是要逐走屬下？」

谷寒香道：「我不能受君明珠，也不忍害你受苦，事難兩全，最好的辦法，就是我們從今以後永別再見。」

鍾一豪黯然一嘆，道：「夫人好意心領了。」緩緩轉過身去，舉步而行，片刻間隱入了夜暗之中不見。

谷寒香忽然想到，鍾一豪在日下對自己是何等的重要，如若他真的負氣而別，這損失太大了，甚至將影響到整個的計劃。她想叫他回來，但口齒啟動，卻發不出一點聲音。她呆呆地站著，不知過去了多少時間，忽然間，聽到了一聲輕微咳嗽聲，起自身側。谷寒香霍然一驚！抬

天香飆

頭看去，只見一個身著長衫，胸留黑色長髯的中年男子，站在身旁。此人來得無聲無息，谷寒香竟然不知他何時走入室中，

她鎮定一下心神，問道：「你幾時來的？」

那中年大漢微微一笑，道：「我來久啦，不忍驚醒你的沉思，一直沒有說話。」

谷寒香轉過身子，走到那放著燭火的木案旁邊，坐了下來，說道：「你答應給我的解藥帶來了麼？」

那中年大漢笑道：「自然是帶來了！」探手入懷，摸出一對玉瓶，放在案上笑道：「那白玉瓶中放的解藥，翠玉瓶中精心調製，獨步江湖的『迷魂』藥物，此藥無色無味，不論何時何地，均可施用，對你在江湖的行動，幫助甚大。」

谷寒香道：「這等珍貴之物，你肯拏來送人，我很感激。」伸手向那一對玉瓶之上抓去。

那中年大漢動作比她更快，右手一伸，已把兩只玉瓶搶入手中，說道：「在下既然把這等珍貴藥物帶來，自然是有相贈之心，不過……」

谷寒香看他忽然不言，忍不住問道：「不過什麼？說呀。」

那中年大漢一陣輕笑，道：「不過，在下生平之中，不願賜人一草一木，縱是拔一毛而利天下，在下也不願為，肯以這等珍貴之物相贈，豈有白白送你之理？」

谷寒香微微一笑，道：「我早已準備好了。」緩緩解開白綾長褸，由瑩光肌膚的項頸間，取下一串珍珠。這一串珍珠，顆顆都在燭光下，閃動著耀目的光輝，其中兩顆併在一起的大如龍眼，珠光閃動之間，滿室一片寶光，單是一顆，已然價值連城。谷寒香留戀地望了那串珠子

一眼，緩緩遞了過去，說道：「我以這串明珠，換你的解毒藥物如何？」那人淡淡一笑，伸手接過明珠，低頭在燭光之下察看。

谷寒香輕輕嘆息一聲，接道：「我們是不是真的中毒，目下還很難說，但我寧願信其有，不願信其無，才肯以這串明珠和你相換。」

那人把手中一串明珠鑒賞了一陣，重又交還給谷寒香的手中說道：「這些珍珠，雖然顆顆價值連城，但在下收存的，只有比你這串貨色，尤好甚多，你既然捨不得，那就收回去吧！」

谷寒香道：「你這樣說，可是要把那些解毒的藥物白送我們麼？」

那中年大漢笑道：「在下平生之中未開過此等惡例，對姑娘自是不能格外施情。」

谷寒香道：「難道這串珍珠，還不值你那一瓶解藥麼？」

那中年大漢道：「明珠雖貴，但總是有價之物……」

谷寒香道：「這已經是我身上所有之物中最珍貴的東西了……」

這中年大漢接道：「可惜在下卻不稀罕。」

谷寒香道：「我沒有比這串珍珠更值錢的東西了。」

那人笑道：「有，姑娘有一件最珍貴的東西，不是金銀珠寶，可以買到。」

谷寒香奇道：「當真麼？怎麼我自己卻不知道呢？」

那中年大漢道：「此物一直相伴姑娘身側。」

谷寒香道：「只要我有，我絕不吝惜，你說出來吧！」

那中年大漢笑道：「姑娘心中想必已經有數了，那就是姑娘美麗的容色……」

谷寒香道：「難道容色也可以用做交換之物？」

那中年大漢道：「秀色可餐，美麗的容色足以使人廢寢忘食。」

谷寒香道：「那你就坐在這裡，看我一天一夜吧！」

那中年大漢突然緩步走了過去，伸手向谷寒香玉腕之上抓去。

谷寒香疾快地退後兩步，道：「你要幹什麼？」

那中年大漢淡淡一笑，道：「姑娘難道不替你自己和屬下的性命著想麼？」

谷寒香怔了一怔，道：「你究竟要怎麼樣？」

那中年大漢道：「姑娘如能答應和在下相處兩日，在下就把這兩瓶藥物相送。」

谷寒香點點頭道：「好吧！你先把藥物給我。」

那中年大漢似是想不到她竟這樣一口答應下來，呆了一呆道：「姑娘答應了麼？」

谷寒香點點頭道：「答應了。」

那中年大漢，果然把藥物交到谷寒香手中。

谷寒香接過藥物，微微一笑，道：「我答應是答應了，不過現在不行。」

那中年大漢臉色一變，道：「為什麼？」

谷寒香道：「我們是否中毒，眼下無法預測；你這解毒藥物是否有效，我也不很清楚，等我證明了你的話不錯時，我再答應你。」

那中年大漢笑道：「話是不錯，但你許這心願卻未免太遙長了，如若你一月無法證明，難道要我等上一月麼？」

谷寒香道：「我一年沒法證明，你就要等上一年。」

那中年大漢皺皺眉頭，說道：「那你還是把藥物還我吧！這樣長，我如何能夠等待？」

谷寒香笑道：「有人願意等我一生，我死了，他還願意做葬我之人。」

那中年大漢道：「人各有志，在下卻沒有這份耐性。」

谷寒香道：「我既然答應了你，絕不會欺騙你，回去吧！兩天後再來看我。」這兩句話，說得溫柔無比。

那中年大漢，輕輕嘆息一聲，伸出手來，道：「讓我摸摸你的手，好麼？」

谷寒香撫媚一笑，緩緩伸出手去，放在他的手中，柔聲說道：「耐心的等待吧！明月普向人間照，但每月只有一夜圓。」

那中年大漢眉宇間泛現一種歡愉和黯然混合的神情，顯然他已屈服在谷寒香石榴裙下，分不出此刻心情是苦？是樂？

谷寒香輕盈的笑聲，重在中年大漢耳邊響起：「時候不早了，你還不回去麼？」緩緩掙脫被他握在掌中的柔荑。

那中年大漢突然輕輕嘆息一聲，道：「姑娘的艷色，雖然是初現江湖，但因你們這一行人的奇裝異服，早已引起西北綠林道上的注意，只怕你們今後行止之間，將引起無比的麻煩。」

谷寒香笑道：「我們就是找麻煩來的，不用替我們擔心，麻煩對我們愈多愈好。」

那中年大漢聽得怔了一怔，沉吟不語，良久之後，忽有所悟的，打量了谷寒香一眼，道：「這麼說來，姑娘這身引人注目的裝束，是別具用心了？」

谷寒香笑道：「我如不是有心如此，豈肯這樣地拋頭露面……」
那人突然精神一振，道：「不知姑娘能否將用心何在告訴在下？我或能相助一臂之力。」
谷寒香道：「你很聰明，但不知膽氣和武功如何？」
那人笑道：「膽大包天，技不輸人。」
谷寒香道：「兩者之外，還得有一顆爲我效命之心。」
那中年大漢道：「我生平只知指使他人，從未受人之命，但如姑娘能以情相牽，或可使在下甘心稱臣裙下！柔能克剛，情甘效死，古往今來，有幾個大豪傑不是爲情害……」
谷寒香接道：「你這樣觀察入微，又何苦效那飛蛾投火自焚？」
那大漢苦笑道：「酒色醉人，情不自禁。」
谷寒香道：「明知故犯，自取其禍……」
那中年大漢笑道：「那也未必！在下生平做事，只願我負天下人，不願天下人負我。」
谷寒香道：「你可知我和別人不同？」
那人笑道：「如你和別人一樣，我也不致爲你傾心！不是在下誇口，姑娘如能使在下甘心效命，比你現在統率之人，強勝何至百倍？」
谷寒香笑道：「你一直很冷靜，一點地不像爲我容色所動的樣子。」
那人沉吟了一陣，道：「姑娘大可不必再留此處，等待和在下兩日之約，要趕路只管動身，我如自斷情絲，自會想法子一報今日你騙我之恨，如果情懷難解，自會效命裙下。」
谷寒香笑道：「很好，我心中仇恨的人很多，而且大都是當今江湖上一派宗師之人，比起

你，那可是高強甚多，增加你這樣一個仇人也不會放在我心上。」

那人突然抱拳笑道：「好，我如能不屈服在你美色之下，十日內叫你們全數死絕……」

谷寒香揮手笑道：「你快些走吧，你這神態對我，如被我屬下看到，決計不會放過你。」

那人更是氣忿，冷笑一聲，道：「就憑姑娘幾個屬下也能傷害到我麼？」

緩緩舉起右手，正待揮出，突聽身後響起了一個冷冷的聲音，道：「住手。」

十七 醉人容色

回頭看去，只見一個三旬左右的英俊中年，和一個十四、五歲的孩子並肩而立，兩人除了右手橫著兵刃之外，左手高高舉起，似是手中拏著暗器。

那中年大漢高舉的右手，突然輕輕一彈，一片白粉，直向谷寒香飛去。

那白粉極其微小，而且飛出時無聲無息，在那微弱的燭光下，極是不易看出。

他右手輕彈出一片白粉之後，緩緩說道：「兩位氣勢洶洶，可是想和在下比劃幾招麼？」

麥小明擔心打起來傷害到谷寒香，接口說道：「你如有意動手，咱們不妨選擇一處寬大的地方，這室中太狹窄了。」

那人笑道：「不用擔心我以她為人質，對付兩位，大概還用不著施出這等手段……」

鍾一豪冷笑一聲，道：「聽你口氣如此之狂，想必就是暗中領袖西北綠林的『屠龍寨主』？」

那中年大漢微微一怔！縱聲大笑，道：「我由來處而來，去處而去，相逢未必要相識，在下是誰，兩位似是大可不用多費疑猜。」

麥小明道：「誰問你的姓名了？既然想打，快些滾出來吧！」

那中年大漢臉色一變，大步直向兩人停身之處走去。

將要接近兩人之際，突然舉起手來，輕輕一彈。

鍾一豪閱歷豐富，雙目一直盯著他的兩手，見他舉手一彈，立時揮刀直刺過去。

那人想把手中藏的藥粉彈向兩人，哪知鍾一豪料敵先機，搶先出手，迫得他無法對準兩人，只好向下一揮，把手中暗藏藥粉，撒在地上。

麥小明突然揮劍封住鍾一豪的刀勢說道：「讓他出來，咱們再動手不遲……」

鍾一豪暗道：「不錯啊！我把他逼到這室中，豈不是正如了他的心願？一露敗象，就可把谷寒香抓住做人質了。」心念一轉，疾向旁邊退開兩步，讓開了一條去路。

那中年大漢緩步走近門口之時，突然一挫腰，身子疾如離絃流矢，起落之間，人已到了兩丈之外。

鍾一豪冷笑一聲，左腕一揚，一蓬銀芒，疾射而出，麥小明卻挫蜂腰，長身直追上去。

那人似是料到鍾一豪等定要發出暗器的，腳落實地之後，立時向前一傾，前胸幾貼在地面上，讓開了鍾一豪打來的一蓬銀針。

但他這一緩之勢，卻無法讓避開麥小明的追襲，他身子還未站起，麥小明手中的長劍，已挾著大片冷芒飛到。那人武功不弱，而且臨危不亂，一吸氣，身子突然向一側滾了過去。

麥小明下手毒辣，長劍疾轉，盤旋不落，劍光始終籠罩著那人身軀。

要知高手相搏，不得有分毫之差，麥小明手中寶劍，舉而不落，使那人一直無法逃出他的劍勢籠罩之下，使他無法站起身子。但如他把手中寶劍一直劈下，以那人的身法，當可避開他

的劍勢。

鍾一豪疾追而到，一見兩人架式，立時一招「毒蟒出穴」，刀光如雪，混在漫天飛舞的劍影之中，疾沉而下。

只聽那中年大漢大喝一聲，突然挺身而起，右手一揮，白光閃動，一陣兵刃相擊的金鐵交鳴之聲，鍾一豪軟刀、麥小明的劍勢，全被震盪開去。

凝神望去，只見那中年大漢右手中握著一個形如短劍的兵刃，肅然而立。

麥小明怔了一怔，道：「我還道你身上沒帶兵刃呢？」橫裡一劍斜削過去。

那人手中一柄寒光閃閃似劍非劍之物，看去形狀奇古，既非短劍，又非匕首，只見他隨手一揮，封開了麥小明的劍勢，飛起一腳，踢向鍾一豪的右腕。

鍾一豪疾快地退後兩步，讓他踢來一腳，他忽然發覺此人武功，高出了自己意料甚多，低聲對麥小明道：「快停下手來！」

麥小明依言向後退了兩步，長劍橫在胸前。

只聽那大漢冷笑一聲說道：「你們一行十人，都已中了劇毒，七日後毒性發作，全身潰爛，現在，你們唯一的生機就是我在七日以內，找上門來救你們了。」

麥小明怒道：「那你送交我師嫂的藥物是假的了？」

那中年大漢道：「那解藥千真萬確。」

鍾一豪道：「別說我等從未有過中毒之感，縱然是真中了毒，既有解藥，還怕什麼？」

那大漢冷笑一聲，道：「用毒一道，江湖上日新月異，傳到今日，不但用毒的方法花樣翻

新，毒藥的本身，亦有了許多改進了……」

鍾一豪道：「有這等事，願領教言。」

那中年大漢道：「我只簡略地說明一件事吧！目下的毒藥之中，無色無味，早已不足為奇，什麼九步斷腸、十步奪魂，亦早不為人用，現下所有之毒，大都可以潛伏一段時間之後，才會毒性發作，三日後，或七日之後，猝然毒發身亡。」

鍾一豪一皺眉頭，道：「照你這般說來，我們已確實中毒了？」

那人道：「不錯，你們諸位身受之毒的解藥，在下也已經交給那位姑娘了，可惜的是，在下還未傳授她施用之法。」

鍾一豪冷笑一聲，道：「既有了解藥，難道還怕不會用麼？這個不勞費心了。」

那人大笑道：「不錯，目下武林中，不論哪一派、哪一門，研創一種毒藥，必然同時煉得了解毒之藥，故常為追取解毒藥物一事，引起殺戮，牽連上甚多無辜之人……」

鍾一豪點頭說道：「這話倒是不錯。」

那中年大漢道：「因此，各人門派的獨門解藥，大都暗中和劇毒調合，如果是不知用法之人，拏來使用，不但難以見效，而且那受救之人，也難以保得性命了。」

鍾一豪道：「這般地轉來轉去，就是說，你交給我們夫人手中那瓶解毒藥物，早已暗中混合過毒物了，是麼？」

那人道：「不錯！因我既未傳授她用藥之法，只有向我求學一途，此外，別無良策。」

麥小明道：「難道世間只有你一人會下毒麼？我們為什麼一定非找你不可？」

那人道：「到目前為止，眼下會調製此等藥物，還未聽過有什麼人？」

鍾一豪道：「你這是獨一份的生意了？」

那人笑道：「所以兄弟這生意是有賺無賠。」

鍾一豪緬刀一揮，道：「你走吧！」

那人冷笑一聲，轉身而去。

麥小明奇道：「你放他幹什麼？」

鍾一豪道：「我要先試試自己是否已經真的中了毒？」

麥小明嘆道：「待你試出自己是否已經中毒，那人早已走得沒了影兒！」

鍾一豪默然不語，轉身直向谷寒香房中走去。

麥小明略一沉吟，也衝進了谷寒香的房中，室中燭光高燒，火焰熊熊，谷寒香對看燭光而坐，柳眉微微聳起，不知在想的什麼心事？

鍾一豪、麥小明走入室中，她仍是渾然不覺。

麥小明故意重重地咳了一聲，說道：「師嫂，那人留給你解藥了麼？」

谷寒香如夢初醒一般，霍然轉過頭來，打量了兩人一眼，說道：「留下啦！」她似是正在想著一件重大的難題，簡短地答覆了一句話後，立時又凝目沉思起來。

鍾一豪緩步走了過去，低聲問道：「那人可曾告訴夫人，說咱們都已中了毒藥麼？」

谷寒香輕輕嘆息一聲，道：「他說過了，但他既然留下解毒藥物，自然是不用再怕了！」

鍾一豪道：「夫人怎知他的解毒藥物是真的？」

谷寒香微微一怔，道：「我想他不敢欺騙，現在我正在想一件重要的事，你們別打擾我。」

鍾一豪、麥小明胸中雖然有甚多話要對她說，但見她那等不耐煩的神情，只好默然退出。

第二天，天色還未大亮，谷寒香等一行人，趁曉色離開了長安。六匹長程健馬，和一輛騾車並馳在廣闊的原野上。就在他們離開金龍客棧兩個時辰，又有八匹快馬，離開了長安城。中午時分，谷寒香等一行，已遠離長安四、五十里以外，幾匹長程健馬，卻跑得滿頭大汗。

谷寒香探出頭來，低聲對車前的余亦樂道：「把騾車馳到那片樹林中停下來休息一下。」

余亦樂長鞭一揮，「砰」的一聲，那拖車健騾，突然一個轉彎，直向大道外一片林中奔去。六匹奔行中的長程健馬，也突然一帶韁繩，齊齊轉入了那片密林。

谷寒香緩步下車來，掃掠了群豪一眼，笑道：「我想他們定會派人來追蹤我們。」

鍾一豪笑道：「夫人之意，可是在此地等他們麼？」

谷寒香道：「我要從他們身上追查那人的來歷，和那解毒藥物的施用之法。」

鍾一豪道：「如果他不肯說呢？」

谷寒香淡淡一笑道：「那就把他們殺了算啦……」

她微微一頓之後，又道：「你們快到林中埋伏起來，我去把他們誘入此林，一舉而擒。」

苗素蘭突然一躍下車，笑道：「我陪你去誘敵入伏。」

谷寒香笑道：「好吧！」舉手扶在苗素蘭的肩頭之上，緩步向林外走去。

鍾一豪目光一掃群豪，道：「咱們藏起來吧！」

谷寒香漫步而行，走出了樹林之後，突然嘆息一聲，欲言又止。

苗素蘭笑道：「妹妹有什麼爲難之事儘管說吧！我知道你此刻心中定然有了別的打算。」

谷寒香道：「姊姊果是料事如神，我心中確然有事，希望姊姊能助我一臂之力。」

苗素蘭道：「你可是想擺脫我們這一行人麼？」

谷寒香道：「我要到『萬花宮』去，雖然有些冒險，但對大哥報仇一事，卻有著很大的希望，但我又不能把心中所想之事告訴他們，只好想一個金蟬脫殼之法……」

苗素蘭接口說道：「此去『天台萬花宮』迢迢千里，沒人帶著你去，你如何能夠找到？」

谷寒香道：「自然是有人帶我去了。」

苗素蘭道：「怎麼，你已經和人約好了麼？」

谷寒香點點頭道：「我沒有和他說好，但我知道，他定然會帶我去……」

她微微一頓之後，又道：「目前我唯一放心不下的，就是你們中毒的事，雖然那人給了我解藥，但解藥是真是假，叫人無法預測，萬一我去了之後，這些人全部毒發而死，豈不是一大憾事？」

苗素蘭淡淡一笑，道：「不用再說啦！如果你能把我當心腹看待，暫時不用到『天台萬花宮』去，那地方太危險，目前你的應變機智還不夠，最好能晚一些時候再去。」

谷寒香道：「爲什麼？」

苗素蘭道：「你的聲名還未在江湖上傳出……」

谷寒香笑道：「一個被視做野花路柳的人，還有什麼聲名？」

苗素蘭道：「就算你的艷名吧！還不足傾動武林，你如果肯聽我的安排，很快你就可以達到這個願望了……」她羞赧一笑，繼道：「我有一個移花接木的法子，使你的美麗和毒辣，同時傳誦在江湖之上。」

谷寒香茫然說道：「什麼法子？」

苗素蘭低聲說道：「必要時，只有我代妹妹……」下面的話，她附在谷寒香耳際間說的，除了她們兩個人，沒有人知道她說的什麼？

谷寒香道：「這樣做，姊姊豈不是犧牲太大了麼？」

苗素蘭笑道：「不要緊，姊姊也不是三貞九烈的人，爲著妹妹，爲著替盟主復仇，姊姊死也甘心情願……」

谷寒香呆呆地想了一陣，臉上突然泛現起了兩朵紅暈，但她終於點頭答應下來。

兩人並肩在道旁坐了下來，遙望著長安東上的大道。

谷寒香心裡泛起了從未有過的雜亂思想，她雖早有了利用自己美麗的用心，但在她心理上，仍有重重的束縛和顧慮，這束縛已被苗素蘭幾句話輕輕解開了，她有些怕，也有些羞，她要學著留給人深深的懷念，也要留給人極大的痛苦。

突然間，東上的大道上，捲飛起一片滾滾的塵煙。

苗素蘭突然間站了起來，道：「來啦！」

谷寒香緩緩伸出纖手，抓住苗素蘭的玉腕，道：「姊姊，我心裡有些害怕。」

苗素蘭淡然一笑，道：「怕麼？你慢慢地就會習慣了。」

抬頭看去，已隱隱見那疾馳而來的快馬。

苗素蘭覺出谷寒香手心中不停地出著汗水，回頭一笑，低聲說道：「妹妹，江湖上險惡無比，不是你征服別人，就是被人征服，你要振作些。」

但見馬如流矢，片刻工夫已到兩人跟前。

那當先一人忽地一收轡繩，疾奔的快馬，突然停了下來。

谷寒香美目流轉打量了幾人一眼，輕輕一拉苗素蘭，轉身向林中緩步行去。

來人中當先一個濃眉環目，虎背熊腰，神態十分威武的大漢，突然一躍下馬，大聲喝道：「站住。」

聲如雷鳴，震得人耳際間嗡嗡作響。

谷寒香停下身子，回頭一笑，柔聲說道：「什麼事？」

她聲音柔細，動人悅耳，聽得那大漢怔了一怔，緩步直走過來。

苗素蘭怕他突然出手，身軀一橫，攔在谷寒香前面說道：「我們夫人是何等身分的人，豈容你這凡夫俗子接近，有話站在那裡說吧！」

那大漢略一沉吟，道：「在下奉命而來，告訴你那解藥施用之法來了……」

他忽然抬頭望著無際藍天，十分神氣地說道：「雖有解藥，但如不知用法，一樣難免毒發

身死之危。」

谷寒香淡淡一笑道：「既是善意而來，那就請林中坐吧！」當先轉身，緩步而行。

那大漢舉手一招，另外相隨的七個大漢，一齊跳上馬背，拔出兵刃，戒備而行。

谷寒香回目一望，不禁一皺眉頭，低聲說道：「他們這樣，只怕不好對付？」

苗素蘭微微一笑，道：「帶首之人，看去雖然身軀魁梧，十分嚇人，只不過天生幾分蠻力，如論真實武學，只怕連賤妾也難敵得……」

她凝目想了一陣接道：「妹妹，咱們就拏他做一次試驗好麼？我由『陰手一魔』那裡帶來甚多藥物，自從進了『迷蹤谷』，已不準備再用，封存甚久，原想今生今世不會再用此物，想不到如今竟然重又派上了用場！等一會兒我傳你施用之法，以你的絕世容色，定可在江湖上掀起一陣風波，鬧得天翻地覆，神鬼不安……」

谷寒香笑接道：「像一陣狂飆，吹得塵煙瀰天。」

談笑之間，已進林中。

江湖之中，素有逢林不入的規矩，那大漢懷抱鬼頭刀，停在林外，高聲說道：「姑娘如無什麼吩咐，在下就在林外等候。」

谷寒香心頭一動，回頭說道：「你等哪個？」

那大漢道：「等在下的總瓢把子。」

谷寒香不再理他，轉身直入林中，回坐騾車旁邊，才低聲對苗素蘭道：「姊姊，他們不肯進來，咱們豈不要白費一場心機？」

苗素蘭道：「你不用急，他們絕然等不了好久，安心地回車中休息吧！藉這點時間，我把那藥物的用法傳你。」

谷寒香奇道：「什麼藥物？」

苗素蘭笑道：「以後你自然會慢慢知道。」兩人果然揭開了車上的垂簾，進入了車中。

埋藏在四周的鍾一豪等，眼看那八個大漢，坐在林外，不肯進來，心中甚是焦急，但又不好挺身而出，自露形藏。

雙方堅持了一頓飯工夫之久，那大漢似是難再忍受，大步直向那騾車衝去。

鍾一豪看對方只有一人進來，心中暗暗忖道：「他一人入林，雖非必有誘敵作用，但也不宜暴露行藏，讓敵人發覺林中早有埋伏。」

他們早有相約，一切都以鍾一豪的行動為準，他不發動，大家只好都冷靜地守在隱身之處不動。

那大漢直衝到谷寒香騾車前面，探手一把揭開垂簾。

凝目望去，只見谷寒香倚欄而坐，滿臉笑容，容色奪目，不禁一呆！

他生平之中從未看到這等絕色的女子，何況她的側坐和微笑，又顯得那樣誘惑。

他大大地嚥了一口唾沫，忘記要說之言，手扶車欄，呆站不動。

谷寒香低聲說道：「快些回去吧！這林中埋伏的有人。」

她聲音柔和無比，神色間情意飛蕩，那大漢呆了一呆後，突然從懷中摸出一只玉瓶來。

谷寒香微微一笑，道：「這裡殺機重重，你不要再多停留了，快些走吧！」

美麗的聲音，柔媚的情態，再加上那款款深情的言詞，使那大漢如受電殛一般，全身僵直地呆在當地。

他長長吸一口氣，掙扎著說道：「在下有事對姑娘說。」

谷寒香笑道：「不用說啦，你快些走吧！」

那人漢道：「此事關係著姑娘和屬下的生死，如何能夠不說？」

谷寒香心頭微微一震，但外形間，卻保持鎮靜的神態，笑道：「你在前面市鎮上等我，今晚咱們再見。」素手一揮，放下垂簾。

那人漢緩緩轉過身去，大步而行，耳際間一直繚繞著谷寒香那嬌若銀鈴的聲音：「今晚咱們再見。」

這一句話，有如一根堅牢的索子，緊緊地縛住了他的身心。

他茫然地走出了樹林，冷冷地望了七個隨來的同伴一眼，道：「咱們走吧！」當先牽過坐馬，加鞭縱轡而去。

七人看他一副失魂落魄的樣子，也不敢多問他話，個個縱身上馬，緊隨他身後疾奔而行。

那人漢心中一直在回味著谷寒香的音容笑貌，只管縱馬狂奔。

八匹長程健馬，都跑得通體汗水，滾落如雨。

大約有一頓飯工夫之久，到了一座市鎮之上。

那大漢如夢初醒一般，忽然一勒韁繩，說道：「咱們就在這鎮上住下。」

也不管隨來七人同不同意？逕自走入一座客棧之中。

他一直緊皺兩條眉頭，一言不發，好像這個世界上所有的人都和他有著深仇大恨一般。

他叫了一桌豐盛的酒席，但自己卻一口也吃不下，冷冷地對七個隨行的同伴說道：「你們在客棧裡等我。」站起身來，大步而去。

他心中一直憧憬著那「今晚再見」的約言，匆匆趕到鎮外的要道上，徘徊不停，有如熱鍋上的螞蟻，任何人一眼之下，都可以看出他心中的惶急和不安。

癩蝦蟆想吃天鵝肉，美女的容色竟使人陶醉至此。

他忘記了自己不過是綠林道上一個藉藉無名的小卒，忘記了自己江湖上的地位和身分，是那麼無足輕重。

太陽落下西山，天際間幻起一片絢爛的晚霞，他仰望著黃昏的景色，呆呆出神。

忽然間，由西大道上，疾奔來幾匹快馬，得得蹄聲，蕩起了大片的塵煙。

快馬後緊隨著一輛騾車，轆轆輪聲，混入快馬的奔行聲中。

這中年大漢心頭頓然爲之一喜，因爲一眼之間，自然看出那輛騾車，正是谷寒香的座車。

當先兩騎快馬上，坐的鍾一豪和麥小明，這兩人心地都偏激毒辣，因此相處一段時間後，感情大增。

鍾一豪目光一掠那大漢，冷哼一聲，對麥小明道：「這小子探哨來了。」

麥小明笑道：「給他一點苦頭吃吃再說。」

奔馬飄風，兩人話還未完，已到了那大漢身側。

麥小明突然一振右腕，手中的長鞭子，疾掃過去。

他出手迅快無比，那大漢驚覺躲避時，已然晚了一步，但聞「啪」的一聲脆響，右肩之上，著了一鞭，打得他身軀一陣搖顫。

六匹快馬飄風一般，疾由他身側掠過。

車聲轆轆，一輛華麗的騾車，緊隨而過。

騾車過處，飄落一紙素箋，箋上簡簡單單地寫著：「午夜來會」四個字。

那大漢手捧素箋，似是吞服了一劑靈藥，忘去了身上的傷疼。他舉手拍了一下自己的腦袋，暗暗忖道：「人走了運道，真是銅牆鐵壁，也難以擋住！我們寨主，身分是何等尊高？但他費盡心機，也無法獲得美人垂青，我卻能獨獲芳心。」

他暈淘淘地沉醉在這美麗也短促的時刻裡，夕陽無限好，只是近黃昏，片刻間夜幕低垂。

那大漢恭恭敬敬地收好素箋，仲手摸摸臂上的傷痕，昂首闊步，直向那市鎮中走去。

他耐心地走完了所有客棧，果然在一處客棧中發現了谷寒香等的行蹤。

一個全身白衣婦人緩步走了過來，走過他身側之時，漫不經意地低聲說道：「今夜三更時分，請到後門等候。」

她蓮步款款地掠著他身軀而過，神態安詳自然，若無其事。

但那大漢卻如受了重重地一擊，只覺腦際之中，轟然一聲大震。

他幾乎不相信自己的耳朵，伸手拍拍腦袋，忖道：「她這話可是對我說的麼？我馬二扁擔，當真走了桃花運？」大好的變化，使他有些受寵若驚，連自己也不敢相信。

突然間，由身後傳來一聲冷笑，道：「這小子膽子很大。」

馬二扁擔回頭望去，只見剛好在郊外揮鞭擊中自己肩臂的童子，昂首挺胸地直走過來，心中暗暗忖道：「這娃兒只怕和那位姑娘誼屬近親，倒是不可和他一般見識。」

心念一轉，大步直向店外走去。

麥小明看他慌張的神態，不禁失聲一笑，暗道：「此等膽小之人，也敢混身綠林之中？」

如果這人長得有幾分人才，定將引起麥小明和鍾一豪的疑心，而刻意防範，但這人卻生得高大拙笨，毫無氣度，鍾一豪、麥小明再聰明，也想不到谷寒香竟然拏他來做試驗。

苗素蘭選擇了這個高大的楞小子，用心也就在使鍾一豪和麥小明不動懷疑之心，使谷寒香初度施用美色時不致受到驚擾。

谷寒香更是早已心如枯井，她一心一意只想替大哥報仇，不管要付出多大的代價。

夜幕低垂，月黑風高，這正是個偷情的好時候。

馬二扁擔刻意修飾了一番，帶上一把匕首，悄然出店，直奔谷寒香等宿歇客棧的後門。

這時，天氣不過二更左右，夜闌人靜，行人絕跡，馬二扁擔選一處黑暗所在，坐了下來。

等約一個更次左右，那一座小圓門，呀然一聲，一條人影，疾閃而出。

馬二扁擔一眼之下，已然看出來人就是那素衣婦人。

他霍然站起來，迎了上去。

苗素蘭雙目凝神，盯注在馬二扁擔臉上，冷冷說道：「你來了很久麼？」

馬二扁擔恭恭敬敬地答道：「來了一個更次啦！」

苗素蘭道：「我們夫人容色絕世，拜在她石榴裙下之人，不知凡幾？看你長相渾厚，才破例接見於你，你要小心侍候了！」

馬二扁擔道：「夫人之恩，在下當永銘肺腑，終身不忘。」

苗素蘭微微一笑，道：「夫人現在臥房相待，你如要表現誠心，最好爬著進去。」

馬二扁擔應了一聲，雙手扒地，爬行而入。

苗素蘭蓮步緩移，走得很慢，但她所行之路，都是捷徑，顯然早經勘查。

穿過了兩所庭院，到了一處幽靜的跨院中，苗素蘭指指一座半掩的房門，低聲說道：「進去吧！」

馬二扁擔抱拳對苗素蘭一個長揖，高大的身軀一閃，衝入房中。

室中未點燈火，一片幽暗，但卻有一股濃烈的甜香，醉人如酒。馬二扁擔究竟是常年在江湖上走動的人，他有著豐富的江湖閱歷，閃進室中之後，這時凝神屏息而立，右手探入懷中，摸著匕首的把柄。

臥龍生 精品集

幽室一角傳來了一個柔媚的聲音，道：「你才來麼？」

這聲音低沉柔甜，像出谷黃鶯，充滿著誘惑。

馬二扁擔凝目望去，只見靜室一角處，放著一張闊大木榻，羅帳低垂，那柔媚的聲音，正從低垂羅帳之中傳出。

這如幻如夢的際遇，乃他生平中從未經過之事，他感到有些心跳，輕輕地咳了一聲，鎮靜一下神智，道：「在下已在那後門外邊，等候有一個更次了。」

低垂的羅帳中飄出一陣輕微的笑聲，垂帳啓動，緩步走出身著長袍的谷寒香，蓮步輕移，直走過來。

馬二扁擔久在暗處站著，藉窗外透入的些微星光，隱隱可辨那行來之人，正是林中見到的那位容色絕世的紅衣女子，但覺心中一陣熱血沸騰，躬身一個長揖，說道：「在下只不過綠林道上一名小卒，而且貌不驚人，才不出眾，竟得蒙姑娘垂青……」

谷寒香也是初次試學偷情，她也有些緊張得嬌軀發抖，但她一舉一動，都早已得到苗素蘭事先的指點，早已胸有成竹，雖然緊張，但心神不亂，當下淡笑一聲，道：「因緣遇合，情有獨鍾，這和個人的才貌並無多大關係。」

她緩緩舉起手來，輕輕地放在他的前胸，停留了片刻，笑道：「你的心跳得很厲害……」

馬二扁擔只覺隨她近身的嬌軀，傳來了醉人的幽香，一陣激動，突然張開雙臂，把谷寒香抱了起來，激動地說道：「想不到我馬二扁擔這一生中，竟會有今宵之幸……」

谷寒香纖纖玉指輕揮，緩緩由他臉上滑過道：「放開我，今夜我要陪你共度良宵，羅幃帳

中，寬衣解帶，你還怕抱我不夠麼？」

馬二扁擔只感那滑過臉上的玉指，有如軟玉一般，被拂之處登時如著電流，全身行血加速，血脈賁張，心中有著無比的舒暢，也有著無比的痛苦。

他激動的全身如受冰水澆頭，抖動不停，但他仍然依言放下了谷寒香的嬌軀，嘆道：「姑娘施情如山，叫在下粉身碎骨難報。」

谷寒香舉手理一理鬢邊散髮，嬌聲說道：「我不相信你真肯為我而死。」

馬二扁擔怔了一怔，道：「什麼？」

谷寒香搖頭笑道：「男人們慣會甜言蜜語，謊言相欺……」

她仰起臉來，嫣然一笑，緩緩轉過身子，蓮步輕移，走向木榻。

馬二扁擔大步追了上來，低聲說道：「不知姑娘如何才能相信在下之言？」

這時，谷寒香已近木榻，隨手一撩長褸，露出雪白的玉腿，敢情那長袍之中，竟然未著衣物……幽暗的靜室如此美人，雪白肌膚，醉人甜香，早已使人想入非非，魂難守舍，最是動人處，還是那長褸撩動間，隱現的修長玉腿。

馬二扁擔突然一把抓住了谷寒香的玉腕，急促地說道：「在下得蒙姑娘垂青……」

谷寒香輕掀羅幃，笑道：「不用說啦。」右腿一抬，登上木榻。

馬二扁擔突然伸手取出一只玉瓶，道：「此乃寨主派遣在下送上的解毒之藥。」

谷寒香接過玉瓶笑道：「我們不都是好好的麼？哪裡像中毒的樣子？」

馬二扁擔道：「姑娘不知我們那位寨主用毒之能，只要和他見上一面，或是談幾句話，都

可能身受劇毒。」

谷寒香道：「他真有這等能耐麼？」

馬二扁擔道：「小的如有一句虛言，天誅地滅。」

谷寒香柔聲說道：「他姓什麼？」

馬二扁擔道：「姓閻！屠龍寨中一草一木，都含有劇毒，是以凡是拜會過我們寨主，出入過屠龍寨中之人，只有兩條路走。」

谷寒香道：「哪兩條路？」

馬二扁擔道：「不是投身門下，就是死路一條。」

谷寒香望了那解藥一眼，道：「如若這瓶中之藥，不是解毒藥物，我們服用之後，豈不中了他的詭計麼？」

馬二扁擔道：「小的隨了他多年，對他所用之藥，甚多可以辨識，這瓶中確是解毒之藥，絕錯不了。」

谷寒香隨手放下玉瓶，長長嘆息一聲，道：「你這人外貌倒是忠厚，但世上奸詐之人太多，叫我如何能夠信得過你？除非……」忽然住口不言。

馬二扁擔早已慾火高燒，口中急道：「除非什麼？姑娘儘管請說。」

谷寒香秋波一轉，輕輕抬起瑩白如玉的纖纖素手，悠閒地把弄著束起羅幃的紫色絲纏，好像是不知道別人正在焦急地等著她回答似的。她眼瞼微合，羅衿掩映，柔軟的胸膛，宛如孩子夢中海洋的波浪般輕柔地起伏著，窗外的星光，映著她半帶幽怨、半帶嬌羞的面容，映著她

羅襟掩處豐腴卻不露肉，修長而不露骨的玉腿，也映著她渾圓而小巧的足踝。馬二扁擔看得呆了，呼吸漸漸急迫，他訥訥道：「姑娘……你若不信任我，我……我……我便要……要……」

谷寒香目光一抬，秋水般的眼波，筆直地望在他面上，道：「你便要怎樣？」

她眼波是那麼清澈而明亮，彷彿要筆直看到馬二扁擔心底深處。

馬二扁擔的目光，卻是筆直地望著她掩映的羅襟深處，他顫抖著伸出那粗糙而堅實的手掌，顫抖著在那瑩白的玉腿上觸摸了一下，那種溫暖、光滑、細膩的感覺，使得他靈魂都為之顫抖了起來。

谷寒香「嚶嚀」一聲，玉腿微縮，銷魂的眼波更銷魂了，她輕輕說：「你說……你說你要怎樣……」

馬二扁擔呆呆地怔了半晌，霍地站起身來，只見刀光一閃，他竟從靴筒裡拔出了一柄雪亮的解腕尖刀。

谷寒香嬌喚一聲，道：「你……你要做什麼？」語聲中既是驚異，又是關心。

馬二扁擔目光中滿帶著痛苦地渴求之色，道：「姑娘，我對你……我對你……好……」額角上突地滾下了兩粒豆大的汗珠，這粗魯的莽夫此刻只恨自己為什麼沒有一條靈巧的舌頭，能說出自己心中的言語。

谷寒香道：「你很喜歡我，是不是？」

馬二扁擔連連頷首道：「是，是……只要姑娘你能信得過我，我就是割下我的鼻子，我的耳朵，都在所不惜！」

谷寒香嫣然一笑，道：「真的嗎？」嬌軀一側，胸前的衣襟，又落下了半寸。

馬二扁擔咬了咬牙，突地舉起自己掌中的尖刀向自己耳朵割去。

谷寒香嬌喚道：「哎呀，不要……」

馬二扁擔頓住手掌，面上露出狂喜之色，道：「姑娘可是已信任了我麼？」

谷寒香幽幽嘆道：「我真不忍看到你傷殘自己的身體，但是我又想看到你真的對我好……你若真的對我好……」手掌一垂，紫色的羅幃，突地垂落了下來，接著便有一陣奇怪而銷魂的香氣，自羅幃中嬝嬝飄出。這異香給人一種舒暢無比的感覺，也給人一種加重慾念的衝動。

馬二扁擔張開嘴巴，長長呼一口氣，他覺著胸腹之間有一股火焰在燃燒，五臟六腑，都開始劇烈地跳動。他想不顧一切地撲入那羅帳之中，但他卻又擔心因莽撞粗魯使谷寒香心中不悅。他痛苦忍受著這慾火焚身之苦。

這時，低垂的羅帳忽然一動，一個柔媚冶蕩的聲音，傳了出來道：「上來呀？天色不早了。」馬二扁擔已被那焚身慾火，燒得有些頭暈腦脹，哪裡還有分辨聲音之能？聽得那柔媚嬌呼之聲，再也無法克制感受的衝動，雙手齊出，分開羅帳，一躍上榻。只見一個瑩白如玉，美麗絕倫的身體，橫臥繡被羅幃之中。

她似有些羞怯和畏懼，側身而臥，散披的長髮，掩遮住她的面頰。

馬二扁擔激動的叫聲：「姑……娘……」「嚓」的一聲，撕破了身上的衣服。

羅幃低垂，春色無邊，一種原始人性的衝動，使馬二扁擔陷入了瘋狂之中，他那魁梧的身軀，像一陣狂烈風暴，盡情地蹂躪著一朵美艷的海棠。

這是多麼一幅異常不調和的畫面？女的玉肌冰膚，柔若無骨，男的卻形貌粗魯，莽莽俗夫。暗淡的夜色，和那低垂羅幃，掩遮了無邊春色，深幃瑣事有辱筆墨，不說也罷。一陣劇烈的風暴過後，一切重歸平靜。

馬二扁擔昏昏迷迷地沉睡過去。不知過了多少時間，馬二扁擔突然被一隻玉手搖醒。他伸動一下雙臂，睜開眼睛望去，只見谷寒香滿臉肅穆之色，身著長袍端坐在木榻之上。

她似是覺到了馬二扁擔已清醒過來，回日一瞥，冷冷地說道：「天色已四更過後了，你該走啦！」她的冷峻，使馬二扁擔回味她剛才的熱情，不禁微微一怔！突然挺身坐了起來，正待開口，谷寒香又冷冷地搶先說道：「不用說啦，快些走吧！」

她那冰冷的聲音，含蘊著一種征服者的權威，馬二扁擔似是完全喪失了抗拒之能，緩緩離了木榻。一個全身白衣的女子，當門而立，手中橫著一柄冷森森的寶劍，馬二扁擔，已然看出正是帶他來此的女人。

馬二扁擔微一猶豫，探手摸出解腕尖刀。這只是一種下意識的衝動，略一鎮靜，立時又把解腕尖刀放入懷中，目光一瞥苗素蘭，回頭對坐在羅帳中的谷寒香道：「今後歲月，小的不知還能不能再見姑娘？」

一隻雪白的手腕，迅快地由羅帳內伸了出來，撩起羅幃走出來容色絕世的谷寒香。她冷冷地望了馬二扁擔一眼，柳眉微微一皺，神情間泛現起無比的厭惡，也許她目睹這粗魯的莽夫後，心中泛升起一種被羞辱的感覺，神情之間，顯得十分冷漠，目光一掃馬二扁擔，道：「你還想見我麼？」

馬二扁擔臉色一整，恭恭敬敬地說道：「小的能再見姑娘一次，縱然粉身碎骨而死，也是死而無憾。」一刻銷魂，已使他終生難忘。

谷寒香冷哼一聲，道：「就憑你那笨頭笨腦的長相，還懂得什麼叫做情意？」

馬二扁擔呆了一呆，突然又探手入懷，摸出了那柄解腕尖刀。

谷寒香目光一轉，冷冷說道：「我不信你真會割去自己的耳朵？」

馬二扁擔正容說道：「姑娘不信，我就讓你瞧瞧。」

舉起尖刀一揮，一隻血淋淋的耳朵，應手而落。

谷寒香看他真的舉手一刀，削下自己一隻耳朵，不禁瞧得一呆。她天生潛蘊了無比的善良，目睹此情，大生不忍，急步奔了過去，嘆道：「你怎麼這樣傻呢？」

隨手取出一塊絹帕，按在他鮮血泉湧的傷口之上。

馬二扁擔胸脯一挺，一手拏著猶帶鮮血的左耳，豪壯地說道：「小的是個粗魯俗夫，承姑娘半宵垂青，無以爲報，奉獻左耳一隻，聊表思慕之情。」用盡心思，說出了幾句話後，放下手中左耳，轉身向外走去。

谷寒香急步奔了過去，卻被苗素蘭伸手一把抓住手腕，搖頭示意，讓她守在屋中別動，自己卻翻身追了出去。

片刻之後，苗素蘭笑哈哈地走了回來，拏過谷寒香手中血耳，說道：「恭喜妹妹，初步大功告成，你的神態、言詞，做作得十分入神。」

谷寒香黯然嘆道：「我心中真的厭惡於他，哪裡是做作出來的？」

苗素蘭卻望望手中血耳，自言自語說道：「對啦！以後凡是傾拜在妹妹石榴裙下之人，咱們都要他留下一些東西。」

谷寒香道：「留下什麼東西？」

苗素蘭笑道：「耳、鼻、眼、手，任他們選擇一件……」

她似是忽然想到什麼開心的事，眉宇之間泛現起一片歡愉之色，接道：「『天台萬花宮』中，有一個殘廢的老人，憑仗絕世武功、醫術，隨意移動人的五官位置，妹妹為什麼不可以憑藉絕世容色，使那傾拜你石榴裙下的人，奉上五官、四肢……」

谷寒香聽得由心底升起來一股寒意，道：「姊姊，這不是太殘忍了麼？」

苗素蘭笑道：「只有用這等殘忍的方法，才能夠轟傳江湖，咱們做幾只好看的箱子，把那些自願奉獻上的五官、四肢，好好存放起來。」

谷寒香本待出口反對，腦際間忽然閃電般浮升起胡柏齡慘死情形……

這一幕慘局，留給她終生難忘的回憶，也使她善良的天性中，潛入了冷酷。

復仇的火焰，又熊熊地燃燒在她的心頭，她想到自己在大哥屍體前許下的諾言，要用千條、百條武林人物的性命，來補償胡柏齡之死。這一股強烈的怒火，暫時掩沒了她先天善良本性，她緩緩地點點頭道：「一切都聽姊姊安排。」

苗素蘭微微一笑，道：「馬二扁擔已為妹妹容色所醉，以此推論，絕不致有什麼差錯，這些藥粉分給他們吃吧！」

谷寒香道：「我不信咱們都中了毒。」

苗素蘭道：「我也有些懷疑，不過事情很容易得到證明，咱們把這解毒藥，留下一部分，就中選擇一人，不讓他服用，看是否有毒發作？」

谷寒香笑道：「姊姊話雖說得不錯，但要哪一個不服用？萬一毒性發作，救援不及，豈不造成一場大恨？」

苗素蘭低聲說道：「麥小明那孩子，不但心機甚深，詭計多端，而且他的武功成就，也大異常人，他來自『天台萬花宮』中，可能身懷有奇藥靈丹，咱們就拏他試驗吧！」

谷寒香沉吟了一陣，笑道：「不錯，咱們這些人中，他確實最爲妥當。」

苗素蘭牽著谷寒香一隻手，行近木榻，低聲囑道：「昨夜之事最好暫時別讓鍾一豪知道。」

谷寒香道：「以後他總是要知道的，難道能長期騙著他不成？」

苗素蘭柳眉微微一聳，道：「這就是姊姊要問你的事了，鍾一豪對你用情極真，他之所以甘心聽命於你，無非是把你視作了天人，高不可攀，如若一旦被他發覺了這些行徑，必將移愛成恨，造成慘局……」

谷寒香道：「這該怎麼辦？」

苗素蘭道：「事情並不困難，只問妹妹對他有幾分情意？」

谷寒香道：「這很難說了，他幫我埋葬大哥，用情確是一片至誠，我對他有點憐憫……」

苗素蘭低聲笑道：「這就是啦！眼下之人，除鍾一豪和麥小明外，其他之人，對妹妹都還沒有什麼企圖，鍾一豪心傾美色，存有染指妹妹之心；麥小明雖然刁鑽古怪，但終是年紀幼小，縱有用心，也不過是想一親芳澤，只要妹妹稍佈施點滴情愛，就可以使他死心塌地，湧泉以報，倒是鍾一豪很難對付，妹妹如不佈施雨露，慰他一片摯情，只有設法子殺了他以絕後患……」

谷寒香道：「殺了他？那未免太狠心了吧？」

苗素蘭道：「妹妹如若想在武林中成就一番霸業，如不能心狠手辣地排除異己，斷絕後患，那可是癡人說夢，永無實現之日。」

谷寒香道：「我只望能替大哥復仇，心願已足，並無開創武林霸業之心。」

苗素蘭道：「殺死胡盟主的仇人，無一不是當今江湖上最難惹的人物，復仇一事，較開創武林霸業，尤要難上三分。」

谷寒香道：「如此說來，替大哥復仇之事，是毫無希望了？」

苗素蘭正容說道：「這就要看妹妹的決心了！上天賦給妹妹絕世姿容，就是你復仇的本錢，鍾一豪在當今武林中雖非第一流的頂尖高手，但不失為可用之才，如果妹妹無能讓他甘心俯首聽命，也不能讓他被人利用，但眼下之局，已經成了死結，不為你用，即將成仇，唉！妹妹如不肯佈施色身於他，只有殺他一途……」

她微微一頓之後，又道：「經過今宵一試，我已替你想了一個辦法，不出一年，定讓妹妹的艷名和殘酷，同時傳揚於武林之中，行蹤所至，使人又愛又恨。」

谷寒香緩舉右手，按在前額之上，道：「你容我想想再做決定好嗎？」

苗素蘭微微一笑，道：「此事急也不在一時，三、五日決定不遲，天色不早了，妹妹也該休息啦！」

第二天卯時光景，谷寒香又率領群豪東行，巧妙地把解藥分交各人服下，單單未給麥小明一人服用。鍾一豪縱騎開道，當先而行，谷寒香掀開車簾一角，望著他英俊的背影，心中泛生起萬千愁慮……

迎面的晨風吹飄起鍾一豪的衣袂，只見他背影中流露出無限的淒涼。谷寒香輕輕嘆息一聲，兩行淚水，緩緩由眼角流下。太陽光照射在她的臉上，更顯得嫩臉勻紅，艷麗奪目。隨行在騾車四周的群豪，無不爲她的容色吸引，個個看得心頭怦然亂動。

麥小明突然一舉韁繩，健馬一個轉彎，蹄聲得得地奔了過來，低聲說道：「師嫂，你心中難過麼？」

谷寒香回目望了麥小明一眼，笑道：「沒有啊！」

麥小明輕輕嘆息一聲，道：「那你爲什麼哭呢？」緩緩從懷中摸出一方絹帕，遞了過來。

谷寒香忽然發覺麥小明那一雙圓圓的大眼睛中，流現出無比的飢渴，眼神閃閃，一直逼視在她的臉上，不禁心頭微微一凜，暗道：「這孩子年紀雖然不大，但他目光中流露的飢渴之情，怎地竟和成年人一般模樣？」

只聽麥小明長長嘆了一口氣，道：「師嫂，你心中厭恨我麼？」

谷寒香道：「沒有的事，你怎麼這樣問呢？」

麥小明道：「唉！那你爲什麼想害死我？」

谷寒香吃了一驚，道：「什麼？我幾時想害死你了？」

麥小明道：「那你爲什麼每人都給他們一粒藥吃，單單不給我呢？」

谷寒香怔了一怔，道：「你怎麼知道呢？」

麥小明道：「我看到他們之中一個人服下藥物後，心中就動了懷疑，哪知依次問了他們一遍，原來所有的人都服過了，單單我沒有服用。」

谷寒香心知難再欺騙於他，笑道：「那人說我們都中了毒，送來了解毒藥物，我不信我們當真中毒，但我又確知那藥物沒有害處，爲防萬一，把那解毒之藥，分給他們服用，我要拏你來試驗一下，是否真有中毒的事……」

麥小明道：「原來如此，如果我要真的中毒死了，怎麼辦呢？」

谷寒香道：「不要緊，有我陪你。」

麥小明雙目眨動了一陣，道：「真的嗎？」

谷寒香探手入懷，摸出了一粒紅色丹丸，道：「難道我還會騙你麼？這不是我的丹丸麼？你如果心裡害怕，那就拏去吃了吧！」

麥小明望了那紅色丹丸一眼，笑道：「如果那人送來的解藥中暗藏劇毒，我們這班人中，只有師嫂和我不會死了。」雙腿微一用力，健馬突然向前面奔衝而去。

當先開路的鍾一豪突然同過頭來，凝目向谷寒香望去，只見她臉上滿布著重重的憂苦，似有著無比的憂傷。

谷寒香緩緩放下垂簾，回頭望了坐在身側的苗素蘭一眼，低聲說道：「他的神色之中，充滿了憂慮，我看他好像很煩惱。」

苗素蘭心中怦然一動，故作不知地問道：「你說的哪一個？」

谷寒香道：「鍾一豪啊！」

苗素蘭道：「你怕他煩惱，可見是很關心他了！」

萬映霞道：「哼！那個人哪！心術壞透了，不用管他啦！」

谷寒香輕輕嘆息一聲，道：「我覺著他很可憐……」餘音未住，忽聽一陣急促零亂的馬蹄聲，盤旋在馬車之外，緊接著聽得麥小明尖銳的聲音，罵道：「你們要找死麼？」

只聽一個粗豪的聲音叫道：「不許動手。」

谷寒香聽得那粗壯的聲音，不禁心頭一震，揭開車簾一角望去，只見一個高大的漢子，頭上包著白色的紗布，伸手攔住了其他的人。

麥小明背過身子而坐，健馬仍然向前奔走，雙目圓睜地望著那緊隨在馬車後面的八、九個大漢，手中橫著寶劍，滿臉殺機。但見麥小明寶劍一揚，指著那頭上包著白色紗布的大漢，高聲說道：「你如有膽再往前走上一步，我就削下來你那隻耳朵，不信你就上來試試！」

那大漢目光一掃谷寒香，笑道：「這隻耳朵，在下倒是甚望早些被人割去。」

只聽一陣零亂大喝之聲，道：「馬大哥，寨主雖然未到，咱們也不能就這樣忍氣吞聲。」

馬二扁擔雙目一瞪，怒聲喝道：「諸位可是誠心和我過不去麼？寨主把諸位交給兄弟，兄弟自然要把諸位整頭整臉地交給寨主……」

麥小明笑道：「你自己就落得五官不全，還要保別人整頭整臉，不覺著太誇張麼？」

他又仰臉一陣笑道：「這麼辦吧！我把你們每個人都削下一隻耳朵，你見到什麼寨主莊主的也好交賬了！」一抖韁繩，直向前面衝去。

谷寒香知他出手毒辣無比，正待喝止，苗素蘭忽然輕輕一扯她的衣角，低聲說道：「妹妹別管這閒事。」

只聽麥小明冷笑一聲，縱身而起，離鞍直飛過去。他年紀幼小，雖然喝叫之中，充滿著殺機，但落在對方眼中，仍然不過一個十幾歲的孩子，任何人對他都毫無畏懼之心。

麥小明如蒼鷹盤空一般，在幾人頭上，打了一個旋轉，疾撲而下，手中劍光一閃，登時有一個大漢應聲落馬。

他動作迅快無比，那人一落馬下，麥小明卻藉機落在那人馬背之上，寶劍一旋，又是一個大漢滾下馬去。他舉手投足之間，連傷了兩人，那些大漢，都有些驚慌起來，馬二扁擔反手一把，抽出掛在鞍上的雁翎刀，舉手一揮，餘下六個壯漢，突然一收馬韁，奔行的健馬，長嘶一聲，停了下來。

麥小明冷笑一聲，運劍如風，雙足一點馬鐙，人又凌空而起，長劍旋轉之間，又有一個中劍落馬。他一連劍傷三人，只不過是剎那間的工夫，餘下的人才有時間取下背上、鞍旁的兵刃。

只聽幾聲「哇啦哇啦」的大叫，兩柄單刀，一雙虎頭鉤，齊齊攻襲過來。

麥小明擊倒一人之後，人已落著實地，長劍一揮，一陣金鐵交鳴之聲，兩柄單刀，兩支虎頭鉤，齊齊被彈震開去。

麥小明趁勢一躍，隨手擊出一劍，又有一個大漢，應手落馬。

馬二扁擔看他出手，必有一人受傷，心頭大為震駭，眼看同伴傷損過半，自己不能袖手不問，大喝一聲，掄動雁翎刀，橫裡斬去。此人天生膂力過人，揮刀一擊，帶起一片嘯風之聲。

麥小明看他來勢猛惡，也不敢揮劍硬接，當下縱身一躍，輕輕避開。

馬二扁擔藉機躍下馬背，大喝一聲，又是一刀劈去。

麥小明看出他刀勢沉猛，又向旁邊避開了一步。就這一緩的工夫，三個沒有受傷的大漢，緊隨下馬，齊齊揮動兵刃，團團把麥小明包圍起來。

麥小明冷笑一聲，掄劍一封，架開了擊來的兩柄單刀，隨手急攻兩劍，立時將三個大漢的包圍之勢衝亂。只聽他咯咯尖笑道：「我索性把你們一齊送回姥姥家去吧！」說話之間，手中劍勢同時加緊，一連三劍，又傷一人。

他出手劍式詭異絕倫，使人防不勝防。

馬二扁擔眼看隨行來的七個大漢，只餘下兩個人，這等慘重的損傷，定然引起寨主的暴怒和重責，此人劍招的詭異和辛辣，可算生平僅見，自己出手，也是難料，但他未必能在一開始接下自己一十二招百勝神刀。這就是說，十二招之內，馬二扁擔有著足以使敵人沒有還手之能，至低限度，可以保持不勝不敗之局，但十二招之後，他必要傷亡在麥小明的毒辣劍招之下。他雖是粗豪的人，但在江湖之上行走多年，日夕所見，無不是殺人放火，鬥智、比武的事，豐富的江湖閱歷，使他增長了甚多判事之能。就在他衡度敵我形勢之間，又有一人，傷在了麥小明的劍下。

馬二扁擔不再猶豫，大喝一聲，揮刀攻上，一招「橫掃千軍」攔腰斬去。

麥小明本已早存了硬接他一招刀勢之心，但見橫擊過來之勢，威猛謹慎，毫無破綻，雖然平平常常的一招，但卻隱含著甚多的變化一般，不禁心頭一駭，閃身而退，心中暗暗忖道：「別看這人長得粗莽，但刀法精奇，卻大出人意料之外。」

馬二扁擔大吼一聲，又是一刀劈去。

麥小明只覺他劈來一刀中，暗蘊玄奇，連劍封架，非吃大虧不可，迫得又向後退了一步。

馬二扁擔欺身迫攻，連劈三刀。這三招招招相連，一氣呵成，麥小明被他三刀直劈橫斬地猛攻，迫得連退了三、四尺遠。

馬二扁擔略一猶豫，又是一連三刀。這三刀，比剛才三刀，更是嚴謹、辛辣；麥小明被連環三擊，逼得險象環生，幾乎傷在刀下。

三刀過後，馬二扁擔卻停手不再搶攻，橫刀而立。原來他十二招百勝神刀，已經使出八招，還有四招如若不能把強敵傷在刀下，那就只有坐以受戮的份兒了。

可是麥小明已被他這八招猛攻的威勢所鎮懾，心中暗道：「此人刀法精奇，臂力過人，再打下去，我勢將要傷在他的刀下不可。」

抬頭望去，已然不見谷寒香等蹤影，立刻萌生退志，突然縱身一躍，飛上馬背，抖韁縱馬而去。他一路急奔如飛，一口氣追上十幾里路，才趕上谷寒香的騾車。

大概他久未歸來，已引起谷寒香等的焦急，谷寒香揭起垂簾，正在回頭張望。
麥小明雙腳一點馬鐙，飛落到車轅之上，笑道：「那人刀法厲害，把我給趕回來了。」
谷寒香道：「什麼人？」
麥小明道：「就是那個頭上包著白布，缺了一隻耳朵的人！」
苗素蘭道：「他的武功好麼？」
麥小明道：「刀法之奇，乃我生平僅見。」
苗素蘭道：「這麼說來，倒是一位有用之才了？」
麥小明道：「何止有用？如以他刀法而論，足可獨當一面。」說完一笑，又縱身飛落馬鞍之上。
谷寒香回目一笑，道：「看不出他那樣笨頭笨腦的人，竟然是身負絕技的高手。」
苗素蘭道：「麥小明肯這般誇讚於他，自然是不會錯了。」
谷寒香道：「這麼看來，姊姊的辦法，當真是不錯了。」
苗素蘭道：「如果你肯聽姊姊的話，一年內包可使你的艷名，震動大江南北。」
谷寒香道：「為了替大哥報仇，我也顧不得許多了。」
就這樣匆匆數言，使武林中掀起一場滔天風波，不知道多少武林高手，為了谷寒香的美色所動，甘願效命在石榴裙下，美色和鮮血，把江湖攪了個天翻地覆。
在苗素蘭巧妙安排下，谷寒香的艷名很快地在江湖上傳播開去，上天賦予她一副秀絕塵寰

的容色，而苗素蘭卻使她的谷色和殘酷，以及床笫間動人的韻事同時傳播在江湖。像一陣狂猛的香飆，替武林帶來一陣巨大的波動！

很多綠林高手，開始追尋這刺激的艷遇，甚至正大門派中人物，也爲之震動。

第一個屈服在谷寒香石榴裙ト的人，是那一直暗中領袖西北綠林的「屠龍寨主」。此人以機詐用毒，威震江湖，坐地分贓數十年，但江湖上一直不知道他的姓名，可是他卻暗中指揮西北綠林道上的活動。

一夜的繾綣，使他自願削了一個手指。可是他的誠心和威名，並沒有使谷寒香爲之傾倒，像馬二扁擔一樣，一宵過後，谷寒香卻不再假以詞色。

不過，她留給他一個美麗的希望，那就是谷寒香答應他三年內重投他的懷抱。

半年時光，谷寒香足跡遍及中原數省，中原武林道上有四個威名卓著一時的高手，被她的美色征服，不過每一個被她征服的人，都忽然絕跡江湖，不再出現，因此，傳言更加神秘。

半年之後，谷寒香行蹤深入了江南，立時在江南武林道上，激起了一個巨大的浪花。這日他們剛好下了渡船，江岸上已排列了十幾個疾服勁裝的大漢，這些人都帶著兵刃，一望之下，立時分辨出是武林道上的人物。

除了這十幾個攜帶著兵刃的疾服大漢之外，江岸上顯得異常的冷清，渡船之上，人蹤寥落，漁舟停泊雖多，但卻不見一個人影。

麥小明斜背長劍，當先躍下渡船，緊接著鍾一豪、何宗輝、李傑、劉震魚貫而下。

苗素蘭仍是一身白衣，萬映霞綠衫、綠裙，一片青翠，兩個人左護右擁著滿身紅衣的谷寒香，蓮步姍姍，走下渡船。

余亦樂、文天生走在最後。

排列在江岸上的勁服大漢，齊齊把目光投注在谷寒香的身上。

她臉上垂著一片鮮艷的紅紗，面目隱隱可見，更增加了幾分神秘之感。

麥小明冷哼一聲，道：「你們眼睛瞎沒有，這樣多人，你們都看不到麼？」

他雖經過甚久江湖歷練，脾氣仍是暴躁異常，說完翻腕抽出背上長劍，大步向前衝去。

那十幾個大漢，一看麥小明亮了兵刃，「颼」的一聲，全都拔出了傢伙。

爲首一個雙手分握判官筆的大漢，似是這股人中的首領，微一欠身，說道：「不知哪一位可以作主的人？請出來答話。」

鍾一豪一揮手，道：「什麼話和我說吧！」

那大漢一分手中判官筆，說道：「近來中原武林道盛傳著『紅花公主』之名，玉趾飄香，行蹤所到之處，無不被激起巨大的波瀾，不知哪一位是『紅花公主』？」

原來谷寒香自稱來自西域，貴爲公主身分，愛穿紅衣，她又生得美如春花，故而傳出「紅花公主」之名。

鍾一豪冷笑一聲，道：「『紅花公主』身分何等尊高，豈能輕易和你說話？」

那人冷笑一聲，接道：「諸位來江南，也不打聽一下，當今江南地面上的行情麼？」

麥小明手腕一振，颼的一劍刺了過去，口中冷冷喝道：「什麼行情不行情的……」

那人左手判官筆一揮，「噹」的一聲，封架開麥小明的長劍，說道：「在下奉命來此，並無和諸位動手之心。」

鍾一豪緬刀一擺，封住了麥小明長劍，接道：「既無動手之心，難道是列隊歡迎我們的麼？」

那大漢肅容說：「『江南雙豪』之名，不知幾位聽人說過沒有？」

鍾一豪道：「聽到過又怎麼樣？」

那為首大漢仰臉一陣大笑，道：「聽到過那就好辦了……」

他微微一頓，收住長笑之聲，道：「在下奉『江南雙豪』日、月二牌，特來奉迎『紅花公主』，車、馬都已備齊，只要諸位答應一聲『去』字，立時可以啟程。」

麥小明冷哼一聲，道：「我們自己有腿，難道不會走麼？要你們費這些閒心幹嗎？」

他幼小在殘酷的環境之中長大，養成一種暴躁的脾氣和冷硬的心腸。

鍾一豪回頭望了麥小明一眼，低聲叱道：「不許多口。」

半年江湖行走，鍾一豪已隱隱地成了這般人中的首腦，麥小明對他已有了幾分懼怕，果然不再接口。

那手執雙筆的大漢冷峻地望了麥小明一眼，欲言又止。

鍾一豪一拱手，道：「我這位小兄弟年輕氣盛，得罪諸位之處，還望海涵，容在下請示之後，再給諸位答覆。」

半年以來，他連番遇上高手，氣度方面，大了甚多。

那排守在江岸上的大漢中，已有甚多不耐之人，嘰嘰咕咕地罵道：「好大的臭架子……」

鍾一豪也不理會，轉身對著谷寒香抱拳過頂，說道：「『江南雙豪』派人奉迎公主！」

覆面紅紗中傳出谷寒香清脆的聲音，道：「人家盛情奉迎，咱們卻之不恭，答應他們吧！」

鍾一豪欠身應道：「屬下領命。」

轉身對那排列的群豪笑道：「已得公主允准，諸位帶過車、馬，我們即刻動身。」

那為首大漢收了判官筆，高舉雙掌，互擊三下。

只聽一陣馬嘶輪響，三丈外一道突起的堤岸之後，傳出來十幾匹長程健馬，和一輛豪華的雙輪馬車。

鍾一豪一揮手，麥小明、何宗輝、劉震、李傑等，紛紛縱身上馬。

苗素蘭、萬映霞扶著谷寒香，姍姍走上馬車，余亦樂大邁一步，跨坐車前，伸手從車夫手中搶過長鞭，笑道：「鞭子交給我吧！此處已用你不著。」

那人冷笑一聲，縱身躍落架轅的馬背之上，余亦樂也不理他，長鞭一揮「叭」的一聲脆響，馬車疾向前面馳去。

鍾一豪、麥小明等六匹健馬，立時散布在馬車前後左右，護車而行。

那背插判官筆的大漢，一提馬韁，搶前帶路，數十匹快馬，環繞著一輛馬車，飛馳在沿江的黃土大道上。

鍾一豪早已撤去了蒙面黑紗，以真面目出現在江湖之上，隨著他撤去的黑紗，也揭除了他的神秘，誰也料想不到，這位英俊的少年，就是年前縱橫在江北道上，以手辣心狠，繼起胡柏齡之後，統率著江北綠林的盟主。

但見他瀟灑的一提馬韁，座下健馬突然一聲長嘶，疾如離絃弩箭一般，直向前面衝去，眨眼之間連越數騎，追上那身背判官筆的大漢，並轡而馳。

這一陣急奔，足足跑出了十幾里路，那帶路大漢突然一勒馬韁，轉入一條荒僻的小徑上。

鍾一豪一皺眉頭，道：「這條小徑如此狹窄，如何能行得馬車？」

那人漢笑道：「小徑兩邊的荒草地上，都是堅硬的沙石地，閣下只管放心。」

鍾一豪冷笑一聲，道：「看兄台的神情驕態，大概在『江南雙豪』手下的身分不低？」

那人淡然一笑，道：「『垂楊村』有史以來，從未這般客氣隆重地接待過遠道朋友；『紅花公主』可算首獲得此等殊榮。」

鍾一豪縱聲大笑，道：「『江南雙豪』肯這般破例優客，想必早已聽到過『紅花公主』大名……」

那大漢搖頭接道：「在下只聽到江湖傳誦著『紅花公主』艷麗韻事，卻未聞她有什麼驚天動地的本領。」

鍾一豪劍眉微聳，正待出言反擊，但又突然長長嘆一口氣，忍下不言。

抬頭望去，只見丘嶺起伏，綿連不絕，再行數里，即可進入山嶺之中，但卻不見一處村舍房屋，不禁心中動疑，回顧了那背插雙筆的大漢一眼，冷冷說道：「這山區之內，倒是一處極

好的埋伏所在……」

大漢淡淡一笑，接道：「『垂楊村』就在那邊山嶺下，大駕未免太多心了。」

鍾一豪極盡目力，仍然看不出一點跡象，但又不好再多追問，心中卻暗自計議道：「如近山區，我立時停馬不進，縱有埋伏，又有何懼？」又奔行四、五里，已到丘嶺之下，那帶路大漢突然飄身下馬。

鍾一豪雙足一點，人如掠波海燕一般，疾從馬背躍下，悄無聲息地落在那大漢身側，和他並肩而立。

那大漢回目一笑，道：「好身法。」

鍾一豪冷冷答道：「過獎了。」

那大漢遙指著左側一道寬大的山谷說道：「那綠竹環繞，佳木蔥籠中隱隱可見的樓閣，就是『垂楊村』了。」

說話之間，忽聽三聲鐘鳴，從那綠竹翠木林中飄傳出來。

鍾一豪目光環掃，打量那廣闊的山谷一眼，只見那綠篁翠木林中，隱隱看見人影閃動，不禁心頭火起，冷笑一聲，道：「我等行蹤中原道上，常聞『江南雙豪』之名，乃近百年來，唯一能夠藝壓七省，統一江南黑、白兩道，使他們甘心受命的兩位傑出人才，想不到聞名不如目睹……」

那背插雙筆的大漢，兩道濃眉一聳，厲聲接道：「兄台講話，最好能三思而行，信口開河，當心風閃了舌頭，況你還未見到江南二豪，何以出口傷人？」

鍾一豪正待反唇相激，忽聽車輪聲音，谷寒香坐車已到。

垂簾中傳出來谷寒香嬌脆的聲音道：「怎麼不走了？」

那背插判官筆的大漢接道：「已到『垂楊村』，天下英雄到此都要步行，有勞公主了！」

麥小明突然一抖馬鞭，健馬直向前衝去，口中大聲叫道：「有這等事？寬谷大道，為什麼不能行馬？」話出口，座下快馬已衝出四、五丈遠。

那大漢濃眉一聳，一個箭步，躍飛麥小明馬前，右手橫臂一擋，道：「站住！」

麥小明身子一探，右手疾向那大漢手腕之上抓去。

那大漢右臂一收，疾快地縮了回去，但左手卻同時疾擊而出。

麥小明一擊不中，雙腳微一用力，由馬背上疾翻而下。

但見白虹一閃，森森劍光，已然點向那大漢前胸。

原來麥小明藉那躍下馬背一剎時光，已拔出背上長劍，點擊出手。

那大漢武功不弱，麥小明出手劍招，雖極辛辣，但那大漢竟然輕巧地閃避開去，雙手一翻，兩支判官筆一齊出手，一招「雙龍出水」，分襲向麥小明「玄機」、「腹結」兩大要穴。

兩人動作均極迅快，劍來筆往，轉眼之間，已經對打了七招。

兩個人似是卻未料到對方身手，如此矯健，神色之間，隱隱現出敬佩之意。

鍾一豪高聲叫道：「兩位請住手……」

麥小明首先收劍，一躍而退。

那手執判官雙筆大漢似是對麥小明的舉動，極為忿怒，正待揮筆追襲，突聽一個沉重有力

的聲音，傳了過來，道：「我要你奉請貴賓，你怎地這等怠慢佳客？」

那大漢聽到聲音之後，身軀忽然微微一頓，垂下雙筆，恭恭敬敬答道：「小的被迫出手，並非有意怠慢佳客。」

鍾一豪抬頭望去，只見七、八丈外，翠林之中緩步走出兩個人來，並肩而行。

兩人身後四、五尺處，一排並行著四個青衣童子，每人手中都捧著一件東西，緩步隨在兩人身後。

鍾一豪看那施用雙筆的大漢，誠惶誠恐的樣子，心中暗自驚惕，忖道：「這人武功不弱，在『江南雙豪』手下，也算得一、二流的角色，但看對兩人的恭謹神態，想那雙豪平日待人，定然異常嚴厲了。」

忖思之間，那兩個身著長衫的人，已然走近身前。

鍾一豪心中微微一凜，暗道：「看兩人緩步而行，怎地來勢如此迅快？」

只聽一個低沉有力的聲音，說道：「哪一位是『紅花公主』？」聲音如金鐵相擊，顯然是有著極深厚的內功。

那手握雙筆大漢，突然抬起頭來，應道：「『紅花公主』現在馬車之中。」

鍾一豪一抱拳，接道：「公主身分尊貴，不適步行入林，不知能否破例讓公主座車通行入村？」說話之間，藉機打量了兩人一眼。

只見左面一人身軀魁梧，環目濃眉，長髯垂胸，膚色黝黑，不怒而威，右面卻是一位面色白淨，神態瀟灑，滿臉和藹微笑的英挺少年。

左首那濃眉長髯大漢，環目一顧鍾一豪，說道：「閣下何人？」

鍾一豪道：「公主駕前帶刀總管。」

那英挺少年微微一笑道：「『垂楊村』從未讓車馬直入，不論何人要進『垂楊村』，均得在此處停車下馬，煩請總管代爲中稟公主，勞玉一行入村，兄弟當於接風宴前，敬酒謝罪。」

鍾一豪回目望去，只見麥小明雙目凝注兩人，暴射出忿怒的火焰，一副躍躍欲動之情，怕他發作誤事，趕忙接口說道：「兩位既然不肯賞臉，在下等自是不便勉強，強賓不壓主，我等就此告別。」

那黑臉長髯大漢，突然仰天一陣大笑，道：「好一個強賓不壓主，需知江南道上，除了我『垂楊村』外，再無其他之處可以接待公主了……」

一陣嬌若銀鈴的笑聲，由那車篷傳了出來，說道：「兩位派人用車，把我們迎來此地，並非是我們自找上門。」

車簾啓處，當先走出來面垂紅紗的谷寒香。

苗素蘭、萬映霞魚貫相隨，緩緩下車。

那英挺少年抬頭望了三人一眼，笑道：「久聞『紅花公主』艷名，何以不肯以真面目示人？」言詞之間，一派輕佻。

苗素蘭臉色一整，肅然說道：「看兩位的神情，定然是『江南雙豪』了？」

那英挺少年微微一笑，道：「過獎，過獎，妄得虛名，多承掛齒。」

苗素蘭道：「君子不重則不威，閣下的盛名雖重，但人卻太輕浮了！」

那英挺少年臉色一變，似欲發作，那長髯大漢輕咳了一聲，接道：「我等派遣專人奉迎公主來此，一則接風，二則有事奉求，並無惡意，諸位請打消敵視之意。」

麥小明插口說道：「別說一座『垂楊村』，就算是龍潭虎穴，又有何懼？」

那英挺少年略經忖思之後，怒容盡消，朗朗一笑，道：「兄弟言重了，我等誠意奉迎，毫無機詐之心，江湖傳言失實，以致適才兄弟失禮，尚望諸位海涵一、二。」說完，抱拳一禮。

谷寒香欠身說道：「不敢當。」

苗素蘭接口說道：「公主金枝玉葉，甚少跋涉行程，何況山道崎嶇，舉步艱難，不知可否破例優容敝上一馬代步？」

那長髯大漢沉吟良久，道：「『垂楊村』自立下此規之後，天下武林同道，無不遵守，公主雖然身分尊崇，但這破例優容，實叫在下作難……」

他微微一頓後，接道：「在下倒想了一個兩全之策，由在下派出兩名健漢，以竹椅做轎，暫爲公主代步，不知意下如何？」

苗素蘭道：「既可保存兩位顏面，也應了我們之求，辦法實在高明，叫人心生敬服。」

長髯大漢一拱手，道：「但卻有勞諸位步行了。」

並低聲對身後相隨青衣童子，吩咐兩句，立時有一個青衣小童，飛奔而去。

片刻之後，果然有兩個大漢，用竹竿抬了一張竹椅，急馳而來。

苗素蘭、萬映霞扶著谷寒香坐上竹椅，緊隨左右相隨。

「江南雙豪」長揖肅客，轉身帶路，鍾一豪等緊隨雙豪之後，直向谷中行去。

穿過了一片翠竹林，景物忽然一變。

但見淺山環繞著一片廣大的莊院，石樓、亭閣、山花爛漫，宏偉中不失清幽之氣。

一排排垂枝楊柳下，曲繞著一溪清流，淙淙水聲，如鳴珮環。

走過一道朱欄白石橋，奇花環抱著一座開敞的大廳。

大廳中早已擺好了兩桌豐盛的酒席，十餘個頭梳雙辮，身著白衣，年約十七、八歲的秀麗少女，齊齊拜伏在階前迎客。

那長髯大漢閃身一側，微微一笑，抱拳說道：「諸位請。」

鍾一豪抱拳還禮，當先而行。

兩個健壯的大漢，齊齊蹲了下來，苗素蘭、萬映霞，左右攙扶著谷寒香走入大廳。山風吹飄起她蒙面紅紗一角，露出了一張絕世無倫的美麗面孔。

大半年的風塵奔波，絲毫沒使這位有國色天香的絕世玉人，添上風塵的皺紋，仍然嬌艷欲滴，容色絕代。

那英挺少年一直在注意看谷寒香的一舉一動，就在那微風拂面的一剎，他已被那絕世的容色吸引。

谷寒香仍是有意要和大廳中，江湖雙豪選來的十餘個美貌姑娘一較艷麗，緩緩伸手，取下了蒙面紅紗。

驟然間使人的眼睛一亮，谷寒香艷麗四射的容光，登時使敞廳中所有的美女爲之失色。

她輕輕一揮玉手，盈盈一笑，道：「諸位姊妹快些請起。」

她僞裝的崇高身分，應該是一副冷若冰霜，凜然難犯的神情，這般和藹的言談，不但大出了那十幾個女童的意外，就是「江南雙豪」也有些大感意外，不禁微微一怔！

只聽那幾個白衣女童，齊齊說道：「多謝公主恩典。」

谷寒香淡淡一笑，側目對苗素蘭道：「賞她們每人一顆明珠。」

苗素蘭回頭對站在大廳門口的余亦樂道：「把公主的明珠送來！」

余亦樂應聲舉步，奔了過來，取出身上一個黃色的袋子，打開袋口。

苗素蘭探手入袋，摸出了一把明珠，分給那白衣女每人一顆。

那英挺少年，早已想和谷寒香說幾句話，但卻始終找不出適當之機，此際眼看機會到來，立時輕輕咳了一聲道：「公主出手就是一顆明珠，這等豪氣，實叫在下佩服。」

谷寒香秋波輕動，緩緩掃了那英挺少年一眼，笑道：「些小之禮，何足掛齒。」

那英挺少年一抱拳道：「公主請入主席。」右手藉勢伸了過來，準備攙扶谷寒香的左臂。

那長髯大漢輕輕一皺眉頭，低聲說道：「二弟不可……」話剛出口，忽見谷寒香左手一伸，搭在了那英挺少年右臂，不好再出言責斥，趕忙重重地咳了一聲，藉機住口不言。

谷寒香身軀一側，本身的重量都倚靠在那英挺少年的臂上，緩步向前走去。她走路的姿勢，動人至極，姍姍碎步，如風拂柳。

那長髯大漢，倒是一派莊重，望也不望谷寒香一眼，抱拳把鍾一豪等，奉讓入席。

群豪一入席位，那十幾個白衣少女，立時川流不息地送上菜肴。

長髯大漢端起酒杯，先敬了群豪一杯，朗朗說道：「在下有幾句不當之言，說將出來，公主不要見怪才好？」

谷寒香微微一笑，道：「我們初入江南，就承蒙如此款待，有什麼話儘管請說。」

那長髯大漢一舉手，乾了手中一杯酒，說道：「公主的艷名，早已通傳南七北六一十三省，在下未見公主之前，早已聞名。」

谷寒香道：「過獎了。」她答得雖然簡短，但聲音卻柔甜動人，如聞笙簧。

那長髯大漢笑道：「公主這次駕臨江南，不知有何貴幹……」

他似是自知這幾句話問得太過生冷，微一停頓後，又立時補充了一句道：「在下或許有效勞之處？」

谷寒香櫻口輕啓，響起一陣銀鈴般的笑聲，道：「我們久聞江南風光如畫，特來觀賞一番，並無可辦之事。」

那長髯大漢沉吟了一陣，突然重重地咳了一聲，正容說道：「目下江南武林中黑、白兩道，大都聽我們兄弟之命行事，日、月二牌，在江南道上，重過帝王聖旨、官府的急令，想來公主，早已是聽說過了？」

谷寒香淡然一笑，道：「聽過了，久聞『江南雙豪』之名，今日有幸一見。」

那長髯大漢道：「好說，好說。」

谷寒香道：「可惜我們還不知兩位的上姓大名？」

那長髯大漢道：「在下複姓皇甫，雙名天長……」

那英挺少年不待那長髯大漢代為引見，已自行接口說道：「兄弟單姓譚，雙名九成。」

谷寒香笑道：「武林中只聞『江南雙豪』，不聽兩位的姓名，想是兩位身分崇高，同道敬仰，不敢以姓名相傳！」

皇甫天長眉頭一皺暗暗忖道：「此女自號『紅花公主』，也不知是何出身？這『公主』二字來自何處？聽她口氣，似是對江湖中事，十分了然，實是啓人疑竇？」

心念一轉，臉色隨變，語氣也變得十分冰冷地說道：「在下無意追究公主的身世，但有一事奉求，望公主能夠賞給在下一個薄面。」

谷寒香道：「什麼事？」

皇甫天長道：「自我們兄弟統率江南黑、白兩道之後，江南武林道上數年來一直平靜無事，公主行蹤所至，常引起軒然大波，在下不願再見江湖武林道上，重起殺伐，望公主吃過這一餐接風酒宴之後，立刻退出江南，我們兄弟自當親率江南道上高手，列隊相送。」他這般單刀直入，毫無保留之言，一時間使谷寒香想不出回答的措詞，呆了一呆，道：「如果我們不願離開江南道呢？」

皇甫天長的目光緩緩由谷寒香移注到譚九成的臉上，肅然說道：「如若公主執意不肯離開

江南，在下只好……」

譚九成突然插口接道：「大哥請聽兄弟幾句話。」

皇甫天長眉頭一皺，冷然說道：「二弟請說。」

譚九成道：「公主遠道來此，尙未得一息風塵，大哥話既說明，不必急在一時，兄弟之意，不如讓公主思考一宵，明日午時之前，再覆大哥之言。」

皇甫天長道：「小兄之意，接風酒宴過後，立時護送公主渡江，二弟既然主張延遲，那麼就依二弟之意辦吧！」

譚九成舉起酒杯，笑對谷寒香道：「公主行程辛苦，在下奉敬一杯。」

谷寒香淡淡一笑，端起酒杯一飲而盡。

譚九成也乾了一杯酒，笑道：「明日爲敵爲友，那是明天的事，今日有酒且暢飲，公主欲睹江南風光，想必已久聞蘇杭歌姬之名？」

谷寒香微微一笑，道：「莊主盛意心領，我看不用了。」

鍾一豪突然站了起來，欠身對谷寒香道：「屬下等已酒足飯飽，可否先行離席？」

谷寒香道：「咱們一起走吧！」緩緩站起嬌軀。

譚九成道：「『垂楊村』已爲諸位安排了數處精舍，不知肯否賞光留住一宵？」

谷寒香兩道攝人秋波，一掠譚九成接道：「那要問問令兄，有沒有留客的誠意了？」

皇甫天長道：「明日午時之前，諸位都是我『垂楊村』中的貴賓。」

麥小明冷笑一聲，道：「午時之後呢？」

皇甫天長道：「這敵友之分，全在諸位的一念之間了。」

麥小明突然咯咯一笑，道：「江南黑、白兩道中高手，可都已集中在『垂楊村』中麼？」

皇甫天長道：「諸位儘管放心，午時之前，絕無人敢向諸位有所舉動，雖三尺之童，也不敢驚擾諸位的宿住之處。」

麥小明道：「哼！縱有驚擾，我們也未必會怕。」

皇甫天長果然不失為一方雄主的風度，縱聲長笑一陣，端起酒杯，道：「明日午時之前，在下還自信有容讓諸位幾分的氣度，這位小兄弟心中有什麼不快的地方，儘管請說就是！」

麥小明道：「不是公主的禁令森嚴，單是剛才你那放肆之言，早已被我斬斃劍下了。」

皇甫天長微微一笑，道：「好大的口氣，小兄弟今年幾歲了？」

麥小明微微一怔，道：「不足十五。」

皇甫天長道：「這就是了，就算你得天獨厚，一出世就練武，也不過一十五個年頭。」

麥小明道：「十五年的歲月，可以使鐵杵成針……」

皇甫天長笑接道：「小兄弟口齒伶俐，在下自甘認輸，來！我敬你一杯酒。」當先舉杯，一飲而盡。

麥小明冷冷說道：「承你看得起，我倒要奉陪一杯了。」

這時，李傑、何宗輝、余亦樂，都已相繼站了起來。

譚九成也隨著站起來，朗朗說道：「諸位既已無意再用酒飯，在下等也不便勉強了。」他雖是和谷寒香等說話，但目光卻盯住在皇甫天長的臉上。

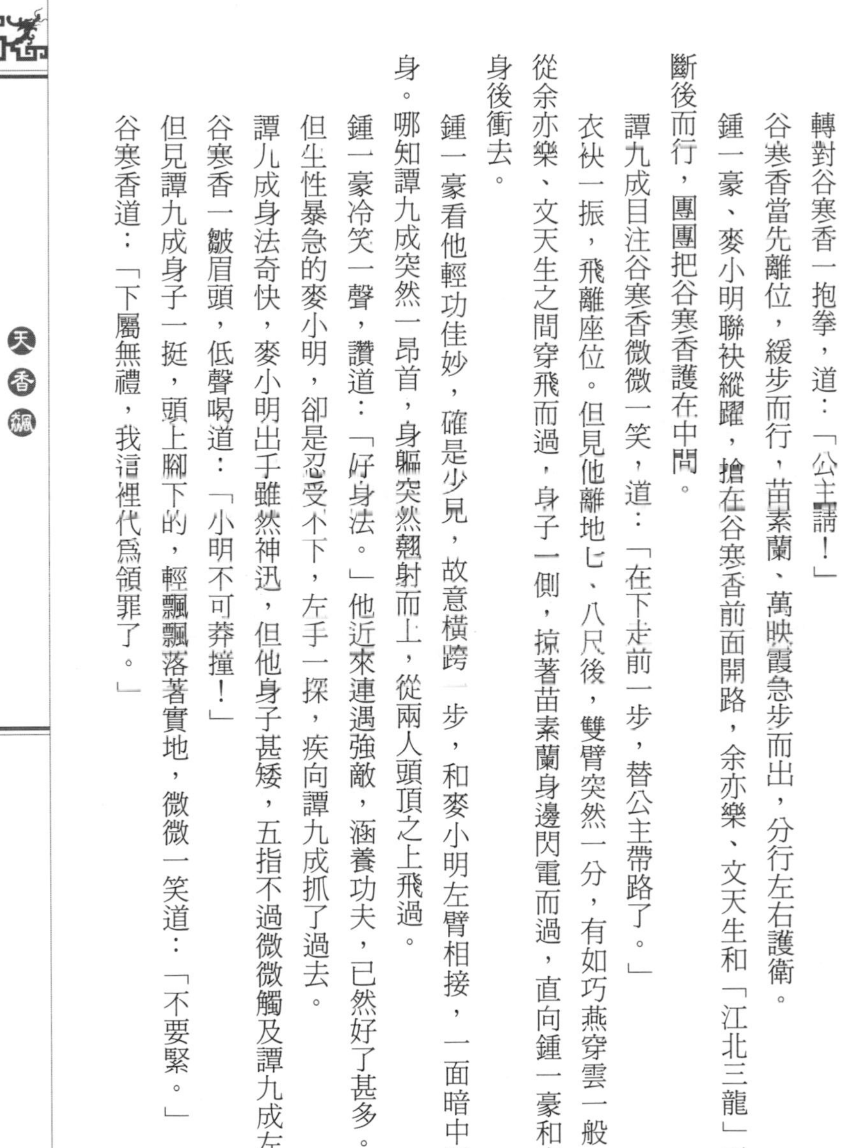

皇甫天長淡然一笑，接道：「有勞二弟送貴客到精舍去吧！」

譚九成道：「小弟領命。」

轉對谷寒香一抱拳，道：「公主請！」

谷寒香當先離位，緩步而行，苗素蘭、萬映霞急步而出，分行左右護衛。

鍾一豪、麥小明聯袂縱躍，搶在谷寒香前面開路，余亦樂、文天生和「江北三龍」五個人斷後而行，團團把谷寒香護在中間。

譚九成目注谷寒香微微一笑，道：「在下走前一步，替公主帶路了。」衣袂一振，飛離座位。但見他離地七、八尺後，雙臂突然一分，有如巧燕穿雲一般，竟然從余亦樂、文天生之間穿飛而過，身子一側，掠著苗素蘭身邊閃電而過，直向鍾一豪和麥小明身後衝去。

鍾一豪看他輕功佳妙，確是少見，故意橫跨一步，和麥小明左臂相接，一面暗中運氣護身。哪知譚九成突然一昂首，身軀突然翹射而上，從兩人頭頂之上飛過。

鍾一豪冷笑一聲，讚道：「好身法。」他近來連遇強敵，涵養功夫，已然好了甚多。但生性暴急的麥小明，卻是忍受不下，左手一探，疾向譚九成抓了過去。

譚九成身法奇快，麥小明出手雖然神迅，但他身子甚矮，五指不過微微觸及譚九成左腿。

谷寒香一皺眉頭，低聲喝道：「小明不可莽撞！」

但見譚九成身子一挺，頭上腳下的，輕飄飄落著實地，微微一笑道：「不要緊。」

谷寒香道：「下屬無禮，我這裡代爲領罪了。」

說完話，竟然當真地欠身一躬。

譚九成笑道：「還好，沒有傷著，有勞公主掛心。」

麥小明冷冷地望了譚九成一眼，欲言又止。

譚九成卻是談笑自若地點點頭，對麥小明道：「小兄弟好快的手法。」

麥小明冷冷說道：「過獎，過獎，不過二莊主這等賣弄輕功，未免太小覷天下英雄了。」

譚九成縱橫江南，黑、白兩道中人，無不對他敬畏幾分，如何能受得起這等譏諷？欲待發作，但又不敢在谷寒香之前流現出粗野的舉動，勉強忍下胸中一口悶氣，笑道：「小兄弟年紀最輕，但脾氣卻是最壞，在下忝為地主，自不能和你一般見識。」

麥小明目光一瞥谷寒香，發覺微紅的臉色上，已泛現慍意，哪裡還敢再多接口？一語不發地大步向廳外走去。大廳上突然間靜肅下來，聽不到一點聲息。

譚九成搶先奔行，出了大廳，帶著群豪向前走去。繞過了一排翠竹，穿行垂柳夾峙的小路上，一叢叢奇花競艷，一陣陣香風拂面。

蔥籠的花樹中，隱現出一座座紅磚建成的樓閣，譚九成遙指著那突起的閣樓笑道：「那一片散布在花樹叢中的紅磚樓閣，乃我們『垂楊村』接待貴賓的所在，雖不能說得上富麗堂皇，但還算幽靜雅潔。」

谷寒香盈盈一笑，道：「多謝二莊主的盛情。」說話之間，到了一座小橋旁邊。這座小橋不過丈餘長短，溪中流水，潺潺通橋下，朱欄玉砌，極盡豪華。十二個全身紅裝的少女，並排

站在橋邊，一個個躬身作禮相迎。

譚九成當先過橋，回過身抱拳肅客。

谷寒香輕輕嘆息一聲：「小橋流水，奇花環繞，這番巧奪天工的布設，只怕花了你們『江南雙豪』的不少心血？」

譚九成微微一笑，道：「建築雖然費了一番籌思，但難的還是這些花樹移植，江南七省中所有的名花奇草，已盡在方圓數百丈內了。」

谷寒香、苗素蘭、萬映霞，三人合住一座，其餘之人，合住一座。

這花樹林中，雖然精舍甚多，但幾人眼下處境，凶險異常，隨時有強敵施襲的可能，爲了集中實力，不便太過分散。一宵時光，匆匆過去，天色一亮，那精舍中的紅衣小婢，立時分頭相請群豪。

谷寒香步入大廳之時，鍾一豪等早已在廳中相候。

但見那紅衣侍婢們一個個捧著玉盤，川流不息地送上來豐盛的早點。

群豪相對而坐，默然無語，直待那紅衣小婢一個個退出廳外，谷寒香才望著余亦樂道：「先生一向料事如神，一夜思慮，想已早有良策？」

余亦樂沉吟了一陣，說道：「『江南雙豪』處心積慮，早已籌好了對付我們的辦法，事情恐已無商量的餘地，如若咱們堅持留在江南，勢難免一場衝突，衡度情勢，對我大是不利，在下之意，不如暫時退出江南，然後再設法收服『江南雙豪』。」

谷寒香自從胡柏齡死去之後，過度的傷痛，已使她善良的天性，開始了轉變。她已往不但對人慈和，就是蟲鳥之類，也是不忍傷害，但此時她心中卻是充滿著怨恨，城府也變得深沉了，聽完余亦樂一番話，只不過微微一笑，未置可否，回眸望著鍾一豪，道：「咱們要不要退離江南？」

鍾一豪道：「咱們如就此離開，不但有失初意，而且對夫人的威名，也將大有損傷。不如由屬下，直接挑戰『江南雙豪』，和他們做一場生死之搏，有道是『蛇無頭不行，鳥無翅不飛。』『江南雙豪』雖然統治江南七省的黑、白兩道，但兩道人物，未必個個肯替他們賣命，只要能把『江南雙豪』制服，其他之人，當可不戰而屈。」

苗素蘭道：「辦法雖然不錯，但冒的風險太大，萬一『江南雙豪』不肯接受挑戰，那又如何是好？」

鍾一豪道：「在眾目睽睽之下，料他們不會推辭。」

谷寒香道：「我雖不太懂得武功，但見『江南雙豪』的氣度、舉動，絕非武功平庸之輩，萬一咱們出戰之人，不是『江南雙豪』的敵手，那豈不畫虎不成反類其犬了麼？」

鍾一豪道：「屬下雖無勝得『江南雙豪』的把握，但自信還不致敗在他們手中。」

谷寒香道：「如若不能在百回合之內，壓服『江南雙豪』……」突然飄傳來一陣大笑之聲，打斷了谷寒香未完之言。這笑聲來得甚是突然，廳中群豪，全都聽得為之一怔！回頭望去，只見譚九成一身天藍勁裝，外披黑色披風，臉色肅然，當門而立。廳中群豪大都有著豐富的江湖閱歷，一眼之下，立時分辨出那長笑之聲，並非是譚九成所發。初升的陽光，照射在大廳外的花樹上，花葉上的露珠，閃閃生光，綠葉形花，幻化出一片悅目的奇麗景色。

谷寒香素手輕搖，阻止了推椅而起的鍾一豪，姍姍蓮步迎上去，嫣然一笑，說道：「二莊主早。」

譚九成肅穆的臉色上，閃起了一抹冷峻的笑意，道：「公主可有決定了行止麼？」

谷寒香微一沉吟，反問道：「現在什麼時候了？」

譚九成道：「卯時光景。」

谷寒香微微一笑，道：「相距午時還早，二莊主問得早一些了。」

譚九成雙眉微聳，目光一掠廳中之人，緩緩轉過身子，慢步行去，退出大廳。

谷寒香舉步欲行，忽聽苗素蘭低聲說道：「公主止步。」

急行兩步，攔住了谷寒香的去路。

谷寒香望著譚九成蹣跚而行，低聲說道：「這個人行動有些奇怪？」

這時，鍾一豪、余亦樂等似乎都覺出了譚九成的舉動，十分可疑，十幾道目光，一齊盯注在他的背影之上。只見他步行到小橋旁邊之時，突然向前一栽，如非及時伸手抓住了橋旁朱欄，幾乎跌入了那小橋之下。

苗素蘭低聲說道：「『垂楊村』恐怕要有人變？咱們坐以相待，隨機應付……」

谷寒香翠眉輕顰，想了片刻，道：「剛才那長笑之聲，不知從何處傳來？耳音似是很熟。」語音甫落，忽見那伏在朱欄上的譚九成一挺而起，急步奔過小橋而去，行動迅快，似是又恢復了原有的矯健。

鍾一豪大步奔出客廳，打量四周一眼，說道：「夫人請留在此地，屬下趕過橋去瞧瞧！」

谷寒香道：「瞧瞧可以，且不要和人起了衝突。」

鍾一豪應了一聲，放腿而奔。

他身法迅快，幾個飛躍，已到了小橋之上。

只聽對面花草中，傳過來一聲大喝道：「站住！」

鍾一豪依言停下腳步，喝道：「什麼人說話這等無禮？」

花草叢中，突然站起了兩個手捧匣弩的勁裝大漢。

鍾一豪久在江湖之上行走，見多識廣，一見之下，立時認出那匣弩，是一種構造極爲靈巧之物，每匣之中，藏有一十二支利箭，可以連珠射出，而且隨射隨裝，最是厲害，兩個匣弩，有如二十四個訓練有素的弓箭手，守這一座小橋，當真是飛鳥難渡。

鍾一豪一鬆腰間扣把，抖出緬鐵軟刀，冷笑一聲，道：「我等乃你們『垂楊村』中的貴賓，就算和你們莊主相見，他也得禮讓三分，爾等下屬，言語間竟敢這等無禮？」他怕兩人驟然間，施放匣中弩箭，憑藉雙掌之力，難以撥打，先把緬鐵軟刀抽出，以做防身之需。

那兩個勁裝大漢，神色如常的站著不動，直待鍾一豪說完之後，才由左面一個大漢，肅容說道：「在下等奉命固守此地，除了兩位莊主的日、月雙牌之外，任何人不得擅自通行。」

右面大漢接道：「『渡仙橋』精舍園林，佔地數十畝，已足夠諸位活動筋骨了，我等奉命行事，還望大駕海涵。」

鍾一豪留神望去，只見對面花樹叢中，人影隱隱閃動，不禁心中一動，暗道：「他們已在

對面的花樹叢中布下了這多人手。」

心念轉動，愈想愈火，當下提高了聲音，說道：「有勞兩位轉報『江南雙豪』一聲，就說鍾一豪有事找他。」

那兩個大漢相互望了一眼，笑道：「等到午時光景，敝莊主自會來此拜訪，此刻大可不必求見。」

鍾一豪怒道：「哪一個是求見了？」說話之間，大步向前走去。

兩個勁裝大漢，突然一振手腕舉起手中匣弩，對準了鍾一豪，道：「君子自重，大駕如再向前移動一步，可別怪我等不客氣了！」

鍾一豪一振手中緬鐵軟刀，幻起了一片刀影，冷冷說道：「兩位手中拏的什麼？」

兩個勁裝大漢齊聲答道：「連珠匣弩！」

鍾一豪冷冷說道：「兩位可自信手中連珠匣弩，威力十分強大麼？」

兩個勁裝大漢相互一笑，道：「只要大駕不過『渡仙橋』，我們絕不敢有所侵犯。」

鍾一豪突然一晃雙肩，腿不屈膝，腳不移步地突然向前欺進了三、四尺，一揮手中緬刀說道：「在下不願和你等一般見識，但卻極願一試兩位手中匣弩的威力。」

左面大漢搖搖頭笑道：「敝莊主規令森嚴，在下等不敢擅放匣弩。」

鍾一豪冷笑一聲，道：「我自有讓兩位放施匣弩之法。」手橫緬刀，緩步向前走去。

兩個勁裝大漢，四目圓睜，怔怔地盯注在鍾一豪的臉上，手中匣弩雖已高高舉起，對準著鍾一豪，但卻始終不肯出手。

鍾一豪已將走完了一座小橋，兩人仍然舉著匣弩不動。但見對面花叢中一陣颼颼急響，十二個勁裝大漢，突然一齊奔了出來，六人手執一丈二尺的長矛，六人手捧闊面厚背鬼頭刀。

這時，鍾一豪已走近了小橋邊沿，只要再跨一步，就要離開了「渡仙橋」。

兩個手舉匣弩的大漢突然齊聲道：「大駕最好就此止步，只一下橋，我們就要放箭了。」

鍾一豪冷峻的目光，凝注在兩人臉上，冷然一笑，道：「在下誠心相試兩位手中匣弩的威力。」突然大邁一步，下了小橋。兩個勁裝大漢同時一振右腕，立時有四支利箭，激射而出。

鍾一豪早已有備，手中緬鐵軟刀疾掄，幻起一片護身刀光，四支弩箭，盡被打落。

兩個勁裝大漢同時冷笑，霍然分開，弩箭分由兩個方向，疾射而出。但聞尖風嘯空，箭如飛蝗，一支接一支地疾射而到。

鍾一豪腳踏丁字步，暗提真氣，手中緬刀掄轉如風，只見光影閃轉，全身都被一層刀光護住。兩只匣弩雖然箭出如雨，但鍾一豪刀光如雪，護守嚴謹，相持一刻工夫，竟然無法傷他。直待兩個勁裝大漢，各自攜帶一百二十支弩箭放空，那綿綿不絕的箭雨，才突然停了下來。

鍾一豪收住刀勢，突然提氣一躍退回到橋頭，傲然說道：「連珠匣弩，威勢也不過如此，在下領教了。」

他微微一頓接道：「如非『江南雙豪』有午時之約，在下也當使兩位試試我追魂神針滋味。」

兩個勁裝大漢，倒是未再出言反擊，一語不響地隱入花叢之中。

但那十二個手拏長矛單刀的勁裝大漢，卻緩緩向前逼來。

鍾一豪略一忖思，已了然這些人各有著一定的職守，如若那連珠箭無法阻止，這十二個手執長矛和鬼頭刀的大漢，立時將接替攻上。

只聽自後傳過來麥小明尖厲的聲音，道：「公主有令，著鍾兄即刻退回。」

鍾一豪面對敵人，緩步而退，但兩道眼神，卻一直在十二個大漢臉上轉動。

十二個分執長矛、單刀的大漢，逼近到「渡仙橋」邊時，突然停下了腳步，顯然，這座小橋分隔禁令十分嚴格。

鍾一豪抬頭望望天色，天色已三竿過後，距中午還有一個時辰左右。

谷寒香冷冷望了鍾一豪一眼，說道：「我不要你和他們動手，但你卻我行我素，絲毫不把我的話放在心上。」

鍾一豪一抱拳，低聲說道：「屬下知罪了……」

微微一頓之後，接道：「『江南雙豪』已在這小橋對面的花樹叢中，布下了天羅地網，看樣子他們已存心把咱們困在此地了。」

谷寒香道：「『江南雙豪』盛名甚著，既和咱們定下了午時之約，大概不致變卦。」

說話之間，突然聽到一聲巨震，「渡仙橋」對面的花樹叢中，人影閃動，刀光生輝，一群群勁裝疾服，手執兵刃的大漢，急奔齊出。這些人都是江南黑、白兩道上甚有盛名的人物，手中的兵刃，甚多奇形外門兵刃。

麥小明冷笑一聲，道：「『江南雙豪』向咱們示威了，哼！」

余亦樂接道：「這些人似乎都是『江南雙豪』召集的江南武林高手。」

谷寒香看那花樹叢中閃出來的人影，不下百個，不禁一顰秀眉，說：「對方聲勢如此浩大，咱們絕難抵敵，倒不如答應他們算了……」

苗素蘭低聲說道：「夫人不必多慮，據賤妾所見，只怕他們內部已有了驚人的變故。」

谷寒香道：「什麼變故？」

余亦樂道：「苗姑娘之意，可是說『江南雙豪』翻臉成仇，自相殘殺麼？」

苗素蘭搖頭道：「這很難說了，但賤妾可以斷言，剛才譚九成趕來此地，定然有什麼重要之事，和咱們商量……」

谷寒香道：「商量？」

苗素蘭笑道：「不錯，但他中途又改變了主意，隱忍未言。」

余亦樂忽然隨聲附和地說道：「苗姑娘所斷不錯，譚九成剛才的舉動，十分怪異……」

谷寒香接道：「這個我也看出來啦，但這也不能說是他有事要和咱們商量。」

余亦樂笑道：「剛才譚九成的失常舉動，只有兩個原因可以解釋，一個是他見了咱們之後，突然泛升起了殺機，運集了一種外門奇功……」

鍾一豪道：「這話不錯，看他的舉動，似是江湖上傳言的『殭屍功』！」

余亦樂淡淡一笑，接道：「第二個原因，那就是他中了奇毒，剛好毒性在那時發作。」

谷寒香望了對面聲勢浩壯的強敵一眼，說道：「看樣子，不到午時之前，咱們就是想出這片花樹林，也非容易的事了。」

苗素蘭低聲勸道：「夫人不用憂急，賤妾自信料斷不錯，咱們暫時退入精舍，坐以待變，然後再衡度敵我形勢，隨機應變。」

谷寒香道：「事已至此，也只有這個辦法了！」

群豪緩緩地退回了精舍大廳，等待著午時之約。

雖只有一個時辰左右，但卻似乎是過得特別緩慢，好不容易太陽才爬升中天。

谷寒香仰臉望望天色，說道：「他們該來了。」

所有人的目光，都不禁地投注在那「渡仙橋」上。

不論歡樂與苦難，都無法留住時光，只見那筆直花樹影子開始向東方延伸，太陽偏西了。

鍾一豪冷哼一聲，罵道：「已到午時，還不見人？哼！臭架子倒是不小。」

麥小明接口說道：「他既和咱們訂的午時之約，過午不見，咱們可以衝出去了。」

苗素蘭微微一笑，道：「他們來得愈晚，對咱們愈是有利……」

余小樂舉起手來，遙指著廳外說道：「來啦！」

群豪凝目望去，果見一個身披斗篷的黑髯大漢，緩步走了過來。

那人舉動看似緩慢，其實很快，不大工夫，已到了大廳門口。

谷寒香緩緩站起身子，說道：「只有大莊主一個人？」

那黑髯大漢，正是皇甫天長，只見他皮笑肉不笑地一咧嘴，道：「公主可是掛念著在下的二弟麼？」

谷寒香笑道：「譚二莊主年少英秀，言語和藹，比起大莊主，使人覺得他親切得多了。」

皇甫天長冷冷說道：「公主一夜思考，想已有所決定。」

谷寒香盈盈一笑，道：「決定了。」

皇甫天長一抱拳，道：「車馬已備齊，在下當親送公主過江。」

谷寒香忽然覺得再無可答之言，默默不語。

苗素蘭冷哼一聲，接道：「大莊主未聽清楚之前，最好別擅做主意。」

皇甫天長怔了一怔，道：「什麼？你們可是決定留在江南？」

苗素蘭淡淡一笑，道：「我等無權作主，這得請公主裁決了。」

皇甫天長縱聲大笑道：「現下已到午時，在下無暇多留，走與不走，但憑公主一言。」

谷寒香大眼睛眨了眨，逼注在皇甫天長的臉上，說道：「縱然我們今日退回江北，但我們立刻可以捲土重來，你雖然處心積慮，邀請了江南高手，但你不能讓江南黑、白兩道永遠常駐在『垂楊村』中……」

皇甫天長冷笑一聲，打斷了谷寒香未完之言，接道：「江南黑、白兩道中人，經常駐節在『垂楊村』中，並非什麼困難之事……」他微微一頓之後，又道：「在下對公主這般客氣接待，並非是有所畏懼，我們已先盡了地主之誼，至於是敵是友？任憑公主選擇。」

麥小明突然輕扯鍾一豪的衣袖，兩人聯袂一躍，擋在門口，緬鐵軟刀和長劍同時出鞘。

鍾一豪冷笑一聲道：「如若是先禮後兵，敝上已對大莊主極客氣了……」

皇甫天長神色鎮靜地回過頭，冷冷地望了鍾一豪和麥小明一眼，道：「兩位亮出兵刃，可是存心動手麼？」

麥小明道：「口氣不小，只怕你今天已再難生離此地。」
皇甫天長仰臉大笑，聲如龍吟，震得人耳際中嗡嗡作響。
笑聲中雙臂一抖，肩上的黑色斗篷突然脫飛離身。
苗素蘭、佘亦樂同時向前飛躍兩步，一左一右地擋在谷寒香的身前。
凝目望去，只見皇甫天長的手中，已多了一把銀光閃爍的短劍。
他似是有備而來，暗中攜帶著兵刃。
鍾一豪緬刀一揮，低聲喝道：「苗姑娘和佘兄保護夫人，其餘人守住廳門，抗敵援手。」
「江北三龍」和文天生齊齊應了一聲，拔出兵刃，面外而立，擋住廳門。
佘亦樂回顧了大廳幾個侍婢一眼，高聲說道：「沒有你們的事，快躲一角，兵刃無眼，不要失手傷了你們。」
七、八個紅衣侍婢早已嚇得呆在當地，聽得佘亦樂一陣喝叱，立時紛紛躲入了大廳一角。
形勢已成劍拔弩張之局，一場慘烈的搏鬥，一觸即發。
皇甫天長抱元守一，凝神而立，手捧短劍，雙目半睜半閉，顯然已運集功力，蓄勢待敵。
他似已看出了眼下的局勢，縱然召集屬下，趕來相援，但對方拒守廳門，憑以相抗，一時之間，也不易衝得進來，索性豪氣一些，隻劍拒敵，裝出一副滿不在乎的樣子。
大廳中突然間沉默下來，久久不聞人聲。
鍾一豪、麥小明四道眼神，一齊投注在谷寒香的臉上，神色間一副躍躍欲動的神色，看情形只有等待谷寒香一聲令下。

皇甫天長微閉的雙目，突然一睜，神光閃閃地逼視著群豪，道：「我只要一聲呼叫，埋伏在對面的江南高手，立時可以趕來相援，我只要能夠擋得你們十回合的輪番攻勢，這座大廳即隔在重重包圍之下。」

谷寒香美目微閉，似是根本未聽得皇甫天長之言。

這位從不用心機的美麗姑娘，此刻忽然陷入沉思，似是正用心考慮著一件重大的問題。

苗素蘭回顧了谷寒香一眼，接道：「大莊主一聲令下，雖然可召屬下相助，但也將引發起我們一番群攻。」

麥小明失聲叫道：「蛇無頭不行，鳥無翅不飛，咱們只要把此人結束，『垂楊村』立將瓦解冰消。」

苗素蘭低聲道：「事已至此，看樣子只有一戰，但無公主之令，他們不敢動手。」

谷寒香長長嘆息之聲，素手一揮，道：「你們收了兵刃。」

鍾一豪怔了一怔！當先收了緬鐵軟刀。

麥小明道：「好吧！咱們白白放過這傷敵之機，坐以待斃。」

他口中雖然嘰哩咕嚕，但卻依言收了手中長劍。

谷寒香低聲喝道：「你們離開。」

苗素蘭望了谷寒香一眼，橫向側旁跨了兩步，余亦樂也退了一步。

谷寒香舉起右手，整一整頭上的珠花，緩步向皇甫天長走了過去。

苗素蘭低聲說道：「公主……」

谷寒香回眸一笑道：「你們放心，我想他不會傷我。」
皇甫天長雙目中神光如電，逼視在谷寒香的臉上，隨著她向前移動的身軀，變換著臉上的表情。
鍾一豪探手入懷，摸出一把毒針，握在手中，暗運內力，蓄勢待發。
所有人的目光，一齊投注在谷寒香的臉上，氣氛肅然，沉默中潛伏著無比的緊張。
谷寒香走近到皇甫天長的身側，緩緩舉起右手，道：「把你的短劍給我。」
皇甫天長楞了一楞道：「你胡說什麼？」
谷寒香盈盈一笑，道：「你不給我短劍，那就殺了我吧！」
皇甫天長雙目閃轉，臉色屢變，顯然，他心中正有劇烈的震動。
大廳中所有的人，都為谷寒香處身的險境，緊張和不安，連那些躲在大廳一角的紅衣侍婢，也為之星目圓睜，屏息而立，除了每人臉上憂急的表情之外，大廳中寂靜得可聽鋼針落地的聲息。
這時，只要皇甫天長一揮手中的寶劍，一代紅顏，立時將血濺敞廳。
鍾一豪望了苗素蘭和余亦樂一眼，目光中充滿忿慨和責備，似乎對他們放過谷寒香一事，大為不滿。
只聽皇甫天長一聲嘆息，緩緩把手中短劍，遞了過去。
谷寒香盈盈一笑，道：「我知道，你決然不會殺我。」
皇甫天長緩和的面色倏然一整，又恢復一臉冷若冰霜之情，說道：「我雖然不願殺你，但也未答應允讓你留在江南。」

谷寒香抬頭望望天色，道：「現下已過午時，但我們仍然留在你『垂楊村』精舍之中，你已經失敗了！」

皇甫天長冷笑道：「公主雖自負天香國色，但可惜在下卻沒有憐香惜玉之心。」

麥小明尖聲叫道：「你這人信口雌黃，胡說什麼？」

皇甫天長回目一顧麥小明道：「你罵哪一個？」

麥小明道：「你看看我罵的哪個？」

皇甫天長臉色一變，肅然道：「在下是何等身分之人，豈能和你一般口舌輕薄？」

麥小明翻腕抽出長劍，道：「你不過比我多糟蹋幾年糧食，論武功，倒未必比我高強？你有種答應我做一場生死之搏，單打獨鬥，不許人幫。」

皇甫天長沉吟了片刻，冷冷說道：「無名小卒，勝你不武。」

麥小明滿臉通紅，道：「你不敢？」

皇甫天長道：「我如答應了和你單打獨鬥，豈不高抬了你的身分？」

麥小明一對明亮的眼睛中暴射出忿怒的火焰，高聲對谷寒香道：「此人這般狂妄，屬下可否出手教訓他一頓？」

谷寒香素手一擺，道：「你們閃開路，讓大莊主出去。」

麥小明心中雖極不願，但又不敢抗拒谷寒香之命，平橫寶劍，閃向側旁讓開兩步。

皇甫天長冷笑一聲，緩緩轉過身子，大步向前走去。

谷寒香舉步而行，緊隨在他的身後。
鍾一豪急奔兩步，道：「公主不可單身涉險。」
谷寒香道：「不要緊，你們守在這裡，無我之命，不許擅闖『渡仙橋』。」
麥小明搖搖頭，低聲對苗素蘭道：「讓我師嫂跟他而去，怎麼得了？」
苗素蘭微微一笑，道：「柔能克剛，皇甫天長雖是鐵錚錚的漢子，怕也難以逃過夫人的醉人情網。」
鍾一豪急步奔了過來，說道：「如若皇甫天長把她留作人質，逼咱們退出江南，那就麻煩了。」
余亦樂道：「眼下形勢，眾寡懸殊，不宜一戰，只可智取，不宜硬拚……」
麥小明道：「難道公主佈施色……」他本想說佈施色身，以求苟安，但話到口邊之時，忽然覺得太過刺耳，硬把下面之言忍住。
苗素蘭低頭沉忖一陣，忽然揚眉一笑，道：「公主聰慧絕倫，才智果非咱們能及，非此不足以挑起『江南雙豪』的火拚之心。」
余亦樂若有所悟地「嗯」了一聲，道：「但願她巧計得售，引起他們一場內鬨。」
麥小明一皺眉頭，道：「你們說來說去，我也聽不明白，究竟是怎麼回事？」
余亦樂笑道：「戲法人人會變，各有巧妙不同。譚九成所以甘心屈服在皇甫天長之下，聽命於他，無非是因爲皇甫天長行工令嚴，如若一旦把他賴以維持權威的莊嚴外衣脫去，定然將激起譚九成不服之心，那時，只需公主略用挑撥手段，必將引起他們一場內鬨。」

麥小明嘆道：「我還是有點糊塗，你能不能再說清楚一些？」

余亦樂笑道：「我已經說得很清楚了，你聽不明白，只怪你年紀太輕，不解男女間情愛之事……」他微微一頓，接道：「江南黑、白兩道上的人物，雖大都聽命於『江南雙豪』的日、月二牌，但其中定然也有遠近之分。平常之日，看它不出，如果『江南雙豪』一旦鬧得翻臉成仇，亦必將各衛其主，截然分成兩派，一裂爲二，實力對消。那時候咱們就有舉足輕重，操縱大局的力量了。」

鍾一豪默然不語，緩步走出大廳。

抬頭看去，只見谷寒香嬌小玲瓏的背影，緊倚著皇甫天長高大身軀，並肩而行，緩緩踏上了「渡仙橋」。一股妒忿之氣，疾由鍾一豪的心中泛生起來，他仰臉長長吸一口氣，暗暗忖道：「鍾一豪啊，鍾一豪，你究竟是爲了什麼這般地替她賣命？難道只是爲了她的美麗，得以終日常伴玉人身側，聽她呼喝過來，指揮過去麼？」

他本是自負不凡之人，一念動心，登時怒火上沖，臉色大變。

余亦樂一直在暗中注意鍾一豪的舉動，他心中很明白鍾一豪的爲人，極是自負，甘心受命谷寒香，固然爲她絕世的容色所迷，但最重要的還是谷寒香那清華的丰儀，使他自甘效命。半年行蹤，谷寒香無聲無息地征服了中原道上四位高手，引起了風語，鍾一豪雖然心中憂悶，但一直自相欺哄，想著以谷寒香那等天使般的玉人，絕不致做出什麼見不得人的卑下之事。耳聞不如目睹，如讓他看出了谷寒香可疑的行蹤，勢非引起強烈的妒忌之心不可，忿怒啓發了蘊藏在心中的猜疑，必將激起他的叛離之心。一見鍾一豪臉色神情屢變，急急趕了過去，低聲說道：「鍾兄」。

鍾一豪回頭望了余亦樂一眼，望著天上飄浮的白雲說道：「大丈夫豈能夠常居人下，我要像那片白雲般，飄飛在無際的天空之中，縱然到煙消雲散，也不願永遠屈居人石榴裙下……」

他臉上怒容，忽然消失，代之而起的是一片沉痛和憂傷，長長嘆一口氣道：「余兄灑脫不群，人間賢哲，面對著絕代紅粉，竟然視若無睹，兄弟弗如……」

凄涼一笑，流現出內心中深沉的痛苦，接道：「當初兄弟相請余兄，留助夫人復仇，想不到我卻先你而去了……」

余亦樂一皺眉頭，道：「鍾兄暫息胸中激忿，聽兄弟幾句話如何？」

鍾一豪道：「自古多情空餘恨，好夢由來最易醒，余兄的盛情，兄弟心領了。」

他突然仰臉一聲長嘯，豪壯地說道：「青山不改，綠水長流，咱們兄弟後會有期。」

翻腕抽出腰間緬鐵軟刀，大步向前行去。

余亦樂急急說道：「鍾兄過來。」

鍾一豪回過頭來，笑道：「余兄可是爲兄弟擔心麼？」

余亦樂嘆道：「鍾兄縱然神勇，但也無法闖過『江南雙豪』的重重埋伏……」

鍾一豪笑道：「縱然兄弟雙拳難抵四手，但自信江南黑、白兩道中人，也將付出極高的代價，讓他們試試我手中之刀，和袋中毒針的滋味。」

余亦樂忽然縱身一躍攔在鍾一豪身前，說道：「鍾兄不可造次，縱已決定難再更改，也待夫人回來之後，和她見上一面再走。」

鍾一豪道：「不用了。」

余亦樂忽然嘆息一聲，道：「我明白你的爲人，一經決定，即難再改，如果你執意要走，容在下相送一程。」

麥小明突然急躍而至，接道：「今日一別不知哪年才能相見？咱們最後試一下刀劍聯手之戰的威力如何？」

鍾一豪道：「此行九敗一成，何況我志在突圍，並無鏖戰之心，兩位的盛情，在下這裡拜領了。」抱刀握拳，深深一揖。

麥小明忽然長長嘆一口氣，道：「你在此地之時，咱們兩人之間，最愛吵架，三言兩語，動不動就打了起來。唉！但你要走了，我忽然覺得不願和你分別，今後定然很想念你。」

鍾一豪道：「我如能衝出『江南雙豪』的重重攔截，咱們總有見面之日。」

苗素蘭急步走了過來，道：「鍾兄，能不能再想想？」

鍾一豪淒涼一笑，道：「我想得已經夠多了，苗姑娘好好地佐助於她……」

苗素蘭臉色一整，肅然說道：「鍾壯士，你看看那是什麼？」

鍾一豪順著苗素蘭手指望去，只見一株盛開的春蘭，在微風中搖動，立時隨口應道：「那不是蘭花麼？」

苗素蘭淡淡一笑：「久在植蘭之室，就不覺蘭香的可愛了。」

鍾一豪怔了一怔，道：「恕在下不解姑娘言中之意？」

苗素蘭道：「如若把這株春蘭移植在污濁的環境中，這株蘭花就失去它的可愛了麼？」

鍾一豪道：「白蓮出污泥，但卻無損它的美麗和清白。」

苗素蘭微微一笑，接道：「夫人就像這一株美麗的蘭花，只不過她處身污濁的江湖中，她本身雖然散發著芳香，但世人卻已為那污濁的環境所惑了。」

鍾一豪呆了一呆，道：「苗姑娘此言何意？在下仍是有些不解？」

苗素蘭低聲應道：「夫人仍然是玉潔冰清，你不能懷恨她。」

鍾一豪突然縱聲笑道：「我有眼可看，有耳可聽。」

苗素蘭臉色一變，冷冷說道：「你可發覺這些時日，她有什麼不同之處麼？」

鍾一豪沉吟了一陣，道：「沒有。」

苗素蘭道：「這就是了。」

她突然放低了聲音，接道：「夫人並非薄情人，你為她效命之事，她並非毫無感覺，她對你愈是冷漠，心中對你情愫卻愈深。」

鍾一豪嘆息一聲接道：「當真有這等事麼？」

苗素蘭道：「鍾兄要好自為之，不難獲得芳心，信我的話在你，不信我的話，也在你；像她那天生麗質的人，碌碌世人，豈肯隨便能得她佈施色身？」

鍾一豪凝目沉思，默不作答，但他臉上神情變幻不定，顯出他內心正有無比的激動。這是個痛苦的抉擇，在鍾一豪的心田裡，掀起了巨大的狂瀾。他必須放棄耳聞、目睹的諸般情景，相信谷寒香仍然是昔年的冰清玉潔。

苗素蘭輕嘆息一聲，接道：「你必須要信我的話，不相信，你將抱憾一生……」

她突然把聲音放低下去，低的只有鍾一豪勉強可以聽到，道：「胡夫人有一種特殊的氣質，深深的感人，凡是和她相處在一起的人，都會有著一種謙和的感覺……」

她輕輕地嘆息一聲，接道：「她的美麗，亦非一般的美艷女人可比，由內心到形象，無處不美！第一眼看到她的人，可能被她美艷吸引，但當你和她相處了一些時日之後，發覺她內心之中，另有著一種引人的氣質，這等完美的玉人，舉世間，只怕再難尋到。」

鍾一豪緩緩把目光投注到苗素蘭的臉上，嘆道：「苗姑娘說得不錯，她還給予人一種悅目和惜憐的感覺。」

苗素蘭道：「由來紅顏多薄命，夫人太美了，不是任何一個男人可以獨自消受……」

鍾一豪雙目閃動著明亮的光芒，說道：「多謝姑娘指點。」

苗素蘭微微一笑，道：「你還要走麼？」

鍾一豪尷尬的一笑，道：「不走了，但我要衝過去保護她的安全。」

苗素蘭道：「你會破壞她傾覆『江南雙豪』的計劃。」

鍾一豪微微一笑，道：「姑娘但請放心，在下自有兩全之道。」

他仰臉望天，長長吁一口氣，接道：「我要江南一黑一白兩道上的人物，試試我手中鋼刀的厲害！」

苗素蘭眼珠兒轉了兩轉，道：「你如一定要走，我也無力攔阻，但必須要聽她的話。」

鍾一豪道：「記下了。」轉身望著麥小明道：「你還有沒有膽氣，試試咱們刀劍聯手的威勢？」

麥小明咯咯一笑道：「要打架麼？那是最好不過，別說只是江南黑、白兩道上的高手，就是遍天下武林菁英，盡集於此，我也不怕。」

鍾一豪大笑讚道：「好膽氣，走，咱們給他們一點顏色瞧瞧！」

當先大步而行，直向「渡仙橋」走去。

麥小明呆了一呆，道：「不要慌，你可是要我送你麼？」

鍾一豪微微一笑，道：「你可是後悔了？」

麥小明道：「笑話！大丈夫言出如山，豈能反悔！」

鍾一豪道：「那很好，咱們走吧。」

麥小明搖搖頭道：「你和苗姑娘嘰嘰咕咕說了半天，講的什麼？」

鍾一豪道：「沒有談你就是……」

麥小明接道：「不行！我一生不願做糊塗的事，非得先說個明白不可。」

鍾一豪笑道：「人生一世難得糊塗，你還是糊塗些好。」

麥小明道：「如果我不願糊塗呢？」

鍾一豪一皺眉頭，道：「你一定要明白麼？」

麥小明道：「不錯！你不說個明白，只好你一個人去了。」

鍾一豪略一沉吟，低聲說道：「咱們去保護你師嫂。」

麥小明大眼睛眨了幾眨，道：「唉！你愈說，我是愈糊塗了，你可是還要回來麼？」

鍾一豪道：「我不走了。」

麥小明長嘆一口氣，道：「算了，我聽不明白，那就不如糊塗些吧，走，陪你去啦。」

鍾一豪笑道：「不要慌，你先得答應我一個條件，咱們再去。」

麥小明道：「如若我不答應呢？」

鍾一豪道：「不答應，那我就一個人去。」

麥小明道：「好吧，你說說看。」

鍾一豪道：「咱們一步踏過『渡仙橋』，你必須要絕對聽我的話。」

麥小明笑道：「好吧，看在打架的份上，我答應你。」

鍾一豪縱聲一陣大笑，拔出緬刀，當先向前走去。

麥小明翻腕拔出長劍，笑道：「刀劍聯手，劍勢要先刀而前，讓我走前面吧。」

鍾一豪微微一笑，橫向側旁閃開一步，讓麥小明走在前面。

余亦樂突然大聲喝道：「兩位要不要我相助一臂之力？」

一向老成的余亦樂，亦似是被這境遇，激起了凌雲的豪氣。

麥小明回頭一笑，道：「不用了，我們兩個人，足以對付了。」

鍾一豪接道：「余兄請留此幫助苗姑娘主持大局。」

說話之間，麥小明已大步搶上了「渡仙橋」。

鍾一豪縱身一躍，落在麥小明的身後。

只聽對面花叢之中，傳過來一陣喝叱之聲，道：「兩位快請住步！」

麥小明咯咯大笑，道：「不停步又怎麼樣？」縱身而起，直飛過去。

鍾一豪高聲叫道：「小心了，對方匣弩厲害……」
他話剛出口，麥小明懸空飛起的身軀，已過了「渡仙橋」。
只聽對面花樹叢中，傳出來一陣破空的箭風，數十支弩箭，齊射而出。
麥小明早已運氣戒備，手中長劍突施出一招「狂風落葉」，幻起一片劍幕，護住了身子。
只聽一陣叮叮咚咚之聲，那疾如狂雨的弩箭，盡爲劍光擊落。
麥小明氣沉丹田，疾快地落著實地。
他身子剛剛站好，第二排箭雨，已急射而到。
這當兒，鍾一豪已迅快地飛落到麥小明的身側，手中緬鐵軟刀一揮，化成一片刀光，護住麥小明的側翼。
麥小明腳落實地，劍勢應變不及，只能顧到正面，如非鍾一豪及時而上，這一排箭雨，縱不致傷他，亦把他鬧個手忙腳亂，應接不暇。
那花樹叢中的弩箭，似是增加了甚多，第二排箭雨射出之後，花樹中的弩箭，並未停止下來，反而更形猛烈。
但已不似剛才那等滿天飛蝗一般，一排弩箭，多達數十百支，而是一次三支、五支地綿連不絕，箭雖減少了甚多，但勁道卻較前更爲凌厲，而且箭勢指向，都是兩人的大穴要害。
這一陣箭雨，給了兩人極大的威脅，也阻擋了兩人前進之勢。
麥小明的心中，逐漸地感到焦急起來，低聲對鍾一豪道：「咱們這樣和他們對耗下去，不知要耗到幾時？總得想個法子衝過去啊！」

但那綿連不絕的箭雨，有如一道啣接不斷的水泉一般，一支接一支，由花樹叢中射出，稍一疏忽，就有被射中的可能。迫得兩人不得不把全副精神，集中對付那綿連不絕的箭雨。

鍾一豪究竟見識廣博，心知對方能一次放出數十支箭來，那花樹叢中，潛伏的弩箭手，絕然不止三、五個人，定是很多人搭絃扣箭，蓄勢以待，只要兩人稍微一亂章法，那蓄勢待落的強弩利箭，立時將乘隙射出，現下情境，殺機四伏，必須要謹慎從事，才不致造成險局。

他久經戰陣，生平之中不知經歷過多少凶險？略一忖思，說道：「對方不願傷人，志在拒擋咱們，但咱們卻不能毫無顧忌地放手傷人，只能迫使敵人放手自退而已……」

麥小明道：「好啊！這場架不用打了，敵可傷我，我們不能傷敵，打起來還有什麼味道呢？」

鍾一豪緬刀一振，撥打開疾射而到的三支弩箭，接道：「公主陷身人手，生死全在對方掌握之中，如若咱們傷人過多，勢將引起他們強烈的忿恨之心，那時他們極可能殺害公主，以洩胸中之忿。」

麥小明呆了一呆，道：「不錯，這件事我還沒有想到。」

鍾一豪道：「因此咱們就不能放手傷人。」

麥小明怔了一怔，道：「好吧！反正我已經答應了你，過了這『渡仙橋』後，什麼事都依著你了。」

鍾一豪突然向前跨了一步，手中緬刀，登時刀光翻滾，光影如雲，連麥小明停身的位置也一齊擋了起來，低聲道：「你緊隨我的身後，用劍勢上補我刀光上的不足，咱們一齊向前面花樹林中走去。」

麥小明道：「刀、劍聯手克敵，應該是我走前面，你既然這樣說了，那就讓你走前面也是一樣。」

兩人成了一線之後，受箭的幅面減少了甚多。

鍾一豪一面急揮著手中的緬刀，撥打箭雨，一面緩緩移動著腳步，向前走去。

麥小明手橫寶劍，緊隨在鍾一豪的身後緩步向前行去，不時用寶劍幫著鍾一豪撥打箭雨。

逐漸地兩人接近了花樹林邊，只聽花樹林中傳過來一聲高喝道：「兩位再不停步，可別怪我們施放強弓硬弩了。」

鍾一豪道：「諸位暫請住手，我有重要的話要說。」

花樹林中傳出來一個粗豪的聲音道：「什麼話？快說。」

隨著這一聲回答，花樹林中的箭雨，一齊停了下來。

鍾一豪道：「我家公主剛才相隨皇甫莊主會商我等離開江南之事，我等必需隨身相護。」

他微微一頓之後，又道：「諸位如若不信，不妨派人去請示莊主一聲。」

他說話的聲音，故意提得很高，似是有意讓很多人聽到。

果然，片刻之後花樹林中緩步走出一個身著黑色勁裝的大漢，遙遙抱拳一禮，道：「皇甫莊主已傳上牌諭，特准兩位通過，趕往相護公主。」

鍾一豪暗暗忖道：「無怪此人能夠領江南黑、白兩道中人，氣度確是不小。」心念一轉，回手把緬刀插入了刀鞘之中說道：「有勞大駕，為我等指示一條去路，好麼？」

那勁裝大漢沉吟了一陣，道：「這個在下還難做得主意，兩位稍候片刻，容我去請命一下，再奉覆兩位。」

麥小明冷笑一聲，道：「看你們這等事事請示之情，大概出恭時也要向莊主稟告了！」

那黑衣勁裝大漢，瞪了麥小明一眼，冷冷說道：「年輕輕的孩子，這般信口雌黃……」

麥小明雙肩一聳，一揮寶劍，但卻默然不言，硬把沖起的怒火，忍了下去。

平常狂放冷傲的鍾一豪，此刻卻突然變得十分溫和起來，抱拳一禮，笑道：「兄台請便，我等在此敬候答覆。」

那黑衣勁裝大漢，似是餘怒未息，但經鍾一豪這般一說，反有些不好意思，也抱拳一禮，答道：「兩位稍候片刻。」轉身奔入花樹林中。

片刻之後，花樹林中，緩步走出來兩個眉目清秀的青衣童子。

兩人走到了鍾一豪的身前，才停下腳步，說道：「我們奉莊主之命，爲兩位帶路而來。」

鍾一豪道：「有勞了。」

兩個青衣童子齊聲說道：「兩位請隨在身後，不要走錯了路。」

說完，轉身而行。

麥小明望了兩個童子一眼，臉上的肌肉不住顫動。顯然，他在極力地克制著內心的衝動。

鍾一豪大邁一步，隨在兩位童子身後，一面用手勢，示意麥小明，不讓他發作出來。

兩個青衣童子，帶兩人穿行在花樹叢林中。

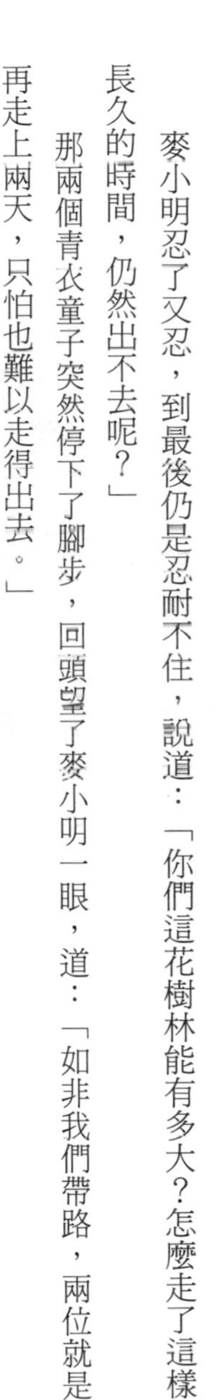

麥小明忍了又忍，到最後仍是忍耐不住，說道：「你們這花樹林能有多大？怎麼走了這樣長久的時間，仍然出不去呢？」

那兩個青衣童子突然停下了腳步，回頭望了麥小明一眼，道：「如非我們帶路，兩位就是再走上兩天，只怕也難以走得出去。」

麥小明冷笑一聲，道：「惹我惱了火，砍倒這些臭花、臭樹。」

兩個青衣童子的脾氣，似和麥小明一般的壞，不待麥小明說完，臉色同時大變，左面一人冷冷接道：「你砍一下試試看！」

麥小明揚了揚手中寶劍，重又軟軟垂了下去。

鍾一豪道：「兩位辛苦帶路，在下這裡相謝了。」

兩個青衣童子相視一笑，又轉身向前走了。

麥小明施展傳音入密的功夫，低聲對鍾一豪道：「這兩個小鬼頭可惡至極，我非得殺了兩人才能一洩胸中心頭之氣。」

鍾一豪低聲答道：「此時此刻，不宜和他們衝突，記在心中也就是了。」

說話之間，人已出了花樹林。

鍾一豪、麥小明只覺眼前一亮，景物豁然開朗，花、樹已盡，四面千株垂楊，絲絲隨風飄拂，一陣陣清淡柔和的微風，代替了方才花樹叢中的濃郁香氣，撲面吹來，就正如突然自偎紅倚綠的綺羅叢中，走入了遠離紅塵的天外勝境。

麥小明仰天呼了口長氣，面上的激憤之色突地消失無蹤，哈哈笑道：「好地方！好地方！看到這種地方，我更不願離開江南了。」

鍾一豪雖然也覺心神一暢，但他已看出，這一片垂柳之後，必定就是江南武林重心中的重心，「垂楊村」的心腹重地。

兩個青衣童子對望一眼，右面一人冷冷道：「肅靜，這裡豈是你喧笑之地？」

左面一人接口道：「兩位在此稍候，容我先去通報。」

鍾一豪轉目一望，只見麥小明仍然笑容未斂，並未發怒，心中不覺甚是奇怪？又覺頗爲高興，忖道：「這衝動的少年，畢竟長成了一些。」

兩個青衣童子腳步迅快，並肩而行，同時落足，霎眼間便轉回垂楊之下。

麥小明笑容一斂輕罵道：「小鬼頭！」「砰」地一拳，打在自己腿上。

鍾一豪此刻正是滿腹心事，用盡目力，凝神向前望去，但見柳絲拂動間，隱隱現出一些亭台、樓閣的影子。

他暗嘆忖道：「建造此村之人，心中是何等丘壑？一亭一台、一花一木，俱都安排得如此巧妙，明明是一塊並不太大的地，看來卻是如此空靈一般！」

思忖之間，突聽一陣銀鈴般的笑聲，隨風飄來，麥小明精神一振，道：「公主在……」

鍾一豪急的一擺手，截斷了他的話，輕輕道：「聽！」

只聽谷寒香的聲音在說：「天長兄，你真的要我們走麼？」

鍾一豪暗哼一聲，忖道：「還不到一個時辰，她便已稱兄道弟起來了。」只覺一陣悶氣，

塞住咽喉，話也說不出來。

隔了許久，仍不聞皇甫天長的答覆，顯見他正在鄭重地思考與矛盾之中。

谷寒香卻又接道：「我這次一走，就不知要走到哪裡去了？也不知何時才能回來？那麼，你就可能永遠看不到我了！」

她語聲是那麼嬌柔而清脆，鍾一豪挺起胸膛，吐出一口長氣，一振掌中緬刀，道：「前面縱是刀山劍林，我們好歹也要闖上一闖，等在這裡……等在這裡……」他本想說「等在這裡，豈是大丈夫行徑。」但忽又覺得自己不該如此激動，緬刀一垂，將下面的話忍了下去。

哪知麥小明根本不聽他將話說完，已大喜喊道：「走！」一握掌中長劍，大步走去。

鍾一豪苦笑一下，隨之行去，起落之間，已到了垂柳之間，只見前面一片水波，竟是一片池塘，此刻自是暮春，塘中紅荷綠葉，襯著半灣青波，景物更是幽絕。

荷塘西側，樓閣深沉，絲絲垂柳下的岸邊，卻泊著兩艘朱欄碧窗，玲瓏精緻的湖船。

碧紗窗前，有兩人對面而坐，一個是修目長髯的威猛豪士，一個是明媚的絕代紅顏，亦不知是他們增添了湖光水色的雅趣，抑或是四面的湖光水色增添了他們的幽情？一眼望去，但覺這兩人已與目下景物融化一體，彷彿天上人間。

鍾一豪腳步一頓，緬刀的刀尖，突地起了一陣顫抖。

麥小明瞧了他一眼，若有所悟地點了點頭，忽然大聲喝道：「公主。」

皇甫天長、谷寒香一齊轉過頭來，那兩個青衣童子已閃電般自船艙中躍出，左面一人厲聲

道：「叫你們等候通報，沒有聽到麼？」

麥小明冷笑道：「區區一個莊主，架子卻當真不小。」

右面一人低叱道：「你說什麼？」雙手緊握，虎視眈眈，大有與麥小明動手一拚之勢。

鍾一豪目光轉處，只見谷寒香柳眉輕輕一顰，似在埋怨，這鐵錚錚的漢子不禁忽然嘆了一口氣，道：「小兄弟，你們通報過了嗎？」

左面的青衣童子，哼了一聲，道：「隨我來！」轉身向湖船上走去了。

右面的青衣童子狠狠望著麥小明，哪知麥小明忽地輕輕一笑，道：「我若和你動手，豈非失了我的身分？」再也不望這青衣童子一眼，跟在鍾一豪身側，並肩走上湖船。

鍾一豪垂首而行，但見眼前水波蕩漾，似乎正和谷寒香的眼波一樣。

麥小明昂首闊步，眼前的粼粼水波，宛如一片刀光劍影。他心中充滿憤怒，恨不得能大大廝殺一場，將皇甫天長一腳踢下湖裡。

兩人方才踏上船板，突聽谷寒香道：「留在船下，不要上來。」

她頭也不回，生像是自信只要自己說出了這句話，他們兩人，便必定不會違抗。

鍾一豪呆了一呆，垂首退下船來，滿面俱是悽然之色。

麥小明呆望著他，心中似乎也在嘆息，但口中卻大聲道：「不上去就不上去！」

伸手一拍鍾一豪的肩頭，接道：「站在這裡，真比船上涼快舒服得多。」

鍾一豪苦笑一聲，忽見柳絲拂動下，一個身軀修長的黑衫人，從容緩步而來。

麥小明轉眼望了來人一眼，低聲說道：「譚九成來了。」

鍾一豪神態蕭索，似是世上任何事物，都難再引起他的興趣，頭也不轉地淡然說道：「我早就看見了。」

只聽步履之聲，由遠而近，到了身側。

畫舟中傳出谷寒香嬌若銀鈴的聲音，道：「二莊主。」聲音甜柔，充滿挑逗誘惑。

譚九成劍眉一聳，抱拳應道：「時已過午，公主還沒有走麼？」

畫舟中傳出來皇甫天長冷肅的聲音，道：「二弟麼？上船來吧！」

譚九成冷笑一聲，道：「方便麼？」

皇甫天長道：「有什麼不方便？」

他似是聽出了譚九成言詞之間，含有譏諷之意，略一停頓之後，接道：「二弟言語之間，要留心 些了，佳客在座，豈可無長幼之序？」

譚九成雙足一頓，躍上畫船，但卻停步艙外，不肯進門，冷冷一笑，說道：「不知艙中的佳客，是哪一路的高人？」

谷寒香憑窗而坐，而且早已和他打過招呼，何況艙門之外，還守著鍾一豪、麥小明兩人，這些話，顯然是明知故問。

面對著絕世風華的谷寒香，皇甫天長似是有著下不了台的感覺，冷哼一聲，高聲說道：「進來！」

艙門垂簾啓動，緩步走進來全身黑衣的譚九成。

他原本生得英挺瀟灑，膚色如玉，此刻穿著了一身黑衣，更顯得英俊不群。

谷寒香回顧了譚九成一眼，嫣然一笑，道：「二莊主請坐。」

譚九成微一欠身，但卻不肯就座，面若寒霜，雙目投注在皇甫天長臉上，冷漠地問道：「大哥喝令小弟進入艙來，不知有何訓示？」

他言詞之間雖然說得十分客氣，但那副冷冰冰的面孔，卻使人有著一種極不順眼的感覺。

皇甫天長微微一聳雙眉，道：「二弟的身體不舒服麼？」

譚九成道：「小弟的身體很好。」

皇甫天長臉色一變，冷肅地說道：「我看你的臉色有些不對……」

譚九成接道：「大哥神目如電，一語道破小弟心事。」

皇甫天長道：「什麼心事？」

譚九成道：「一股忿忿的不平之氣！」

皇甫天長沉吟不語，雙目緩緩由譚九成的臉上掃過道：「二弟氣從何來？」

譚九成道：「大哥可知道『己不正不能正人』這句話麼？」

皇甫天長道：「話雖知道，但卻不知二弟所言何指？」

譚九成冷笑一聲，道：「大哥一向令出如山，從無更改，不知何以此次竟然令而不行？」

皇甫天長沉忖了片刻，道：「什麼事令而不行？」

譚九成道：「大哥曾傳下令諭，限定咱們『垂楊村』中住客，午時之前離開此地，眼下午時已過，那受限之人反為大哥邀坐荷池畫舟中，對坐談心，倒是真正成了大哥的佳賓了……」

皇甫天長看他愈說愈是氣忿，臉色泛紅，心知下面之言，定然更加難聽，立時接口喝道：「住口！不要再說下去。」

哪知譚九成仍我行我素地接道：「大哥既然要問，小弟自應把心中之言全說出來才好。」

皇甫天長道：「此時此地，我已不願再聽下去，還是提早些住口的好。」

譚九成怒道：「大哥可是感覺到有失顏面麼？」

皇甫天長連受頂撞，臉上也泛起了忿怒之容，說道：「幫有幫規，家有家法，二弟這等冒情犯上，可知道犯了咱們手訂的戒律麼？」

譚九成哈哈大笑，道：「那戒律是哪個訂的？」

皇甫天長道：「是由小兄和二弟研商而訂。」

譚九成道：「這就是了，既是小弟和大哥所訂，咱們也同樣可以把它廢除。」

皇甫天長厲聲喝道：「小兄念咱們一番兄弟之情，不忍對你發作，但你這般不知進退，當真逼我教訓你麼？」

譚九成欲言又止，緩緩垂下頭去。

谷寒香眼看兩人即將鬧成無法下台的僵局，譚九成卻突然忍了下去，不禁心中一急，趕忙接口說道：「兩位不要吵了，事情爲我而起，兩位爭吵起來，實叫我心中難安……」

譚九成熄下去的怒火，似是又被谷寒香挑逗起來，冷笑一聲，道：「這是我們兄弟之爭，不關公主的事。」

谷寒香道：「我如不陪大莊主到這裡來，兩位也不會爭吵了。」

譚九成緩緩把目光投注到皇甫天長的臉上，道：「天下沒有不散的筵席，咱們兄弟合夥的時日不短了，也該分手了……」

皇甫天長冷冷說道：「二弟，一語錯出，常留下終身大恨，你要三思再言了。」

譚九成道：「小弟已想了一日一夜，志念早決，不願再更改了。」

皇甫天長突然仰臉一陣大笑，道：「二弟既然決定拆夥，小兄也不便勉強，但不知你幾時要走？小兄當設筵一壯行色。」

譚九成道：「小弟想立時就走！」

皇甫天長臉上青一陣、白一陣，神色屢變，沉吟了足足有一盞熱茶工夫之久，重又恢復了鎮靜，說道：「既是如此，小兄絕不強留……」

譚九成原想皇甫天長聽他說出叛離之心後，定然會大為震怒，哪知道皇甫天長竟然冷靜異常，輕描淡寫地答應了他。

尷尬的局面，使譚九成心頭燃起了忿怒的火焰，但卻又無藉作發揮之題，呆呆地站了良久，勉強壓制下心中的怒火，一抱拳，道：「大哥保重，小弟就此告別。」

皇甫天長道：「恕小兄不遠送了。」

譚九成緩緩轉過身子，向前走去。

谷寒香忽然舉步而行，緊隨譚九成的身後。

皇甫天長望了兩人一眼，別過頭去。他心地陰沉，智謀過人，心知此刻譚九成正憋了一肚子氣，只是形勢迫得他無處發作而已，只要稍做撩撥，勢必如江河堤潰，不可遏止。

譚九成行至艙門，突然轉過頭來，說道：「公主留步。」

谷寒香幽幽嘆一口氣，道：「你當真要走麼？」

譚九成道：「自然當真了，難道還有假的不成？」他的聲音微帶著顫抖，顯然內心中正有著無比的激動。

谷寒香道：「今日一別，不知咱們還有沒有再見之緣？」

譚九成突然縱聲長笑，道：「在下生在江南，自不會背井離鄉，飄然他往。公主如若有興觀賞江南風光，不但常可相見，在下且極願做一識途老馬，帶公主一窮江南風光。」

谷寒香淡淡一笑，道：「我們長途跋涉，遠道來此，自是極願觀賞一下江南的風景，可惜兩位卻不許我們一遊江南之勝。」

譚九成沉忖了一陣，目光一掠皇甫天長，道：「在下既然離開了『垂楊村』，自是不再插手相逼公主離開江南之事。」

谷寒香嫣然一笑，突然回過頭去，望著皇甫天長，道：「不知大莊主的意下如何？」

皇甫天長道：「大丈夫言出如山，豈能中途變卦？今天日落之前，諸位必得回道江北。」

谷寒香輕嘆一口氣，道：「大莊主這般相迫我離開江南，真叫人難明你用心何在？」

皇甫天長冷然一笑，道：「江湖上傳言你的美麗和陰毒，並名於世，我只道傳言無憑，想不到今日一見，不但足可證明傳言不虛，而且陰毒較美麗有過之而無不及。」

谷寒香雖艷名遠播，但這等當面出言斥罵她的人，還未有過，不禁被罵得微微一怔！

艙門外的麥小明早已忍不住心頭怒火，回身拔劍，準備衝入艙中，卻被鍾一豪出手阻止。

只聽皇甫天長仰臉大笑一陣，接道：「我已破例寬限了午時之約，天黑之前，如你們還不肯就道啟程，別怪我皇甫天長心狠手辣了。」

譚九成呆呆地站在艙門之處，他心中泛起了強烈的矛盾之感，只覺皇甫天長義正詞嚴，毫無兒女私情，自己這般誤會於他，實是不該，但一面又同情谷寒香的嬌弱，在皇甫天長嚴詞責罵之下，流現出一副受盡委屈的嬌怯情態，動人惜憐。

谷寒香長長地嘆息一聲，幽幽地說道：「你罵得很好，我心中一點也不恨你。」

皇甫天長呆了一呆，但剎那間又恢復了鎮靜神色，舉手一揮，對兩個站立艙門口的青衣童子，道：「送公主回到精舍去。」

兩個青衣童子齊聲應命，左面一人舉步入艙，高聲說道：「公主，請。」

谷寒香回顧了皇甫天長一眼，道：「你很英雄。」

隨在那兩個青衣童子之後，緩步向外走去。

譚九成緊倚艙門而立，一見谷寒香轉過身來，突然大邁一步，當先走出了艙門。

麥小明回顧了譚九成一眼，道：「想不到二莊主卻要先我們而去了？」

譚九成憋了一肚氣，無法發洩，聽得麥小明之言，立時冷哼了一聲，霍然舉起了右掌，就在他舉起右掌的同時，突然聽到船艙中的皇甫天長喝道：「回來！」這兩個字，似是用了他甚大氣力，想了很久才叫了出來。他只叫「回來」兩字，誰也無法確定他喊的哪個？

譚九成放下了舉起的右掌，回頭向艙中望去。兩個青衣童子，也同時停下了腳步。谷寒香已將要舉步出艙，聽得那喝叫之言，也陡然回過身去。

這些人全都楞在了當地！

皇甫天長舉手拂拭去臉上的汀水，兩道炯炯眼神投注在谷寒香的臉上道：「你可是當真的想留在江南麼？」

谷寒香點點頭道：「自然是當真了！」

皇甫天長道：「想留江南不難，但需得答應我一件事。」

谷寒香圓大的眼睛眨了兩眨，道：「什麼事？」

譚儿成本已奔入艙門的身子，突然回步而行，站在艙門處，兩道目光，炯炯地盯注在皇甫天長的臉上。

綠波中突然躍飛一尾鯉魚，惹得麥小明見獵心喜，運足腕力，把手中長劍當做魚叉投了過去。劍勢出手，嘯風破空，銀劍穿魚，水花飛濺。

鍾一豪微微一皺眉頭，道：「你不要長劍了麼？」

那鯉魚垂死掙扎，在水中打了一個迴旋，帶著長劍沉入了潭底。

麥小明回顧了鍾一豪一眼，道：「我去取劍啦！」縱身一躍，飛入碧波。

鍾　豪無可奈何地搖搖頭，嘆道：「唉！顽皮的孩子。」

船艙中的皇甫天長，似是爲麥小明擲劍取魚一事，驅醒了他迷亂的神智，他輕輕地嘆息一聲，揮手說道：「你走吧！天夜之前，必須離開這裡。」

谷寒香柔聲說道：「你叫我回來，就只要說這兩句話麼？」

皇甫天長肅然說道：「我不願看到你和你隨行之人，埋身『垂楊村』中。」

谷寒香道：「你這般夜郎自大，看人不起，怎知我一定會走？又怎能斷言我們必死呢？」

皇甫天長道：「不聽良言相勸，那你就不妨試試。」

谷寒香道：「護我南來的人手雖然不多，但個個都是身負絕技的高手。」

皇甫天長冷笑道：「強賓難壓主，何況我這『垂楊村』機關布設，有如天羅地網，江南道高手雲集，縱然再讓你增加人手一倍，也只有束手就縛。」

谷寒香緩緩轉過身子，道：「如我天夜前仍不離開，那就不肯走了；不論你要用什麼惡毒的手段，儘管使出來就是……」

皇甫天長接道：「聽在下相勸，公主還是離開的好。」

谷寒香道：「不用你管了！走不走是我的事。」

譚九成冷肅的臉色，逐漸地緩和下來，轉過身子，長嘯一聲，飛躍下舟疾奔而去。

谷寒香低聲喝道：「二莊主。」

只聽麥小明大笑，道：「這傢伙輕功不錯，走的沒了影子啦！公主要不要叫他回來？」

谷寒香慢步走出艙門，只見麥小明全身是水，站在船邊，右手提劍，左手拏著一條一尺多長的鯉魚，滿臉笑容，露出一副整齊雪白的牙齒，不禁微微一笑，道：「你還會水中功夫？」

麥小明道：「水、旱兩路，哪一樣我都不錯。」

皇甫天長大步衝出艙門，抬頭望望天色，道：「時光不早了，距離入夜，也不過幾個時辰而已！」回顧了兩個青衣童子一眼，接道：「你立即送公主回到待客精舍。」

說完縱身一躍，飛下畫舟，人影在垂柳中閃了兩閃，消失不見！

十九 鴻飛冥冥

畫舫上只餘下麥小明、鍾一豪、谷寒香和兩個青衣童子。

麥小明舉起衣袖，拂拭一下頭上的水珠，振腕把手中死魚投入了湖中，側頭望瞭望兩個青衣童子，揚了揚手中長劍。

兩個青衣童子緊緊繃著小臉蛋，對麥小明挑釁的舉動，恍如未見，望也不望一眼，左面一人卻低聲對谷寒香道：「公主請！」

谷寒香凝目沉思，似是思索著一件甚大的難題。

麥小明對兩個青衣童子一直記恨甚深，打量兩人一陣，說道：「你們爲什麼不帶兵刃？」

右面一個青衣童子說道：「帶了兵刃，又怎麼樣？」

麥小明道：「帶了兵刃，你們兩個就可以聯手和我打一架了。」

谷寒香突然自言自語道：「是啦！咱們躲入這畫舫之中，把它駛到湖心，那待客精舍中的埋伏，全都沒有用了……」

鍾一豪一直凝目天際，聽完谷寒香之言，才突然回過頭來說道：「公主說得不錯！那待客精舍的建築，隱隱暗合五行生剋之理，想那精舍之中，定是早已暗置了機關埋……」

他目光緩緩由谷寒香美麗的臉上掠過，投注到湖波之上，道：「如若咱們能遷入這畫舟之上，馳往湖心，皇甫天長一時之間絕然無法對付咱們，縱然他們飛舟衝來，也將各憑真實的武功一決勝負，唯一的顧慮是怕他們施用火攻，把這畫舫燒去……」

谷寒香道：「這般說來，咱們只有離開江南一途可循了？」

鍾一豪正容說道：「這是一場艱苦之戰，屬下隱隱覺出有一股暗流在『垂楊村』中激盪……」

谷寒香道：「你是說皇甫天長和譚九成將反目成仇，自相殘殺？」

鍾一豪道：「對我們而言，此事有百利而無一害，但屬下……」

他話還未說完，突然聽得一陣緊急的鐘聲傳了過來，麥小明一皺眉頭，罵道：「小小一座『垂楊村』，排揚倒是不少？」

鍾一豪道：「這鐘聲有些怪異！」突然探手一把，疾向一個青衣童子抓去。

那青衣童子身手不凡，鍾一豪一出手，他立時警覺，冷哼一聲，橫向旁側閃去。

另一個青衣童子突然大叫一聲，一把抓住了谷寒香的左腕。

麥小明怒聲喝道：「你找死。」右手一揮，劍尖閃動，直向那青衣童子手臂劈去。

那青衣童子手臂一振，竟向麥小明那長劍之上迎了上去。

他手中緊握著谷寒香的左臂，麥小明如若一劍，固然可以把那青衣童子的左臂斬斷，但谷寒香亦將被斬斷一臂；情勢迫得麥小明不得不停下手來，手腕一挫，收住了劍勢。

那青衣童子年紀雖甚幼小，但武功卻是不弱，而且心機深沉，舉動刁鑽，麥小明劍勢一

收，立時飛起一腳踢了過去，出腳迅快，疾如電閃。

麥小明尖聲喝道：「好快的身法。」身子一側，讓避開去。

那青衣童子一腳逼開麥小明，右手輕力，帶谷寒香的身子，左掌一招按在谷寒香背後「命門穴」上，冷然喝道：「你們再不停手，我就一掌震斷她的心脈。」

左面那青衣童子，已在這剎那之間和鍾一豪動手相搏了四、五招之多，身手的快捷，使鍾一豪大為吃驚，而且攻多守少，迫得鍾一豪向後退了兩步。

谷寒香的生死威脅，阻止了鍾一豪和麥小明地反擊，兩人同時停下了手。

麥小明望了青衣童子一眼，失聲罵道：「混帳東西！有種的放開公主，咱們各憑武功拚個生死出來，這般的挾人自重，豈是大丈夫的行徑？」

右面那青衣童子突然迅快地向旁側跨行兩步，和左面青衣童子並肩而走，冷冷答道：「眼下還不是咱們各以真實武功相持的時機，但你如一定要打，為時亦不遠了。」

麥小明道：「可是天色入夜之時？」

兩個青衣童子齊聲答道：「也許就在片刻時光之時，也許還得等上三天、五日。」

麥小明道：「哼！說了半天，還是叫人聽不明白？」

只聽那停歇的鐘聲又突然響了起來，而且聲音急亂，顯然是發生了緊急的事情。

鍾一豪久走江湖，閱歷豐富，見兩個青衣童子挾持著谷寒香靜站不動，心中忽有所悟地說道：「兩位挾持著公主不動，意欲何為？」他微一停頓之後，接道：「大莊主要兩位送公主回到待客精舍，兩位卻這般的有心刁難，難道就不怕莊主責備麼？」

兩個青衣童子齊齊冷笑一聲，默然不語。

谷寒香突然回目望了兩個青衣童子一眼，道：「你們可是『萬花宮』派到此地的人麼？」

兩個青衣童子似未料到她突有此一問，不禁微微一怔！左面一人答道：「是又怎麼樣？」

麥小明突然把目光投注兩個青衣童子的臉上，仔細地打量了一陣，道：「你們可都已服用過『萬花宮主』的『縮骨毒丹』。」

兩個青衣童子對麥小明這一問，似是更加吃驚，同時臉色一變！

鍾一豪仔細看去，果然發現這兩個青衣童子的臉上，隱隱現出來歲月刻劃的跡痕；『縮骨神丹』的藥力，似是仍然無法完全掩飾住生、老、病、死的自然定律，不過兩人臉上泛現出一種油亮的紅潤，掩蔽了歲月刻劃下年齡的標記，不留心很難看得出來。

那急亂的鐘聲突然停下來，一陣號角般的嗡嗡之聲，傳了過來。

左面青衣童子突然探手從懷中摸出一個長約一尺半的號角，放在口中吹了起來，聲音悠長震耳，和那遙遙飄傳來的號角聲呼應。

一向悍不畏死的麥小明突然長長地嘆息一聲，手中長劍軟軟地垂到地上，舉起左袖拂拭一下臉上的汗水，說道：「唉！不錯，果然是『萬花宮』中的人來了。」

鍾一豪右手一鬆腰中扣把，抖下細鐵軟刀，左手探入懷中摸出一把毒針，冷冷說道：「兩位如若當真是『萬花宮』中之人，定然是有爲而來……」話未說完，突覺一陣疾風掠身而過，剛剛離去不久的皇甫天長，重又躍上畫舫。

鍾一豪心中一動，疾快地向旁側閃開了兩步，讓開了一條去路。

皇甫天長似是亦被畫舫上的僵持之局所震，不禁微微一怔！

那手執號角的青衣童子，遙見人來，立時收起了號角。

他動作雖然迅快，但皇甫天長來勢亦極迅急，目光瞥掃之間，已然看到他有物藏入懷中的舉動，但他爲人沉穩，並不立時發作，裝做未見，目光環掃了一周之後，冷冷對鍾一豪說道：「你們這般攔擋去路，自是難怪我隨侍的侍童無禮，這畫舫之上不是你們久留之地，快回待客精舍去吧……」語音一頓，又回頭對兩個青衣童子喝道：「我要你們帶公主回到待客精舍，爾等怎能這般無禮?還不給我放手！」

兩個青衣童子對皇甫天長的呼喝斥責早已習以爲常，此刻形勢雖然不同，但要他們立時出言反抗，總覺有些不對，兩人相互望了一眼，大步向前走去。

右面那青衣童子右手仍然緊緊扣著谷寒香的腕脈，左手按在谷寒香的「命門穴」上。

皇甫天長身子一橫，擋住了鍾一豪，讓開了一條路。

兩個青衣童子眼看皇甫天長擋住了鍾一豪，心中戒備之心大減，魚貫而行，向前走去。

皇甫天長待第一個青衣童子走過，低聲對那扣拏著谷寒香腕脈的青衣童子說道：「別放開她的腕脈……」話剛出口，右手已迅快地拍了出去。

那青衣童子聽他說話，分了甚多心神，卻不料皇甫天長聲出掌到，再想閃避，爲時已晚，只聽蓬然一聲，掌力正擊在後背之上。

這一擊力道凌厲絕倫，那青衣童子身不由己地向前一傾，張嘴噴出一口鮮血。

那當先而行的青衣童子，聞聲警覺，霍然回過身來，探手一把疾向谷寒香右臂抓去。

皇甫天長早已防他回身撲擊，一掌擊中後面的青衣童子之後，立時飛起一腳直踢過去。

那青衣童子右手抓向谷寒香的去勢不變，左手食、中二指一併，迎著皇甫天長踢來的左腳點去。

皇甫天長冷哼一聲，肩頭一斜，撞開那中掌的青衣童子，右手順勢一帶谷寒香，讓開抓來的掌勢。

說來遲緩，當時情景不過是一剎那間，就這一緩的工夫，鍾一豪已斜掠而到，起手一刀「北海屠鯨」斜劈過去。

一道寒芒，疾閃而至，迫得那青衣童子不得不疾快地向後退了兩步。

鍾一豪一招迫退強敵，不容他有緩氣還手之機，立時揮刀猛攻，剎那間刀影縱橫，排山倒海般直湧過去。

那青衣童子赤手空拳，招架不易，被迫得直向後退。

那中掌青衣童子早已被震得五腑離位、氣血浮動，哪裡還能受得皇甫天長肩頭一撞之力，登時一跤摔在地上。

皇甫天長卻藉勢緊扣了谷寒香的皓腕不放。

麥小明突然一振手中長劍，道：「放開她。」

皇甫天長飛出一腳，踢飛起那青衣童子倒摔在地上的屍體，夾著一股勁風，隨向麥小明撞了過去。

麥小明長劍一揮，血雨飛濺，把那尚存一息未絕的青衣童子，攔腰斬為兩段，人卻直向皇

甫天長衝了過去。

皇甫天長一腳踢飛起那青衣童子的屍體，右手已暗加勁力，扣緊了谷寒香的腕脈，道：「你如若還想活命，快喝令屬下停手。」

谷寒香回目望了皇甫天長一眼，道：「我並不怕死。」

就這一瞬工夫，麥小明已然衝到，他一身衣服，濕水未乾，又濺了滿臉滿身的鮮血，揮劍衝來，更顯得驃悍絕倫。

皇甫天長右手用力一帶，把嬌艷欲滴的谷寒香當做兵刃，直向麥小明長劍之上迎去。

麥小明尖聲罵道：「好啊！『江南雙豪』原來是這等卑鄙之人……」他口中叫罵，劍勢卻斜斜向一側偏去，避開谷寒香的身子。

皇甫天長冷然喝道：「你再不停手，可不要怪我先把她震傷掌下了。」

麥小明冷哼一聲，收了長劍，道：「你這人要不要臉？」

皇甫天長神色肅穆地說道：「你們一起有幾個人？」

麥小明想了一想道：「你忘性很大呀？一行十人，三女七男，怎麼樣？」

皇甫天長凝目思索片刻，道：「這麼說來，侵犯我『垂楊村』的，不是你們一起的了？」

麥小明道：「你先放了我們公主，我再答覆你此事不遲。」

皇甫天長果然放開了谷寒香的右腕，說道：「我限令你們於天夜之前離開此地，重返江北之言，仍然有效，聽不聽由你們自行決定。」雙臂一振，躍上船篷，長嘯一聲，直向岸上躍飛過去。

這時，鍾一豪已把那青衣童子逼到畫舫邊緣，只要再向後退上一步，立時將跌入荷池中。

谷寒香伸展一下右臂，活動了一下血脈，高聲叫道：「不要殺死他！」

鍾一豪微微一怔！收住刀勢，回頭說道：「可是要生擒他？」

谷寒香答道：「不錯，生擒他！」

鍾一豪隨手劈出一刀，封住那青衣童子逃走之路，左手食、中二指一併，疾點過去。

麥小明搖頭說道：「生擒此人，只怕不易？我過去助他一臂之力。」右手一伸，把長劍紮在地上，赤手空拳地躍飛過去，揮拳夾擊過去。

那青衣童子武功雖然不弱，但他手中空無兵刃，無物封架鍾一豪那鋒利的緬刀，先機盡失，被迫得連連後退，如何還能接得麥小明加擊之勢？不到十回合，已被弄得手忙腳亂，險象環生。

突然間，一陣疾風由幾人頭頂之上疾撲下來。

只聽谷寒香驚叫道：「好大的鳥兒？」

鍾一豪緬刀一揮，向上掃去，一片刀光，護住頭頂。

抬頭望去，只見一個龐大嚇人的怪鳥盤旋在頭頂之上，雙翼張開足足有一丈之長，鋼爪伸縮，盤繞船頂之上不去。

麥小明忽然嘆了一口氣，道：「這是『萬花宮』的怪鳥，此鳥最喜生食人肉……」

鍾一豪雖然目注怪鳥，但右手緬刀，左手拳指，並未放鬆，仍然疾攻那青衣童子。

麥小明拳勢一緊，攻勢更加凌厲。

那青衣童子手中沒有兵刃，一直未能扳回劣勢，如何還能擋受得兩人全力夾擊之勢？一個失神被麥小明一拳擊在左肩之上。

鍾一豪趁勢一指，點中了那青衣童子「肩井穴」上，只聽那青衣童子「啊」的一聲，仰身倒在地上。

麥小明身子一側，疾躍過去，將手一探取下寶劍，低聲喝道：「那怪鳥力大爪利，極是難防，咱們要快些躲入艙中……」說話之間，忽聽那怪鳥「呱」的一聲大叫，聲音極是刺耳難聽，有如嬰兒哭叫一般。

谷寒香一顰秀眉，叫道：「好難聽的聲音！」

鍾一豪看那怪鳥雙翼展動之間，夾著極強勁的風力，心中亦不禁暗生驚駭，忖道：「此鳥如此龐人，世所罕見，看牠那龐大的軀體，縱然是中了一刀、兩刀，也不致受什麼重大的傷害……」忖思之間，忽見那巨鳥雙翼一斂，直撲下來，利爪一伸，疾向谷寒香抓去。

鍾一豪、麥小明齊齊怒喝一聲，雙雙縱躍而起，刀劍並出，猛向那怪鳥掃去。

鍾一豪刀勢先至，正中那怪鳥腿上，他緬刀鋒利，刀鋒過處，把那怪鳥粗如人臂的巨腿，劃破了一道血口，一股鮮血噴灑而下。

怪鳥負傷之後，又是呱的一聲大叫，巨翅一振，猛撲而下！

一股強猛的疾風，破空而下，谷寒香和那被點中穴道的青衣童子一齊被吹飛了起來，直向那碧波之中摔去。

麥小明早已有備，見那怪鳥巨翼一振，立時縮身退入了艙中。

鍾一豪身子也被巨翅搧下的風力，吹得飄飛而起，但他應變經驗豐富，手中緬刀一掄，幻起一片刀光，護住身子，人也藉那掄刀之力，身子打了一個轉，重又回落到船上。

那怪鳥大概負傷不輕，一翅搧下後，立時振翼而起，仰頭直升，片刻間只餘下一點黑影。

鍾一豪雙腳一點艙板，竄入了船艙之中。

一向悍不畏死的麥小明，此刻卻突然變得膽小起來，躲在船艙一角，一副垂頭喪氣，畏縮不安之態。

鍾一豪輕輕地咳了一聲，道：「夫人呢？」

麥小明搖搖頭，道：「不知道？」

鍾一豪自從見到麥小明後，他一直一副野性不馴的倔強之態，從未見過他這般畏縮的不安之狀，不禁一皺眉頭，低聲慰道：「兄弟，心中害怕麼？」

麥小明胸脯一挺，欲待出言反激，但話還未說出口，立時又畏縮下來，長長嘆了一口氣，低聲應道：「我是有些害怕。」

鍾一豪道：「可是怕那怪鳥吃了你麼？」

麥小明搖搖頭，默不作聲。

鍾一豪笑道：「兄弟，你一向勇冠三軍，任誰也不害怕，一隻鳥兒有什麼可怕的呢？」

麥小明大眼眨動兩下，臉上是一片茫然無措的神色，搖搖頭，道：「我不是怕那鳥兒。」

鍾一豪奇道：「那你是怕死麼？」

麥小明道：「人生百歲，也不過一死而已，死有什麼可怕？」

鍾一豪道：「那你是怕什麼？」

麥小明道：「我怕求活不能，求死不成的活罪！」

他微一停頓之後，又道：「假如一個人一隻手臂生在後背上，你說那難不難看？」

鍾一豪怔了一怔，道：「這等事我也想到過，如是天生成的，那也是無可奈何的事……」

他放聲大笑了一陣，道：「不過咱們可以放心，今生今世咱們絕不會從後背之上，長出一隻手來。」

麥小明舉手拍拍腦袋，道：「我害怕的就是這件事！前胸長出一隻腳，後背生出一隻手，人也變成了白癡一般，不知自己的奇形怪狀，反而沾沾自喜，活在人世。」

鍾一豪道：「你不要異想天開了！哪會有此等之事？」

忽然想起了谷寒香來，急急說道：「咱們要快些找夫人啦！」當先一邁步，出了船艙。

放眼望去，只見谷寒香左手抓著一支荷花，右手卻扯住那青衣童子，在水中載沉載浮。

鍾一豪急急叫道：「小兄弟快出來，夫人被困在水中了。」

麥小明緩步走出艙門，抬頭望望那無際藍天，放下手中長劍，縱身一躍，撲入水中，抱起谷寒香，劃近船緣。

鍾一豪探手下去，拉起了谷寒香，但谷寒香手中仍然抓住那青衣童子不放，鍾一豪只好連那青衣童子一併救了起來。

麥小明一躍登舟，說道：「如一個人常年被鐵鍊鎖在水中，當真生不如死了。」

鍾一豪伸手把谷寒香拖近畫舫，但她右手仍然緊緊抓著那青衣童子不放。

麥小明右手一推那青衣童子，藉勢也躍登上舟。

谷寒香全身羅衣盡爲水濕，緊緊地貼在那玲瓏纖小的嬌軀上，長髮散垂滿肩，不停地滾著水珠。

鍾一豪凝望了一陣，突感到一陣劇烈心跳，慌忙別過頭去，低聲問道：「夫人受驚了。」

這位嬌艷絕世，柔美無匹的玉人，外形看去，雖甚怯弱，但在面臨著死亡時，卻有著過人的勇氣，只見她緩緩舉起玉手，拂拭一下臉上的水珠，微微一笑，說道：「不要緊，我一點也不怕。」

麥小明緩緩撿起長劍，無精打彩地倚在艙門上，叫道：「夫人……」

他從未這般地招呼過，谷寒香聽得微微一怔，道：「什麼事？」

麥小明嘆道：「我想告別了。」

谷寒香道：「你一個孩子家，到哪裡去呢？」

麥小明道：「我要到那人跡罕至的大山裡，躲起來，今生今世也不出來了。」

谷寒香奇道：「爲什麼呢？」

麥小明兩道眼神緩緩由谷寒香和鍾一豪臉上掃過，說道：「你們將來一定會被抓到『萬花宮』去，被那殘酷的老人把你們的手臂移置後背，一條腿移置到前胸上，人也變得癡癡呆呆，除了吃飯、睡覺之外，什麼也不知道了……」

他說到驚恐之處，突然舉起了手中長劍，遙指著谷寒香道：「那時候，你所有的美麗都將完全的失去，變成一個醜怪無比的女人，任何人見到你，都將掩目而逃……」

他心中似是有著無比的衝動，愈說聲音愈大，說到最後幾句，簡直是尖聲大叫。

谷寒香先是爲麥小明的話，生出了驚恐之感，繼而淡淡一笑，道：「美麗有什麼好？只要能替我大哥復仇，我變得再難看也不要緊。」

麥小明呆了一呆，軟軟垂下手中長劍，他似是被谷寒香幾句話，說得平靜下來，愣然地望著谷寒香，道：「你一點也不惜愛自己的美麗麼？」

谷寒香搖搖頭道：「我一直沒有惜愛過自己的容色……」

鍾一豪忽然長嘆一聲，接道：「你念念不忘的是替你大哥復仇。」

谷寒香道：「我也有很多心事，但一想到大哥慘死的仇恨，這心事都完全被掩遮了去。」

鍾一豪突然縱聲大笑，道：「小兄弟，你不是不怕死麼？」

麥小明道：「是啊！死有什麼好怕？」

鍾一豪道：「你既從未將生死之事放在心上，那麼世上萬事萬物於你便也再無影響了。」

他直到此刻爲止，仍在仰天人笑不絕，他心裡似乎想起了什麼得意而有趣之事，是以便將自己此刻之處境渾然忘卻。

麥小明茫然道：「此話怎講？」語聲微頓，突地大喝道：「你笑些什麼？」

他此刻正是滿腔悲激憤怒，見到別人笑得如此開心，忍不住又發作了出來。

鍾一豪哈哈笑道：「你既不怕死，遇著難以忍受之事你就不妨立刻去死好了！那麼人生對你，還有什麼煩惱？」

谷寒香微微一笑，只見麥小明仰首望天，呆呆地愣了半晌，突也放聲狂笑起來，道：「是

極、是極，既不怕死，人生還有什麼煩惱？」

笑聲未了，鍾一豪突地低叱一聲，沉聲道：「噤聲！」

笑聲已頓，凝目望向花林。

谷寒香、麥小明一齊隨著他的目光望去，只見花林深處，人影閃動，移動得俱都十分迅快，卻不帶絲毫聲息。

麥小明目光一亮，道：「來了！」

鍾一豪道：「什麼來了？」

麥小明滿面現出興奮之色，道：「『萬花宮』！」

鍾一豪回過頭去，凝目望了谷寒香一眼，沉聲道：「夫人，前途愈來愈險，我……」忽然長嘆一聲，再也說不下去。

這一聲輕輕的嘆息，其中包含了多少沉重與痛苦，谷寒香幽幽一嘆，垂首道：「無論前途多麼凶險，路總還是要走的。」

抬目望去，只見麥小明入林已有十餘丈，但卻沒有再遇暗襲。

他持劍當胸，放眼四顧，似乎覺得十分奇怪，又似乎覺得有些失望，這熱血衝動的少年，隨時隨刻，都希望有些新的變故刺激。他也許太過愚笨，永遠都不願也不能去享受安寧的美味。

鍾一豪護在谷寒香身側，默然入林。他心頭的沉痛，已非任何言語與文字所能形容。

谷寒香雖能了解，卻又拒絕承認。

微風過林，雖正春濃，但看來卻有如殘秋般肅殺而蕭索。

麥小明微一聳肩，回首笑道：「沒有事了，這倒真奇怪得很，我……」

話聲未了，只聽見花林深處人影一閃，傳出皇甫天長冰冷的話聲：「由此入林，沿道而返，一回待客精舍，立即離開此地，我負責保護你三人的安全，你三人只要走錯一步，這花林中處處都是埋伏，處處都有殺機。」

鍾一豪不理皇甫天長的話語，卻向麥小明道：「你怎地知道這些必是『萬花宮』中之人？」

麥小明道：「不是『萬花宮』中人是誰？」

鍾一豪怔了一怔！沉吟半晌，轉首瞧了谷寒香一眼，目光中滿是詢問之色。

谷寒香柳眉微顰，輕輕道：「我們此刻進既不能攻，退也無處可退，只有先回至待客精舍，再作計議，靜觀待變。」

麥小明長劍一揮，道：「走！」

鍾一豪刀交右手，匆忙地脫下了身上的外衫，輕輕披在谷寒香身上。

谷寒香一手緊拉著鍾一豪的衣衫，掩著自己水淋淋的嬌軀，眉宇間卻突地泛出一陣黯然神色，在她心底深處隱藏而壓制著的情感與憂鬱，在這一瞬間，似乎不經意地流露出了一些。

麥小明手揮長劍，疾地掠入花林，突見三道烏光，迎面襲來，他身形一翻，凌空一個轉折，三支勁弩，一齊自他胸前擦過，餘勢未歇，滿帶銳風，擊向隨後而來的谷寒香身上。

鍾一豪大喝一聲，手腕疾揚，刀光一閃，砍中了三支長箭的箭身，竟將這三支長箭，一刀砍為六段！

麥小明回首道：「林中似有埋伏，你們可要小心了。」

劍光一揮，化做一團瑞雪以劍護身，「唰」地掠入林去，他竟一反剛才畏怯之態，變得異常勇猛。

麥小明長劍一掃，大喝道：「什麼埋伏？什麼殺機？」

隨地一劍，將身側一株花樹截為兩截。

谷寒香微一皺眉，道：「時景非常，你怎地還要如此衝動？」

麥小明道：「我就不信這一套……」

忽聽花林深處，隱隱傳來一片廝殺之聲，兵刃相擊，互相叱罵，其中偶然還夾雜著一、兩聲震動人心的慘呼。

鍾一豪、谷寒香對望一眼，鍾一豪道：「『萬花宮』中之人已經來了。」

麥小明道：「最好、最好，混戰一場，倒也痛快得很。」

身形閃處，筆直向廝殺之聲傳來的方向掠去。

谷寒香輕輕一嘆，道：「這孩子……」

鍾一豪道：「好孩子。」

跟著麥小明之後，向前趕去，只見他握刀的手掌，青筋隱現，他似乎也要將心中的沉重，以流血發洩。

麥小明前掠了三丈，花林中突地風聲一響，又有三支長箭，劃空擊來，麥小明大笑道：「這就算的埋伏！」

方自一劍震飛了三支長箭，身側另一處方向，突地又有四支長矛刺出，麥小明身軀一旋，但見一溜青光，一陣聲響，四支長矛，全被震飛！但就在這剎那之間，卻又有三支長箭，呼嘯著射向一身水濕的谷寒香。

鍾一豪大喝一聲，震飛了三支鐵箭，只聽花林中一人厲叱道：「再不改道，亂箭立將如雨而下，你兩人能護得了她麼？」

麥小明大笑三聲，道：「區區亂箭……」

笑聲突頓，回首望了谷寒香一眼，掌中的長劍，竟緩緩地落了下去。

谷寒香秋波一轉，心中大是感動：「這孩子居然也會替人設想了？爲了我，怕我被亂箭所傷，居然強制了怒氣……」

一念至此，她輕輕一嘆，道：「你若不願受氣，只管往前衝好了。」

麥小明木然當地，怔了半晌，突又仰天笑道：「我何苦與這些人一般見識？若是『江南雙豪』自己動手，我還不妨與他拚上一拚。」

話聲一了，立刻向來路走回，鍾一豪嘆道：「這孩子……」

谷寒香道：「好孩子。」

「渡仙橋」那邊，待客精舍外，苗素蘭、余亦樂以及「江北三龍」等人都一齊鵠立橋邊。

他們眼望著橋那邊的花林之中，煙塵飛激，還有一陣陣厲叱聲、慘呼聲、弓絃激震聲、利箭破風聲，以及兵刃相擊聲……

但他們卻誰也猜不透花林中究竟發生了什麼事？是鍾一豪與麥小明已與「江南雙豪」發生激戰？抑或是「垂楊村」來了外敵？

余亦樂負手而立，雙眉微皺，面色雖然極爲沉重，但神色間卻仍是安詳的。

苗素蘭與萬映霞並肩立在一起，四道秋波，焦急地凝注著花林，苗素蘭道：「這一定是『垂楊村』來了外敵。」

萬映霞柳眉一揚，道：「有了麥小明那闖禍鬼在那裡，還怕打不起來麼？」

「江北三龍」本已坐立不安，一會兒長吁短嘆，一會兒走來走去，一齊站下腳步。

「噴火龍」劉震道：「他們若已動手……」

話聲未了，突聽一陣銅鑼之聲響起，鑼聲急遽，顯見敲鑼人心情甚是急躁。

接著，又有三支響箭，破空而起，箭嘶之聲，響徹雲霄。

「噴火龍」神色更是緊張，沉聲道：「我們衝過去！」

萬映霞立刻接道：「一定要衝過去，否則孃孃若是出了變故……」目光轉向余亦樂。

余亦樂乾咳一聲，皺眉道：「我等若是一齊衝過此橋，立刻便是不死不休的混戰之局……」他緩緩頓住話聲，目光望向苗素蘭。

苗素蘭輕輕一嘆，道：「依我之見，大家還是稍安勿躁，在我們未明真相之前，還是靜觀待變得好！」

余亦樂道：「苗姑娘說得不錯，『江南雙豪』雖然狂傲，但以在下之見，他們決然不敢出手傷害大人……」

忽聽萬映霞叫道：「啊！嬸……公主回來了？」

群豪轉眼望去，只見谷寒香衣袂飄風，慢步行來，人已到「渡仙橋」頭。

鍾一豪、麥小明緊隨她左右相護。

苗素蘭急步迎上去，低聲道：「夫人受驚了……」

忽然發現她衣履之上，濕水未乾，不禁一皺眉頭。

谷寒香舉手理理散垂的長髮，道：「我跌到水裡了。」

苗素蘭轉眼望去，只見鍾一豪、麥小明臉色冷肅，似是餘怒未息。

她為人沉穩，一看兩人神色，心知發生了嚴重變故，素來不知憂苦為何的麥小明，也變得那般沉重，想來事情絕不簡單，當下不再多問，緩伸玉腕扶著谷寒香，並肩走過「渡仙橋」。

「多爪龍」李傑望了麥小明一眼，問道：「小兄弟，你可是跌落入水中了？」

麥小明冷哼一聲道：「就憑『江南雙豪』，豈能把我推入水中？是我自己高興跳進去。」

余亦樂迎著鍾一豪，低聲說道：「鍾兄，事情可有個結果麼？」

鍾一豪道：「皇甫天長和譚儿成已經鬧成了僵局，但皇甫天長仍不允我們留駐江南，限天色入夜之前，要我們離開此地。」

余亦樂道：「適才對面的花樹林中一片鐵箭嘯風之聲，可是你們和人動手？」

鍾一豪仰天大笑，道：「福無雙至，禍不單行。『江南雙豪』反目之爭，還未結果，『垂

天香飄

楊村』又有強敵壓境，如若咱們再藉機出手，『垂楊村』瓦解冰消，不過是指顧間事！」

余亦樂道：「不知來人是哪一道上的人物？」

麥小明道：「『萬花宮』那殘酷老人的屬下！」

苗素蘭微微一怔，道：「什麼？」

麥小明道：「你剛才可曾看到一隻大鳥飛過？」

苗素蘭搖搖頭，道：「未曾留心。」

萬映霞卻點點頭道：「我看到啦！」

麥小明臉色一整，道：「那大鳥最愛生食人肉，和那『萬花宮』中的老人，一般殘忍。」

萬映霞道：「一個大鳥兒，有什麼可怕？難道牠還能兇得過老虎麼？」

麥小明道：「和你們女孩子說話，當真是難說的明白，我倒真希望咱們都到『萬花宮』去瞧瞧，讓你們見識一下，胸前生手、背後長腳的奇形怪人？」

萬映霞一嘟腮幫子，冷冷說道：「不願說就不說算了，嚇唬哪一個？」

麥小明道：「誰嚇唬你了？哼！不見棺材不掉淚。」

萬映霞怒道：「你罵哪個？」

麥小明雙目神光閃轉，在萬映霞臉上打量了一陣，道：「你兇什麼？就算我罵了你，又怎麼樣？」

萬映霞「唰」的一聲，抽出佩劍，道：「你要怎麼樣？別認為我很怕你？」

麥小明臉色一變，回目望了鍾一豪一眼，輕輕嘆息一聲，道：「好男不跟女鬥，算你比我

厲害好了！」緩緩退到鍾一豪的身側。

谷寒香星目轉顧麥小明一眼，道：「你倒是長大了！」

麥小明淡淡一笑，道：「她如不是一個女孩子，縱然我明知打她不過，也得鬥她一鬥……」

說話之間，突然幾聲淒厲的長嘯，傳了過來。

嘯聲未絕，對面花樹林中，傳來了鐵箭劃空之聲，幾聲厲喝，緊接著傳了過來，兵刃的交擊之聲，隱隱可聞。

顯然，強敵已衝到了對面花樹林中。

鍾一豪一皺眉頭道：「看情形『江南雙豪』已經抵不住來犯強敵，被人衝入腹地了！」

他微微一頓，回頭對「江北三龍」說道：「三位暫請守住『渡仙橋』，不論什麼人，一律擋駕。」

「江北三龍」齊齊應了一聲，拔出兵刃，疾步行了過去。

余亦樂回頭叫道：「苗姑娘。」

苗素蘭道：「余先生，有何吩咐？」

余亦樂道：「此時此情，咱們如若出手，『江南雙豪』翻目成仇，實力大分，縱然有著厲害埋伏，重重的機關，也難擋腹背受敵之攻。」

苗素蘭道：「『江南雙豪』雖然對我們大不禮貌，但來人是何存心，亦是毫無所知，取捨之間，實叫人難以決斷……」

她凝目沉思了片刻，道：「為今之計，咱們最好是雙方都不幫忙，養我實力，待了然全盤情勢之後，再出手不遲。」

麥小明道：「『江南雙豪』雖非善良之輩，但來人更是惡毒、可怕……」

余亦樂接道：「怎麼？你知道來人是誰麼？」

麥小明道：「自然知道了！」

余亦樂道：「什麼人？」

麥小明道：「『萬花宮』中那殘酷老人的手下！」

餘音甫絕，忽聽一陣呼呼風響起自頭上。

麥小明拔出長劍在頭頂之上，舞出一片劍花，護住身子道：「那惡鳥來了！」

群豪抬頭望去，果見一隻巨鳥，展翼而來，雙翅撲搧之間，風聲呼呼震耳。

余亦樂雙眉一皺，道：「好大的鳥兒！我走了大半輩子江湖也未見過。」

鍾一豪探手拉出緬鐵軟刀，高聲說道：「諸位快請亮出兵刃，這怪鳥力大無窮，別要牠傷到人！」他這一喝，群豪果然一齊抽出了兵刃，苗素蘭、萬映霞一前一後，把谷寒香夾在中間，抬頭望去，只見那怪鳥在幾人頭上繞飛不息。

麥小明突然橫移到鍾一豪的身側，說道：「那怪鳥身上坐得有人！」

他完全去了平日的豪勇，臉色蒼白，說話的聲音也有些顫抖。

鍾一豪低聲說道：「大丈夫生而何歡？死而何懼？你一向勇猛絕倫，此刻何以這般膽怯？」

麥小明道：「不知爲何？一聽到『萬花宮』三個字，我心中就有些害怕起來……」他微一停頓接道：「唉！也許是你們沒有到過『萬花宮』，看到那殘廢老人的手段。」

但見那怪鳥雙翼一束，落著實地。鳥背上果然坐著四個人，除了一全身黑衣的道裝童子之外，其餘三人，個個奇形怪裝，一個獨臂，一個單腿，還有一個背後之上，生出一隻手來。

谷寒香「啊」了一聲，道：「人世間，當真有這等奇怪的人？奇怪的事？」

麥小明道：「哼！你們現在信我的話了吧！」

那黑衣道裝童子，躍下鳥背之後，兩道眼神，一直緊緊地盯注在谷寒香的身上，緩步向前走了過來。

萬映霞嬌聲喝道：「停下，再往前走一步，立時要你試試我手中寶劍。」

那黑衣道裝童子，舉手一招，三位斷臂、缺腿及那三隻手的怪人，齊齊向前走來。

萬映霞看到那奇形怪狀的人，心中甚是害怕，爲了壯膽，手中寶劍，不住地搖動著，目光閃照下，寒芒耀目。那黑衣道裝童子，對萬映霞喝叫之言，充耳不聞，仍然大步對著谷寒香走了過來。

苗素蘭柳眉一聳，低聲對谷寒香道：「夫人小心了，快請後退幾步。」

谷寒香道：「我一點也不怕……」口中答應著話，人卻依言向後退去。

苗素蘭回頭說道：「鍾兄、余先生請全力保護公主！」

人卻縱身一躍而上，右腕一抖，一條長長的白色絹帶，直向那黑衣道裝童子身上繞擊過去。就在她白絹繞擊出手之時，那黑衣道裝童子，右手一招，迅快絕倫地拔出背上長劍一揮，

一片寒芒閃動，苗素蘭手中白綃，被斬斷數尺。

麥小明道：「他用的劍法，也是『萬花宮』中之學，一點也不錯啦。」

苗素蘭看他一劍斬斷綃帶，芳心中大為吃驚！暗暗忖道：「此人小小年紀，怎生有這等強勁的腕力？」要知那綃帶，乃異常柔軟之物，那道裝童子寶劍一揮之間，竟能迎空把那綃帶斬斷，這份腕力，就足以驚人了。

那黑衣道裝童子，有著無比的沉著和冷靜，一劍斬斷了綃帶，竟似若無其事一般，仍然大步向前走去。

萬映霞探手入懷，摸出兩個小巧的銀梭，冷冷喝道：「你如再往前走上一步，我就要打出手中暗器了！」

黑衣道童恍如未聞，望也不望萬映霞一眼，仍然大步而行。那三個斷臂、缺腿、三隻手的怪人，緊隨在黑衣道童身後而行，直向谷寒香走去，四個人，八隻眼睛一齊投注在谷寒香的身上，似是對其他三人，根本未放在心上。一向躁急的麥小明，此刻突然形態大變，畏縮在一側，默然不言。所有的人，似是都為那三隻手的怪人所震懾，默然不言。

只聽萬映霞嬌叱一聲，玉腕一揮，兩道銀光，電射而出，一前一後，直對那黑衣道童打了過去。

那黑衣道童神色從容，手中長劍一揮，登時灑出朵朵劍花，兩支亮銀梭，盡為那劍花擊落。鍾一豪冷哼一聲，道：「好劍法！」突縱身而上，手中緬鐵軟刀，一招「橫掃千軍」攔腰斬去！

那黑衣道童身軀一側，手中長劍疾起，直刺「玄機」要穴，對那橫裡斬來刀勢，直似不聞不見。

鍾一豪心頭一震，暗道：「這是什麼打法？一出手就是兩敗俱傷的慘局。」心念轉動，人也隨著疾躍而起，倒退三尺。

黑衣道童一張雪白不見血色的臉上，毫無表情，仍然大步對著谷寒香走去，直似一個毫無靈性的木偶，對生死全不擔憂。

鍾一豪有了一次經驗，不敢輕敵躁進，手中緬刀一招「大鵬舒翼」，斜斜劈斬過去。

黑衣道童手中長劍一顫，反向鍾一豪右腕刺去。他這一還擊出手，鍾一豪立時找出攻敵的路子，緬刀立時一變，連環反擊過去，倏忽之間，連續攻出了五刀，寒芒繞飛，化出重重刀影，擋住了那黑衣道童的去路。

那黑衣道童手中長劍隨著鍾一豪的刀勢，也變得迅若閃電奔雷一般，灑出朵朵劍花，護住身子。激鬥中，忽聽一聲怪叫，那黑衣道童身後三個怪人，突然疾躍而起，一齊向谷寒香猛撲過去。

別看這些殘臂、缺腿、奇形怪狀之人，但他們躍撲之勢，卻是疾快無比，但見三人影，迅快地由鍾一豪和那道裝童子頭頂之上，疾飛而過，有如三條隻巨鳥一般。

萬映霞、苗素蘭同時驚叫一聲！長劍和絹帶，一齊掃擊出手，分向三人襲擊。

余亦樂、文天生也同時大喝一聲，縱身而起，懸空撲去。

「江北三龍」護守「渡仙橋」相隔較遠，心中雖然急於趕來援救，但形格勢禁，三人身法

天香飆

再快，也來不及。只有麥小明橫劍站在一側，直如未見，不肯出手。

但聞一陣疾風聲，那落在地上的怪鳥，突然展翅而起，疾撲過來。

形勢已成了混戰之局。

苗素蘭手中的絹帶先到，一式「橫掃千軍」，猛向三手怪人擊去。

萬映霞劍舞「雲霧金光」，幻起片片寒芒，護住了谷寒香。

那三手怪人，後背一手，似是毫無用處，軟軟地垂著，右手卻疾快地一伸，硬向苗素蘭那絹帶之上抓去。苗素蘭玉腕突然加力，絹帶「呼」的一聲，纏在三手怪人的身上。

只聽那黑衣道童一陣尖聲大叫，吱吱喳喳，說的全然不是人話，也不知他叫的什麼東西？

余亦樂凌空飛到，鐵筆疾伸，點向斷腿大漢。此人平時深藏不露，但武功卻是不在鍾一豪之下，右手鐵筆點出的同時，左手銅鑼一揮，斜向那三手怪人頭上擊去。

但聞「噹」的一聲，一鑼正擊在那三手怪人的頭上。苗素蘭順勢一挫手腕，絹帶一鬆，那三手怪人，由空中直跌下來。

就在余亦樂銅鑼連中那三手怪人的同時，手中鐵筆尖芒，也同時點在那斷腿大漢的肋間。

但那缺腿大漢，全身皮肉，似都和他無關一般，傷中要害，全然不覺，雙臂一張，突然把余亦樂抱住。懸空交手，迎往之勢極為迅快，而且閃避甚是不易，余亦樂眼看他雙臂合抱過來，但卻無法讓避開去，竟然被他緊緊抱住，兩人一齊由空中跌落下去。

那斷臂之人，也被文天生掄動長鞭，擊在左腿之上，當下一挫手腕，把斷臂人向上一摔，人卻藉勢落著實地。

在文天生心中想來，這一擊力道甚大，那人一條左腿，勢非應手而斷不可，絕難再有還擊之力，哪知事情大大地出了人意料之外？那人左腿受了軟鞭一擊，竟似渾然不覺，身子被文天生摔起了數尺，但他卻極快地向下沉落，文天生身子剛剛站好，那斷臂人也已落到他的身側，舉手一拳，當胸擊到。

文天生萬萬沒有料到，此人在自己一鞭擊中之後，仍有餘力還擊，不禁微微一怔！被他一拳擊中左肩。這些人行動看去遲緩，但力量卻是大得驚人，文天生被他一拳打得身子搖擺，仰面跌摔在地上。

萬映霞長劍一閃，斜裡斬來，寒芒過處，鮮血濺飛，這人僅有的一臂，也被萬映霞齊肩削斷。這等切膚斷臂之疼，那斷臂人卻是毫不在乎，連哼也未哼一下，伏身一頭，直向萬映霞撞了過去。

萬映霞呆了一呆，急急向一側閃去。那人動作迅快至極，萬映霞竟然未能完全讓開，吃那人一頭撞在左胯之上，只覺如巨錘一擊，不自主地向後退了五步，一屁股坐在地上。

苗素蘭嬌叱一聲，斜裡踢來一腳，正中那斷臂人的腰上。這一腳力量奇猛，那斷臂人登時被踢得滾向一側。

萬映霞雖覺胯骨劇疼如折，但她神智並未暈迷，咬牙苦忍，傷疼掙紮著一劍劈去，把那斷臂人攔腰斬作兩斷。這些變化，不過是一刹那間，苗素蘭回頭看時，余亦樂還和那斷腿人正扭做一團，滿地亂滾。

她出身於險毒絕倫的「陰手一魔」門下，經歷過無數的風浪，眼看這些人中劍受傷之後，

竟然毫無痛苦之感，而且驃悍如故，心中忽有所悟，一伏身抓起萬映霞的長劍，道：「姑娘快些運氣調息，這些人恐都已服用過藥物，不知疼苦為何……」

只覺一股狂飆直捲下來，吹得砂飛石走，人也躍躍欲飛，瀰目難睜。

耳際間，響起一陣尖嘯，和鍾一豪的大叫之聲：「夫人小心……」

一個人影，疾如脫絃弩箭，衝到了谷寒香身側。谷寒香還未看清楚來人是誰，左手腕脈已經被人抓住，同時一把森冷的寶劍，架在項頸之上。

那三手怪人，原本跌暈在地上，吃那狂飆一吹，突然挺身坐了起來，探手一把，疾向滿地翻滾的余亦樂抓了過去。

余亦樂正被那斷腿人緊緊抱住上身，兩人扭在一起，這斷腿人雖然四肢不全，但氣力卻極爲強猛，余亦樂在地上翻滾了一陣，依然無法擺脫開去。

這時突然地面旋起一陣狂飆，吹得飛砂走石，一片瀰漫的砂石，直從兩人翻滾之處斜掃而過。風砂之中，這三手怪人已直向余亦樂抓來。

余亦樂此時正俯身緊壓在那斷腿人上面，陡覺勁風襲到，不由一駭，幸而他與那斷腿之人扭鬥之時，由於自己手腿俱全，是以佔了不少便宜。這時上身雖被那斷腿人緊緊抱住，兩腿卻可隨意活動，一覺勁風襲背，立時右腳一用力在地面一撐，身子就藉這一撐之力，翻了過去！

就在余亦樂這一翻之間，那三手怪人的手已抓到，只聽一聲布破衣裂之聲，那伏在余亦樂身上的斷腿人的背上，已被那三手怪人，連衣帶肉地撕下了一塊。

余亦樂在下面看得甚是清楚，但那斷腿人的臉色，卻絲毫不變，彷彿被撕下一塊肉，毫無

感覺一般。那三手怪人扔去手中的碎肉，趁勢又一把抓到。

余亦樂兩腿內縮，抵住那斷腿人的下腹，丹田用力往外一蹬，同時身子一震，硬將那斷腿人震得跌了出去。

這時那三手怪人一把也已扣下，余亦樂身子往外一滾，挫腰長身，一式「龍騰魚躍」，人已站了起來，翻腕銅鑼斜切，迅如電光石火，直向那三手怪人抓來的手臂切去。他這震開斷腿人、滾身躍起、揮鑼斜切三個動作，乃是剎那間一氣呵成，宛如一個動作一般地快速，那三手怪人猝不及防，一條抓去的手臂，立被銅鑼齊腕切斷。

三手怪人右臂被切，人不由一怔！冷冷地望了那正在流血的斷臂一眼，彷彿不信自己的手臂竟被人切去一樣。

余亦樂一面應敵，一面心裡仍關懷著谷寒香，是以一招得手，看那三手怪人仍自怔怔地看著斷臂，知道機不可失，躍身欺進，銅鑼自上而下，但見血光迸裂，已將那三手怪人的半邊腦袋連肩砍下。他瞧也不瞧那三手怪人的屍體一下，人已直向谷寒香停身之處奔去。

那邊鍾一豪大叫了一聲：「夫人小心……」人也同時奔了過來。

谷寒香這時左腕被扣，頸上又架著一把冷森森的兵刃，原來是那黑衣道童，她此時心裡倒反而泰然無懼，目注那黑衣道童微微一笑道：「快些把劍拏開……」

她面對著敵人，說話竟還是那等輕鬆自然，然而她這兩句淡淡的話裡，竟似蘊含有無比的權力。

那黑衣道童張著嘴，向她呆呆地看了一眼，緩緩地收回了架在谷寒香頸上的長劍，但抓住

谷寒香左腕的手，卻依然沒有放開。

鍾一豪、余亦樂雙雙躍到，只見那黑衣道童抓住谷寒香左腕，右手長劍橫胸，冷漠地站在那裡。

那黑衣道童目光一瞥二人，突然一陣大聲吱吱喳喳怪叫，同時又將寒光閃耀的長劍，在谷寒香面前，連連晃動了幾下。

鍾、余二人雖聽不懂那黑衣道童怪叫之聲是說的什麼，但卻都明白那意思是制止二人前進。二人因谷寒香已被那黑衣道童挾制，不敢造次，互瞧了一眼，停了下來。

那斷腿人被余亦樂震跌出去，摔坐地上，正巧萬映霞劍劈斷臂之人後，與苗素蘭、文天生一齊趕來救援，一見那斷腿之人被震倒地，文天生右手疾掄，揮手一鞭，鞭影疾如飛丸，只聽「撲」的一聲，血肉飛濺，已將斷腿人頭顱擊得粉碎，死在當場。抬頭看去，只見鍾、余二人呆立那裡，谷寒香已被黑衣道童抓住左腕，三人心中雖然甚是焦急，卻是不敢躁進，只好停下身軀。

鍾一豪手中抓了一把「追魂神針」，眼睛眨也不眨，盯注在黑衣道童臉上，卻不敢出手。萬映霞也把「燕尾銀梭」扣在手中，注意著鍾一豪，只待鍾一豪發動，自己也立即出手。

那黑衣道童兩道冷峻的目光，盯注在谷寒香，似是在想著一件事情，但持劍戒備的神情，卻一點也不鬆懈。雙方僵持了約一盞熱茶工夫之久，忽然響起了谷寒香的聲音，只聽她微感奇異地說道：「你盡盯著我瞧什麼？」

那黑衣道童微微一震，彷彿在夢中聽到了極尖銳的呼叫，登時清醒了過來，那冷峻的眼

光，環掃了四周一眼，見同來的二人，都已陳屍當場，不由將眼光收回，又向谷寒香瞧了一眼，突然一翻眼，仰頭怪嘯了一聲，這一聲不但響徹雲霄，而且聲音更是難聽至極。

半空中也響了一聲怪鳴，突然吹起一陣狂飆，那隻龐大的怪鳥，劃空而至，到了相距地面約有十數丈高低之時，只見牠，雙翅乍斂，疾如流星瀉地，俯衝而下，落在黑衣道童身側。那怪鳥俯衝之勢，勁道奇猛，只激得地面砂石翻飛。

鍾一豪、余亦樂等人因谷寒香被人所挾，是以不敢貿然出手，心中一口焦急之氣早已氣得要破胸迸出，此時一見黑衣道童召來怪鳥，知道那黑衣道童要挾谷寒香乘鳥遁走，這種情勢，已不容再多遲疑，幾人就在那怪鳥降落，激得塵土瀰漫之際，同時向谷寒香停身之處躍去。

那黑衣道童也在那怪鳥落地之際，左手一翻，將谷寒香攔腰一抱，腳尖微一用力，人已凌空躍離地面，向那怪鳥身上飛去。

幾人一見，不由大吃一駭，心知再不出手，時機稍縱即逝。

鍾一豪心念一動，揚手一把「消魂神針」向怪鳥身上打去。

余亦樂左手一招「長虹貫天」，右手鐵筆一招「神龍入雲」，同時點到。

苗素蘭白絹一揚，直向那怪鳥捲去。

文天生長身揮鞭，向那黑衣道童上身擊去。

那黑衣道童，人在半空，左手摟著谷寒香，右手長劍反揮，夾著一股山崩海嘯的勁風，只聽「噹」的一響，震開余亦樂銅鑼，隨勢翻腕上迎，橫裡一挑，逼開文天生擊來的軟鞭。轉眼間，人已落在那怪鳥背上。

那怪鳥機靈已極，那黑衣道童一落背上，立時雙翅一振，離地而起。

這時鍾一豪、萬映霞雙雙躍到，怪鳥翅已全張，身已離開地面。鍾一豪凌空，緬刀猛向那鳥腹下砍去。怪鳥一聲怪叫，雙翅用力一搧，萬映霞剛剛凌空飛到，吃那巨大的翅膀一掃，人像斷線風箏一般，被震彈得向後直飛出去！

余亦樂、苗素蘭、鍾一豪二次撲到，那怪鳥已升至半空，破雲飛去，半空中灑落下幾點血雨。

原來那怪鳥羽毛豐厚，雖然被鍾一豪的神針所傷，卻是若無所覺，但那柄緬刀卻是削鐵斷鋼的利刃，是以鍾一豪掄刀砍刺之時，將牠的爪趾，砍下了兩截，幾人撿起一看，那斷趾竟有胡核粗細。仰首觀看，天空蔚藍，怪鳥只剩下一團黑影。

那萬映霞被怪鳥翅力一震，直飛到兩、三丈外，跌落在「渡仙橋」下，她暗中呼吸了口氣，正待坐起，忽覺身子似被人扶著坐了起來，她轉眼一看，身旁竟是麥小明。這時她忽然想起適才麥小明隱藏起來，不肯出手，心中大是不滿，當下向他冷哼一聲，道：「我還以爲你是一個大英雄？原來是個怕死鬼。哼！放開手，我不要你管……」

要在平時麥小明被她這等責罵，定然立即發作！可是眼下他卻對突來「萬花宮」強敵，心中猶存驚悸，只狠狠地瞪了萬映霞一眼，道：「你罵哪個怕死？」

萬映霞「哼」了一聲，道：「罵你……」說罷掉轉頭去，看也不看他一眼。

麥小明看她那種對自己彷彿不屑一顧的神態，本想伸手把她扳轉過來，反唇責罵幾句，但轉念一想自己方才的情形，實與往日大不相同，怪不得她這般辱罵。

心念一轉，收回手臂，尷尬的一笑，道：「我倒不是怕死，只是……」也只是了半天，只是不出個所以然來。

萬映霞一掠秀髮，轉過頭來，道：「只是個什麼？」

麥小明四外瞧了一眼，嘆了口氣，道：「告訴你也沒有用。」

萬映霞心中似是大爲不服，未容他話完，搶著說道：「有什麼了不起！他們來的人，還不是全被咱們殺了。」說到這裡，忽然睜大一對圓圓的大眼睛，好像發覺了一件什麼大事一般「啊」了一聲，驚道：「哎呀！我嬸嬸呢……」

麥小明恐怖的神情似是被她這一叫，驚醒了過來，抬頭望去，只見鍾一豪等，已向「渡仙橋」走來。

萬映霞迫不及待地一躍而上，她急奔過去，拖住了苗素蘭的衣袖，急急問道：「嬸嬸呢？被那小道童擄走了？」

余小樂走過來，低聲安慰她道：「姑娘先不要急，事到如今，急也無用。眼前要緊的是，咱們如何著手追查夫人的下落？」

萬映霞眼光一瞥鍾一豪，見他手中正拏著兩著兩截粗粗的鳥爪，忽然嚷道：「他知道……」

苗素蘭道：「你說哪個知道？」

萬映霞道：「麥小明……」她說著回手一指，在她心中，以爲麥小明也定然趕來，哪知回頭一看，卻不見麥小明，原來麥小明還藏在「渡仙橋」下。她向麥小明停身之處，叫了一聲，

天香飆

道：「你快上來，我們有話問你……」人已領先向橋邊走去。

待鍾一豪等人來到橋邊，萬映霞拖著麥小明走了上來。

麥小明緩緩地向四下一看，把眼神盯注在那三具怪人的屍體，不由怔了一怔！

鍾一豪把那怪鳥的斷趾，送到麥小明面前，道：「夫人被劫，你看看這鳥爪，可是『萬花宮』中養的麼？」

麥小明眼光掃了那鳥爪一眼，點了點頭，默然不語。

萬映霞冷笑了一聲，道：「平常好像是天不怕、地不怕，能說會做，今天有正事問他，倒是連話也不肯說了。」

麥小明回頭狠狠地瞪了她一眼，仍未開口。

余亦樂沉思了一陣，道：「『萬花宮』此次來到『垂楊村』的人，似是不少……」

苗素蘭滿臉憂色地接道：「『萬花宮』突然來犯，劫走夫人，余先生可知他們是何用心麼？」

余亦樂搖搖頭，道：「在下雖然在外行走多年，但對這『萬花宮』卻是一無所知……」

鍾一豪瞧著麥小明，道：「依我看來，此事除了……」他話至此處，突然聽得「江北三龍」中的「多爪龍」李傑一聲暴喝，道：「站住！」

另一個聲音冷哼了一聲，道：「好大的口氣，這『垂楊村』乃咱們莊主所有，再說在咱們莊主面前，哪裡容得你這等狂妄？」

「噴火龍」劉震怒吼一聲，喝道：「滾回去！哪個有閒工夫與你鬥口。」

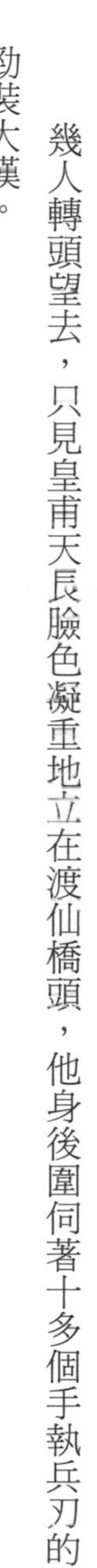

幾人轉頭望去，只見皇甫天長臉色凝重地立在渡仙橋頭，他身後圍伺著十多個手執兵刃的勁裝大漢。

「江北三龍」也手橫兵刃，當橋卓立，阻住了來人。

余亦樂轉臉對鍾一豪，低聲說道：「看情形皇甫天長已將來敵擊退，此時夫人被劫，似不宜與他們反目動手，兄弟之意，倒不如先讓他過來……」

鍾一豪道：「就依余兄之見。」高聲對「江北三龍」道：「放他們過來好了。」

「江北三龍」依言閃退在一側讓開一條路來。

皇甫天長緩步走過「渡仙橋」，目注鍾一豪，冷然說道：「你們還沒有走麼？」

麥小明忽然接口說道：「我們不高興走，你能怎樣？」

鍾一豪見皇甫天長，髮角隱隱留有汗意，衣上血跡斑斑，臉上泛現出困乏之色，想他剛才一番惡鬥，定然是一場激烈絕倫的奮戰，他本對皇甫天長有著一種極強烈的妒恨之意，但此時谷寒香被劫，心中妒恨暫消，暗暗地忖道：「這『江南雙豪』在江南黑、白道上，已形成了一種領袖地位，他們的眼線，遍佈江南，此時此地，不如稍事忍耐，或可由他口中，探出一點夫人被劫的訊息。」心念一轉，迎上前去問道：「莊主此時下訪，想來定已擊退相犯之敵。」

皇甫天長兩道眼神，四下一陣掃望，冷然笑道：「江南『垂楊村』豈能輕容人犯？」

鍾一豪聽他口氣傲狂，揮了揮手中摺扇，道：「名重江南武林的『垂楊村』，想不到竟被強敵直逼心腹重地，這個，倒真出了在下意料之外……」說罷，冷冷微笑。

皇甫天長被鍾一豪激得臉色微變，一捋胸前黑髯，正想反唇譏激，突然看到地上血泊之

中的三具屍體，不由悚然一震！目光又四下搜瞧了一陣，說道：「這三具屍體是諸位傷斃的麼？」

余亦樂道：「不錯，莊主可知道這批相犯之敵，來自何處麼？」

皇甫天長怔了一怔，道：「這些人，一個個怪異奇特，在下一時之間，倒是想不出他們的來歷……」

麥小明冷哼一聲，道：「諒你也不知道，哼！竟還大言不慚的，自命領袖江南武林呢？」

鍾一豪把那巨大的鳥爪攤在手掌之中，道：「莊主可識得此物麼？」

麥小明一看那怪鳥爪，不自主地向後退了一步。

皇甫天長瞧了一陣，惘然地搖了搖頭，道：「可是鳥爪麼？」

余亦樂微一沉思，道：「莊主可否聽聞過『萬花宮』這處地方麼？」

皇甫天長凝目沉思了片刻，道：「『萬花宮』好像聽人說過，但一時間記它不起了……」

苗素蘭突然把兩道清澈的目光，凝注到麥小明的臉上，笑道：「麥小明，你過來！」

麥小明冷冰冰地說道：「幹什麼？」滿臉不愉之色，但他仍然依言走了過去。

他此刻的心情，複雜無比，臉上表情也十分奇特，似是一個受了屈辱的人，正燃著反抗的怒火，目光中，滿是怨毒。

苗素蘭緩緩伸出纖柔的右掌，輕拂著麥小明頭上的長髮，異常慈愛地說道：「你可告訴過夫人『萬花宮』的事麼？」

麥小明道：「我告訴她有什麼用？她不肯聽也是枉然！」

苗素蘭道：「眼下夫人被劫，生死難料，咱們必須要早些趕去相援……」

麥小明搖搖頭道：「我不去……」忽然轉過身子，舉步而行。

苗素蘭秀眉一聳，臉上一片陰冷，但口中仍然柔和地叫道：「孩子，別走……」放步追了上去，舉手輕輕在麥小明頭頂之上一拍。

但見麥小明圓圓的眼睛眨了幾眨，變成一副茫然神情。

苗素蘭臉色凝重，目射稜芒，直盯在麥小明的臉上。

她這神情，與往昔大為不同，群豪卻不禁把眼光投注到她的身上，只覺得她神情冷漠，眼神凝滯，無形中給人一種陰森之感。

麥小明，茫然地睜著一對圓圓的眼睛，怔怔地瞧著她。

過了片刻時光，苗素蘭緩緩地向後退了幾步，舉起玉掌，輕輕地擊了一下。

這輕柔的掌聲，竟然似能控制得了麥小明的神智，麥小明舉步應聲走了過去。

苗素蘭冷漠的一笑，迅快地舉起右手，在空中劃了一圈。

麥小明隨著她手勢，轉身一躍，向後疾奔而去。

苗素蘭待麥小明奔出去約有二十多步，苗素蘭又舉起雙掌互擊了一下。

麥小明一聽掌聲，猛然止住，疾奔的身子，一挫腰人已凌空而起，在半空打了一個旋轉，回身直向苗素蘭飛躍而去。

一直到了苗素蘭面前，停下腳步，靜立一語不發，默立一側。

苗素蘭滿臉肅穆，眼中暴射出冷電的神光，盯注在麥小明臉上，輕柔而低沉地說道：「麥小明……」

麥小明立即應了一聲：「嗯。」

苗素蘭接道：「『萬花宮』在什麼地方？」

麥小明朗朗說道：「浙東『天台山』。」

群豪見麥小明一反適才畏懼之態，都不禁大感驚異。

苗素蘭接口問道：「浙東天台，路遙千里，峰嶺連亙，你可識得那往『萬花宮』的道路麼？」

麥小明把頭連點幾下，大聲說道：「當然認識！」

苗素蘭伸出纖手，在麥小明的肩上，慈愛地撫摸了兩下，低聲說道：「乖孩子……」

麥小明似是獲得了甚多的安慰，心中大感欣慰，很馴和地把身子倚靠在苗素蘭的身旁。

苗素蘭轉臉對鍾一豪與余亦樂道：「依照跡象顯示，劫走夫人定是『萬花宮』所爲。」

皇甫天長忽然大聲問道：「鍾兄，你們說什麼？」

原來他一直在專心搜尋谷寒香，是以對他們的話，並未留心，這時忽聽苗素蘭說谷寒香被劫，不由大吃一驚！

鍾一豪冷冷笑道：「不瞞你說，咱們公主已爲敵人劫走，現在不要說你小小的『垂楊村』，就是皇宮上苑，我們也不願再住，在下等就此告辭。」

皇甫天長臉色突然一變，道：「你們現在意欲何往？」

鍾一豪冷哼一聲，說道：「我們何去何從？這個用不著你操心了。」

話至此處，轉臉對苗素蘭說道：「姑娘，咱們這就走吧。」

苗素蘭拍了拍麥小明，道：「孩子，咱們走啦……」

麥小明怔怔地對苗素蘭望了一眼，大眼睛眨了幾眨點點頭，領先向前走去。

皇甫天長雖被鍾一豪一陣搶白，似是心中並不介意，此時他的腦際清晰地浮現出谷寒香的倩影，他想著她的艷麗、嬌慵、輕顰、巧笑……

他腦際又掠過荷塘畫舫中的情景，面對著絕世佳人，如花容色，那醉人的萬種風情……

皇甫天長原是譽滿江南鐵錚錚的漢子，他也早聞「紅花公主」的陰毒，他心裡雖然想不再記起她，然而那楚楚動人的倩影，卻時時在腦際浮現出來，揮之不去，欲忘不能……

此時，他獲知佳人被劫，心中更是不能自已！有一種說不出的關懷與思慕，只覺得心中充滿了矛盾與紛亂。

心念像一座大風車，千迴百轉地引出許多幻想，最後，他狠狠地長嘆一聲，飛步追向前去，大喝一聲，道：「諸位請稍停一步……」

鍾一豪回身問道：「難道你還要把我們留在你『垂楊村』麼？」

皇甫天長嘆了口氣，道：「鍾兄誤會了。」

鍾一豪心中關懷著谷寒香的安危，似是十分不耐，冷然說道：「你如有話，就請快說，恕在下沒有時間和你磨牙……」

皇甫天長眼光回掠緊隨身後的江南群豪一眼，對鍾一豪說道：「公主光臨江南，下榻『垂楊村』乃是瞧得起我們『江南雙豪』，如今公主在『垂楊村』被人劫走，此事傳揚開去，實是

在下的奇恥大辱……」

他微微一頓，接道：「再說敵人既公然犯我『垂楊村』傷人、毀物，他們也根本沒有把我『江南雙豪』放在眼下，這口氣我是無法按捺得下，是以在下情願陪同諸位同去『萬花宮』中走走……」

鍾一豪對他仍存妒意，冷冷一笑，默然不語。

余亦樂看二人僵在當場，緩緩走了過來道：「鍾兄，既是如此，咱們就一同前往好了！」

鍾一豪冷漠地「嗯」了一聲，轉身走去。

群豪出了「垂楊村」，只見迎面人影閃動，譚九成一馬當先奔來。

他一見皇甫天長，停身抱拳，道：「大哥……」

他激動地叫了一聲之後，立即又道：「小弟聽得有人來犯『垂楊村』，所以特地又趕回來……」

方才「江南雙豪」為了谷寒香，兄弟幾至反目，譚九成含著滿腔怨恨，率領屬下他去。

此時皇甫天長見譚九成，去而復返，究竟結義情深，心中也甚為感動，當下道：「敵人已被愚兄擊退……」

譚九成目光一瞥群豪，道：「大哥現在意欲何往？」

皇甫天長嘆了口氣，道：「強敵來犯，劫走公主，叫我們『江南雙豪』還有什麼顏面再在江湖上立足……」

譚九成驚道：「什麼？」

皇甫天長嘆道：「『紅花公主』被人劫走了。」

譚九成急急問道：「什麼人敢到『垂楊村』來劫人？」

鍾一豪冷笑，道：「你以爲『垂楊村』是龍潭虎穴不成？」

譚九成怒目望著鍾一豪。

皇甫天長似是不願兩邊反目動手，岔開話題道：「小兄已決相隨鍾兄等，追尋公主下落，順便也可以報強敵相犯之辱……」

譚九成道：「劫走公主之敵，去處可已曉知了麼？」

皇甫天長點頭接道：「適才已聽鍾兄等言及，敵人乃是浙東『天台萬花宮』之人。」

譚九成仰望天際，口角微動，似是心中在盤算一件重大之事，神情也不時變化。

停了半晌，只見他滿臉泛現出一片堅毅之色，肅然說道：「大哥說得是！敵人既敢明目張膽，犯莊劫人，不但小看了我『垂楊村』，更且藐視了江南武林同道，此恥不雪，咱們兄弟還有何顏見武林道上的朋友？所以我想……」

他話至此處，倏然停口，似是遇上了什麼難題，心中有所顧慮。

皇甫天長素知這位義弟，文武兼資，對他向來極是信任，凡事都要與他磋商，此時一看他神情，當下接道：「犯莊、劫人，看來雖是兩事，但這兩件的關係，卻是不容分割，如今鍾兄等之事，就是咱們兄弟之事，彼此之間自應合力同心，全力以赴，賢弟有話但說無妨。」

譚九成目光環掃在場群豪一眼，道：「依兄弟之見，此事咱們不做便罷，要做就得全力以

赴。」

微微一頓，向皇甫天長抱拳一揖，接道：「小弟要向大哥請命，飛傳日、月令牌……」

環立在「江南雙豪」左右的江南群豪，聽他此言一出，不由臉色大變，齊齊呼道：「飛傳日、月令牌？」

皇甫天長似是也未料到他要飛傳日、月令牌，是以也聽得震然一駭，怔了一怔！才道：「賢弟要飛傳日、月令牌……」

譚九成點頭道：「不錯！我要傳日、月令牌。」

鍾一豪等雖然久聞「江南雙豪」日、月雙牌統轄江南武林，這時一聽他們要飛傳牌令，知是定非尋常，不由得也為之一怔！

場中群豪，一個個神情肅穆，一齊把眼光投注在譚九成的臉上。

譚九成高聲叫道：「有勞四位掌壇兄弟聽令。」

他一言未畢，已由江南群豪中，走出四人，肅立待命。

譚九成朗聲宣佈道：「敵人犯我『垂楊村』，劫走『紅花公主』，據種種跡象顯示，是來自浙東『天台萬花宮』，所以煩勞四位兄弟，飛傳『垂楊村』日、月雙牌急令，遍曉江南水陸七十二路分壇，要他們即速展開偵查『紅花公主』行蹤，一有眉目，立即飛報『垂楊村』。」

四人躬身應道：「謹遵令諭！」

譚九成又道：「我等此去浙東天台，雖是真相未明，但卻是深入敵人老巢，人手過少，只怕呼應失靈，但如人手太多，亦不相宜。以兄弟之見，除了隨護公主的鍾兄等人之外，我與大哥，再另請八位兄弟同行，量也足夠應付了。」

皇甫天長手捋長髯，靜聽他分派，默然不語。

譚九成威稜的目光，微掃群豪，道：「我等明早清晨上路，趕赴天台。一路之上，三十里換馬，六十里打尖，九十里用餐，限令到之日，這沿途分壇各屬驛卡，應妥選能行健馬二十匹，預做茶飯食，以準備我們換馬、打尖之用，不得延誤。」

說完探手入懷取出四面令牌。

皇甫天長也由懷中取出四面令牌，交與譚九成。

譚九成接過令牌，將日，月雙牌一合，分交那四個待命的壇主，和顏說道：「事件緊急，就請四位即刻上路。」

四位接令應命而去。

譚九成望了皇甫天長一眼，似有話說，但卻未便開口。

他二人相處多年，一眼一動之間，已能傳達彼此心意，譚九成對他一瞧，皇甫天長已知他心意，轉臉對鍾一豪等說道：「愚兄弟雖知鍾兄等心繫公主安危，但在下兄弟對此也是坐寢難安，所以才傳出日、月雙令牌，務必要將此事弄個水落石出。此去天台，前途遙遠，是以還望鍾兄等在『垂楊村』委屈一宵，稍事休息，明日咱們兼程趕往，不知諸位尊意如何？」

鍾一豪見他說得十分至誠，而且入情合理，同時又親眼看到他兄弟傳令日、月雙牌那等焦急之情，一時之間，倒也無法推轉，只得答應下來。

皇甫天長見群豪應允，心中似甚快慰，道：「我與譚賢弟明日隨鍾兄等，同赴浙東，『垂

楊村』一切事務，就委請焦氏三傑，代我兄弟作主，並利用『驛馬飛遞』的方法，隨時將有關各事飛報於我。」

焦氏三傑一齊躬身受命。

次日清晨，朝曦初綻之際，皇甫天長和譚九成，已挑選出八名江南武林的高手，偕同鍾一豪等，一隊健騎，浩浩蕩蕩地向浙東飛馳而去。

這「江南雙豪」的日、月雙令牌，在江南武林道上，實具有神奇的權力，昨日才傳下令諭，今日沿途之上便已奉令行事。果真是每隔三十里，便備有長程的健馬，停在道旁等候換用。每隔六十里，也必定有人在路上搭起臨時的帳棚，燒沏茶水，等候群豪打尖之用。

二十　萬花宮主

一路之上，每經一處站驛，都有人向「江南雙豪」當面陳報，但「紅花公主」的行蹤，卻如石沉大海，全無半點音訊。

群豪由北南下，日夜兼程，橫穿浙江而過，不消多日，已抵天台山。這天台山，上承仙霞嶺，西聯雁蕩、括蒼，北接四明、金華，山勢延綿千里，形勢極是雄偉。

群豪一齊緩勒絲韁，慢慢察看入山形勢。

萬映霞因心中掛念谷寒香，恨不得插翅入山，急得對麥小明道：「咱們已到天台，你快看看入山之路，好領咱們去『萬花宮』。」

麥小明搖搖頭，遲遲地應道：「這山太大了，『萬花宮』究竟在哪裡，我也不知道？」他說完這話，只覺心底沖上一股寒氣，緩緩地夾馬向苗素蘭移去。

這時半空中一聲怪唳，一隻鐵翅大鳥，劃空而過，霍地又折翅轉回，在空中打了兩個盤旋，突然又怪叫一聲，一斂鐵翅，俯衝而下，向北面飛去。

麥小明一聽怪鳥長唳，只嚇得他緊緊地倚在苗素蘭身後，似是心中極爲害怕。

鍾一豪躍馬衝到麥小明身側，道：「已到天台，就勞你領先引路吧！」

麥小明瞧了他一眼，默然不語。

鍾一豪突然一陣壯笑，道：「咱們那套刀劍合搏，久未施展，此番深入『萬花宮』，也該咱們露一露了。」麥小明茫茫地搖了搖頭。

譚九成大聲道：「鍾兄不用再問，咱們既然到了，就算踏遍這座山脈，也得找它出來。」

余亦樂微笑道：「譚兄稍安毋躁，依在下愚見，只怕這『萬花宮』定然是異於尋常，咱們深入敵巢，切不可輕舉妄動！」

他話還未完，苗素蘭突然低沉地叫了一聲：「麥小明。」一面將兩道似電的目光，盯注在他臉上。麥小明只覺得一怔！便應聲上前。

苗素蘭無比慈愛，柔聲地說道：「麥小明，我問你，你對公主是不是真心敬愛？」

麥小明點點頭，道：「自然是真的了！」

苗素蘭道：「你既真心敬愛於她，那麼咱們不遠千里來到天台，你就該領前引路，尋找那『萬花宮』，才好搭救於她……」

麥小明茫然的臉上浮掠過一絲笑容，呆呆地瞧著苗素蘭，似是在用心思索一件重大之事。

苗素蘭圓睜著一雙秀目，右手在胸前微微劃動，口中喃喃地唸著：「天台『萬花宮』……天台『萬花宮』……」

麥小明臉上的神情頻頻變化，那滯呆的目光漸漸地由苗素蘭臉上，移向遠方，口中也跟著喃喃唸著：「天台『萬花宮』……天台『萬花宮』……」

苗素蘭目注著麥小明的神情變化，突然右手高舉，空劃一圈，高聲喝道：「天台『萬花

宮』！」她這一聲，聲洪音亮，宛似石破天驚，震得群峰迴響，到處響著「天台萬花宮」的嗡嗡餘響。

麥小明沉迷中，猛聽這一喝，有如乍驚春雷，突然神采飛揚，高聲應道：「天台『萬花宮』。」呼聲未畢，一緊手中韁繩，帶轉馬頭，折向正北方向，直朝一參天蔽日的樹叢中，疾馳而去。

苗素蘭似早有準備，麥小明方一轉身，她也緊跟著他身後，策騎追去。

只見一陣絲影搖曳，長鞭劃空，群豪也都撥轉馬頭，緊隨二人身後馳去。

群豪所騎，都是精挑的健馬，一陣疾奔，轉眼已穿過這長約五、六里餘長，濃密的樹林。樹林盡頭，一灣山溪，繞山潺潺流出。

這時馬匹都已跑得甚是疲乏，一見溪水，一個個都想俯首吸飲。

麥小明忽然似想起了什麼事情一般，勒韁回身，大聲呼道：「這水不能喝……」說畢，兩腿一夾，回手一拳，打在馬臀之上，那馬負痛一驚，已涉水越溪而過。

群豪知他所言，必有緣故，一齊緊勒馬韁，越過山溪，緊隨麥小明馳去。

萬映霞童頑心甚重，惘惘地問苗素蘭，道：「這水為什麼不能喝呢？哼！定是他騙人！」

苗素蘭久歷江湖，經驗豐富，又隨「陰手一魔」甚久，見聞更是廣博，她目光微瞥，遂即微笑，道：「姑娘，你看這水色泛深綠，溪邊的山石之上，不但沒有青苔，而且顏色蒼黃，這水中定然含有劇毒，如不是有麥小明引路，就怕我們人、畜，都要貪飲中毒了！」

她因麥小明已領前疾馳而去，話一說完，立即催騎追去。

群豪隨著麥小明奔行了一陣，又轉過幾條山道，忽然眼前一亮，原來眼前山道盡處，竟是一片廣坪，廣坪的西方，矗立著一座高有四丈的紫石石坊。石坊橫頂，鑿刻了「天台仙境」四個隸體大字，一條坦平的山路，迤邐直通無盡深處，道旁松柏相間，地上綠草油油，繁花點點。群豪看了這番景色，心中不由泛生起一種莊嚴肅穆，略顯森森之感。

麥小明卻緊倚著苗素蘭，怔怔地仰望著那座矗立的石坊。

苗素蘭纖手一指那石坊，道：「這就是『萬花宮』了麼？」

麥小明緩緩地收回視線，搖了搖頭。

群豪之中，有幾個性急之人，已然策馬衝過石坊，跨入那條入山大道。

麥小明突然驚叫一聲！群豪不知發現了什麼可怖之事，都不禁四望搜尋，有的卻把眼光投注在他身上。就在麥小明驚叫之時，已有三人到了石坊那邊，這三人一聽驚叫之聲，也都回身看望。突然樹上一陣「索索」之聲，一群紅色小鳥，衝天飛去。麥小明指著那群小鳥，張著嘴，只是說不出話來。

余亦樂也是久歷江湖之人，一見他這般神情，低聲對苗素蘭說道：「適才他突然驚叫，莫非他早知樹上棲有此種小鳥……」他話一出口，又不知說的對或不對，微一沉思，接道：「難道這些小鳥有什麼可怕之處不成？」

苗素蘭道：「麥小明平素驃悍絕倫，他既這般害怕，想必是不會假的了。」

鍾一豪、皇甫天長心中都惦記著谷寒香，一聽二人之言，同時說道：「任那『萬花宮』是龍潭虎穴，咱們也不能半途而廢。」

苗素蘭點頭一笑，轉臉瞧著麥小明，道：「還是你帶路吧。」

麥小明神情懼怯，皺著眉頭，不敢前去。

苗素蘭突然右手向前一指，沉聲喝道：「咱們走啦！」

麥小明應聲夾馬，「呼」的一聲，已然向前馳去。

山路平坦，群豪奔馳了三、五里路，山徑急轉，山勢往下一瀉千里，轉彎之處，豎著一塊一人高的石碑，碑上血紅紅地寫著：「此去仙境，凡人止步」八個紅字。

麥小明喘著氣，道：「我不去了。」

萬映霞口角一撇，冷哼一聲，道：「你為什麼不去了？」

麥小明遲遲地伸出手來，指著前方遠處，怔怔說道：「那……」

但他心中似有著無比的恐懼，伸出去的手指，有著微微的抖顫，只說出了一個「那」字，便無力再接著說下去。

鍾一豪一搖手中摺扇，急著問道：「前面可是快到『萬花宮』了麼？」

譚儿成點頭接道：「鍾兄猜得不差……」

鍾一豪心中對「江南雙豪」似有著甚深的成見，目光微掃了他一眼，並未理他，卻又把眼

光投注到苗素蘭的臉上。

苗素蘭的一雙星目卻全神貫注地凝視著那一瀉千里的險道，瞧了片刻，又微作沉吟，緩緩把目光移注在麥小明臉上，神態嚴肅而聲調柔和地說道：「麥小明，行百里者半九十，我們既已深入天台，你怎能就此折回呢？乖孩子，快點走吧，免得這麼許多人都在爲公主擔心……」她說得悠悠慢慢，聲音裡充滿了柔愛之情，使人聽了彷彿無法相拒一般。

說完話，又用手向麥小明輕輕地招了幾招，道：「乖孩子，還是你在前領路吧！」

麥小明畏怯的神情，漸漸鬆放開來，目注那條斜瀉下的山路，沉思片刻，長長地噓嘆了一口氣，一昂頭道：「走啦！」

這條路，十分歪斜，馬匹行走之時，也是十分地吃力。走了約一盞熱茶時刻的光景，忽然之間，兩邊峙立的山峰峭壁之上，一聲震天的巨吼。

這一聲巨吼，來得大是突然，而且一聲之後，萬山回應，聲勢更是動人心魄，只聽得群豪大吃一駭，有幾匹馬，頓時被嚇得四腿一軟，蹲了下去。

麥小明卻冷冷說道：「那是獅子叫……」他話音未落，又是一聲巨吼，傳了過來。群豪抬頭仰望，只見那峭壁峰頂，每隔一段，便有一頭金毛巨獅，守立在那裡，一個個俯視下瞰。只看得群豪，由心底冒出一股寒意，心想如果這些巨獅，由上直撲下來，那可是無法抵禦，群豪心存顧忌，一時都怔怔地呆在當地。

麥小明淡然道：「這些獅子只管守望，不會衝下來的。」說著，當先策馬前行。

群豪見他對這些巨獅，並不畏懼，也都放韁跟了上去。峰上巨獅見群豪策騎行進，第一頭

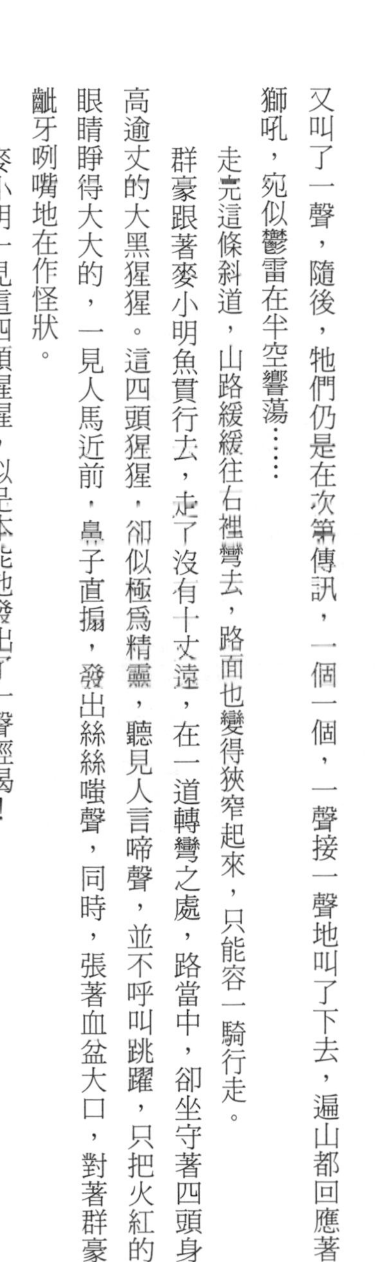

又叫了一聲，隨後，牠們仍是在次第傳訊，一個一個，一聲接一聲地叫了下去，遍山都回應著獅吼，宛似鬱雷在半空響蕩……

走完這條斜道，山路緩緩往右裡彎去，路面也變得狹窄起來，只能容一騎行走。

群豪跟著麥小明魚貫行去，走了沒有十丈遠，在一道轉彎之處，路當中，卻坐守著四頭身高逾丈的大黑猩猩。這四頭猩猩，卻似極為精靈，聽見人言啼聲，並不呼叫跳躍，只把火紅的眼睛睜得大大的，一見人馬近前，鼻子直搧，發出絲絲嗤聲，同時，張著血盆大口，對著群豪齜牙咧嘴地在作怪狀。

麥小明一見這四頭猩猩，似是本能地發出了一聲輕喝！

四頭長相兇獰的猩猩，翻著火睛，對麥小明瞧了一陣，互相撲打了一陣，呼嘯跳躍地翻山越嶺而去。這條狹窄小道，愈走愈高，半空中，峰巒連雲，群山環抱，四面山瀑千條，急沖而下，匯成一個巨潭，幾條支流溪澗，繞著山腳，翻滾流去。

眼前這路的盡頭，只有一條長逾二十丈的石樑，由群豪停身的山邊，直達對面山峰，除了這條石樑以外，沒有一條可通之路，這種奇絕的景色，真是鬼斧神工。

群豪正在仔細打量，忽然身後一陣勁風，勢如狂飆，颳得葉飛塵揚。

眾人還未來得及轉身，兩隻山虎，已由群豪身後，飛躍而出，躍上石樑，飛向對峰奔去。

就在群豪聞聲回顧的一瞥之間，猛然發現身後的山上，一塊約有兩丈高，五尺寬的光滑平整山壁之上，刻著：「就此回頭，尚保一命，再往前走，即是黃泉。」十六個大字。

皇甫天長冷哼一聲，道：「此人心中險奸已極，既是刻語示警，就該迎面豎立，哪有背人

立碑之理？」

余亦樂點頭接道：「此人這等作爲，也太缺少光明磊落的英雄氣概了。」

苗素蘭冷冷笑道：「兩位說什麼險奸、氣概？世間上，像這種陰險的方法之事太多了。」

萬映霞聽他們說了一陣，卻惘惘地聽不出個所以然來，不禁問道：「你們在說什麼？」

余亦樂笑指著那十六個大字說道：「姑娘請看，那上面不是刻著示警的話麼？但是姑娘想想看，這些字有誰能注意到它？這豈不是等於沒有一般。」

他頓了一頓，又道：「可是此間主人，又要表示他對深入天台之人，已提出警告，以顯示出是殺之有詞，而不是妄殺無辜……」

萬映霞「哦」了一聲，道：「我明白了。」

麥小明忽然插口說道：「咱們的馬不能要了。」

鍾一豪道：「什麼？」

余亦樂瞧了麥小明一眼，點頭道：「他說得不錯，咱們前去，這馬已是無能爲力的了。」

群豪一看在這四面環山，千條山瀑，只有一條石樑可以行走之外，再無第二條途徑，而這條石樑，如長虹貫天，懸在半空，四面是瀑瀉珠濺，底下是萬丈深壑，壑底是嶙峋怪石，湍湍山澗，不用說這些馬匹不能渡越，就是普通之人，也是沒有這份膽量，跨上這條貫連萬峰的石樑。是以群豪聽他一說，再一衡量情形，都似恍然大悟，紛紛下馬，取下馬上之物。

鍾一豪道：「麥小明，還是你帶路吧！」

麥小明點了點頭，卻依然站在原地不動。

余亦樂爲人精細，閱歷又深，沉吟了片刻，道：「不知這條石樑之上，有無什麼埋伏？」

麥小明被他這一提，似是突然明白過來，接口說道：「『萬花宮』處處埋伏，步步凶險，不過這條石樑上卻是沒有埋伏……」

苗素蘭未待他話完，接道：「既無埋伏，你就替大家帶路吧！」

麥小明瞧了苗素蘭那凝神而視的眼光，一句話也沒有說，當先走上石樑。

群豪也一個一個魚貫跟了上去。石樑盡頭，是一條深遠的谷道。

群豪走完石樑，踏入谷道之時，只見一隻黑色大熊，人立谷邊，一見生人入谷，悄無聲息地直撲過來！

麥小明走在最前，黑熊撲來，他止首當其衝，這時他竟又一反常態，一見黑熊撲到，毫不遲疑，霍地抽出長劍，往那熊腹上面刺去！黑熊體積癡肥粗大，但動作卻極爲靈活，一見麥小明長劍刺到，巨爪一揮，竟往他劍上迎來。

麥小明倏地收腕回劍，旋腳轉身，第二劍又向牠腹部刺去。

黑熊狡黠異常，二撲未中，宛似發瘋一般，怒吼一聲，後腳一躍，前爪懸空又再度撲到。

麥小明閃身迴避，一面叫道：「這熊餵食了強烈的藥物，兇惡無比，快來合力將牠殲斃了……」

文天生離麥小明最近，翻腕一鞭，便向熊腳捲去。黑熊縱身一躍，竟已避開來鞭！譚九成也不坐視，雙掌伸吐，一股罡風，直向黑熊擊去。

鍾一豪與麥小明相處較久，深知他的性格，見他此時神態認真，一點不敢大意，知道此熊定然兇惡異常，不然麥小明絕然不會如此慎重。連忙探手扣了幾根成名暗器「追魂神針」。

黑熊躍身避鞭，身子尚未站定，譚九成掌勁又已襲到，牠靈勝猿猴，後面雙足在地上一頓，後臀往上一翹，同時前足朝下疾撲，身子正朝鍾一豪懸空斜面躍去。

鍾一豪哪肯坐失時機，右手一揚，數點銀芒，脫手而去。

那黑熊一聲慘號，前爪蒙面，閃避的身形頓時失去了重心，只聽撲通一聲，已摔跌地上。

原來這畜牲體壯力強，又服食過強烈刺激的藥物，皮肉已然不知疼痛，但雙眼卻是脆弱無比，加上鍾一豪的「追魂神針」更是著名的暗器，黑熊自是承受不住。

就在黑熊倒地滾撲之際，譚九成的掌風，也凌厲地擊到！

麥小明迅快絕倫地一揮長劍，疾躍而上，朝那軟肚之上，連連戳了幾劍，待那黑熊氣絕死去，他才長長吁了口氣，收劍回鞘。

苗素蘭見他鬥熊的神態，一反多日來畏懼之情，不由看了他一眼，道：「看樣子，這熊定然十分兇狠？」

麥小明道：「太厲害啦！如不是我們幾人同時出手，只怕一時之間還鬥牠不了。」

說罷，望著苗素蘭爽朗的一笑，似是對殺斃黑熊之事，心中極爲高興。

他殺死了黑熊之後，膽氣似是壯了許多，對苗素蘭笑道：「走啦！」

群豪走出不到七、八丈遠，猛聽半空一聲淒如夜梟哀鳴之聲，兩隻長翅怪鳥，急瀉而下，落在黑熊身上，立時啄食起來。

萬映霞自幼嬌生慣養，哪曾看過這般凶慘之事？「啊」的驚叫一聲，緊倚到苗素蘭身旁。

走了一段時間，轉過兩個山彎，只見遠處綠蔭如雲，樹梢枝頭，隱隱現露出一堵紅牆，綠瓦翠簷。再走近前去，那原來似一片綠雲之處，景色漸變，初看時，似是天際彩霞變幻，再近前去，又似一匹彩色織錦……

麥小明忽地駐足不走，臉色變得異常蒼白，有氣無力地道：「到了……」

皇甫天長心中甚是焦急，他一聽麥小明說已到「萬花宮」，當下冷哼一聲，道：「他人既敢犯我『垂楊村』，在下倒願先闖闖他這座神秘的『萬花宮』……」長嘯一聲，領先疾奔而去。他身後的江南群豪也都追了上去。

鍾一豪回頭瞧了余亦樂等人一眼，冷哼一聲道：「好狂的口氣……」人也振袂向前奔去。

群豪一陣急奔，突然奇香迎面撲來，眼前景色，也隨之大變，但見遍谷，開滿了奇花異卉，繁花萬點，盛開如星，一片花團錦簇，宛如一望無際的浩瀚花海。

谷道走完，萬花密植中，留出一條白石小徑，遠遠望去，小徑盡處，矗立著一座朱柱碧瓦，紅欄粉牆，美輪美奐的宮殿。群豪又走了一段，前面一溪橫路，一道小橋，橫臥溪上，橋頭一道低而短的木柵。這時木柵突然懸空吊起，群豪抬眼一看，都不禁大吃一駭。

原來那木柵門後，並排立著六個身著豹皮短褲，上身赤膊，身軀異常高大的大漢。這六個大漢，蓬亂的鬚髮，虬結相連，是以無法看清他們的面貌，每人手中，都執著一支一丈三、四尺長短的尖矛，那矛尖迎著陽光，發出一片紫藍湛湛的光芒。

這一道木柵，乃是往「萬花宮」必經之路，群豪看了一陣，皇甫天長忽然沉聲問道：「哪位兄弟先上前試試……」一言未畢，他身後躍出兩個中年壯漢，兩人也不答話，縱身一躍，已疾向木柵衝去。這二人正是馳譽江南的「劍楞雙傑」袁氏兄弟。老二袁達人，身著天青勁裝，一揮手中雙楞，從左邊疾攻而上。

那右邊身著銀灰勁裝的老大袁奉天，也一掄手中雙劍，同時點出。

六個鬚髮虬結的怪漢，一見有人來攻，同時發出一聲怪嘯，六人跨前一步，長矛疾如飛蟒，齊向兩人刺到。

麥小明圓睜著一雙秀目，張口結舌地凝注著那六人的動作。

袁氏弟兄劍、楞齊掄，架格長矛，只是對方兵器沉猛，一觸之下，只覺手臂一麻，立時收回劍、楞。

麥小明在旁看得大是焦急，似是忍耐不住，突然大聲說道：「那長矛有毒，千萬小心。」只聽一陣「噹啷」大響，六個手執長矛的大漢，已一齊挺矛攻上。

袁氏弟兄聽得麥小明呼喝，已提高警覺，一見六矛齊來，立時縱身躍退了六、七步。

那六個手執長矛大漢只追了五步遠近，便又聽一陣「噹啷」巨響，退了回去。

原來這六人身後都拖了一根五尺多長的鐵鍊，那鐵鍊一端穿著他們大腿的腿骨，一端連鎖在橋欄之上，是以行走之時，發出「噹啷」之聲，而進退之間，也大受限制。

袁氏弟兄正待揮劍攻襲，譚九成忽然喝道：「二位請回。」

皇甫天長不知他存的什麼用心?轉臉瞧了瞧他。

譚九成走過來笑道：「大哥，你看這六人身鎖鐵鍊，進退受制，咱們何必跟他們遊鬥，不如用暗器來對付他們，豈不省事得多？」

萬映霞在旁插嘴道：「不行，人家身受束縛，如我們這般對付他們，不覺得太不光明麼？」

譚九成冷笑道：「姑娘，對付敵人怎能心存仁慈呢？」

他「嘿嘿」冷笑一聲，右手微揮，但聽一陣絲絲颼颼之聲，早有數人打出各種暗器。

那六人長矛揮動，但因身重、矛笨，甚是不使，頃刻間已有人被暗器打中。

江南群豪中善打暗器之人，紛紛打出了許多箭、彈等物。

六個鬚髮虬結的大漢，身上都中了甚多的暗器，卻竟似毫無感覺，神態表情沒有一點變化，渾如無事一般。

皇甫天長一見這等情形，突然記起侵犯「垂楊村」的敵人，也是這般不畏刀劍，不知疼痛，心知這些人定然已為藥物所迷，縱然再打出些暗器，也是毫無用處。立即揮手阻止，說道：「諸位不必了，這區區六人，難道還能阻得了我們麼？」

他說罷又轉臉對鍾一豪道：「在下與鍾兄聯劍上去如何？」

鍾一豪對他瞧了一眼，沒有答話，卻翻腕取出緬刀。

麥小明站在苗素蘭身旁，這時心神似是安定了不少，他一見鍾一豪取刀在手，眨了眨眼睛，對苗素蘭道：「不用動刀動槍了，這六個人只要用火一燒，便了賬啦！」

苗素蘭雖然久隨「陰手一魔」見慣許多陰狠毒辣之事，但一聽麥小明之言，也不由心裡一

動，臉上泛現出一絲不忍之色。

譚九成呵呵一笑，道：「對，多虧你想出這般好主意……」

話音一落，探手掏出他馳譽武林，令人喪膽的「燐火珠」，右手疾揚，兩顆核桃大小的「燐火珠」已應手飛出。

這「燐火珠」乃是譚九成獨門暗器，乃是硫磺、硝石等物，配製而成，打出之後，觸物爆破，附在任何物體之上，立即熊熊燃燒，火勢猛烈凌厲，無與倫比。

兩顆「燐火珠」疾如星丸，直向那六個鬚髮虬結的怪漢，飛擊而去。

突然白光展現，宛如銀龍嘯雲，又似銀河倒瀉，一聲輕微的嘯風之聲，一條白絹直出急捲，已將疾飛射出的「燐火珠」捲了回來。

這一著大出群豪意料之外，一個個收回目光，一齊投注在苗素蘭的臉上。

譚九成忍不住向前問道：「你收回在下的『燐火珠』，不知存何用心……」

苗素蘭未待他話完，左手拏著兩顆「燐火珠」遞了過來，微笑道：「以這等手段來對付這六個身受束縛之人，心中似覺不忍……」

譚九成雙眉微蹙，冷冷說道：「依姑娘之見呢？」

苗素蘭道：「咱們還是攻過去，縱然將他們俱都殺死，也好使他們心服。」

鍾一豪、余亦樂心中懸念谷寒香，似已等得不耐，二人打了個招呼，緬刀一掄，銅鑼響亮，雙雙聯袂攻了過去。

譚九成微笑冷哼，正待開口說話，苗素蘭搖了搖頭，纖手一指，道：「不用說啦！他們已

出手了……」

譚儿成轉頭一瞧，只見鍾一豪、余亦樂已揮刀、舞鑼，向那六個怪漢攻去。

「劍枴雙傑」袁氏弟兄，適才在江南群豪之前，聯手合攻，未能佔得上風，心底微微泛出一種羞愧之意，此時見鍾、余二人已然出手，暗中遞了個眼色，抽劍舉枴，向左邊怪人直攻上去。

這六個鬚髮虯結的怪漢，個個身軀高壯，六支長矛又都異常的沉猛，將那處橋頭之地封閉得甚爲嚴密，鍾一豪等四人，雖然都是各負一身絕藝的武林高手，但兵刃短小，不敢力鬥，又心畏那淬毒的矛尖，是以一時之間，竟然無能得手。

幾人遊鬥了一陣，鍾一豪忽然心中一動，記起了婁小明相授的刀劍聯攻之法，翻腕取出摺扇，對余亦樂道：「余兄，咱們深入敵窟，不宜久拖，你我用全力對付中間第三人……」

他說話之時，怪漢一矛刺到，他連忙住口，閃身一側，避過矛鋒，又接著說道：「你可引開他的長矛，待我來對付於他。」

余亦樂與鍾一豪聯手甚久，彼此心意甚是了然，他一聽鍾一豪之言，已知他心意，銅鑼一敲，笑道：「你的算盤，可是打對了。」

人影一閃，身形疾沉，銅鑼橫向中間的怪漢腿膝之處掃去。

那怪漢因鐵鍊鎖身，動作大爲不便，微一後退，長矛一矮，硬向銅鑼壓去。

鍾一豪也同時發動，左手伸吐，摺扇直點第三個怪漢的「神田」大穴。

那怪漢雖似不畏刀劍，身上也似無疼痛的感覺，但一見摺扇點到，也不禁本能地往旁側一

天香飆

讓，閃身相避。

鍾一豪未待招老，人已順勢欺進，力貫左臂，功集扇上，斜裡硬向第三個怪漢的長矛之上逼壓過去。

這第三個怪漢，正被余亦樂引逗開去，長矛正全力壓向攻到的銅鑼，此時，鍾一豪摺扇攻到，大出他意料之外，要想舉矛封架，不僅時間上已來不及，而且鍾一豪的摺扇之上，已運集他十成的功力，力逾千鈞，要想架格，更是無能爲力。

鍾一豪冷哼一聲，同時欺身旋步，緬刀橫飛，將那怪漢由腰肋之間，連著左腿，齊齊切了下來。

那怪漢巨大的屍體，往後倒去。

剎那間「噹啷」鐵鍊之聲大鳴，另外五個怪漢，竟身不由主地往後疾退，亂了步法。

原來這六個怪漢穿在腿骨之上的鐵鍊，結集在一條橫鍊之上，這時，中間怪漢屍體後摔，那巨大的屍體正壓在橫鍊之上，這一壓之力，甚是沉猛，又是在猝不及防之下，是以五個怪漢都被橫鍊拖得往後疾退，那左邊最外側的怪漢，竟被這一拖之勢，拉得跌坐地上。

袁達人哪肯坐失良機，縱身一躍，身形凌空而起，雙柺宛如兩條遊龍，一招「神龍入海」自半空猛擊而下！

這一招，來勢奇速，只見紅光崩迸，那名怪漢的頭顱，被打得血肉飛濺。

那邊余亦樂也趁勢舉鑼左襲，鍾一豪緬刀外透，二人又各擊斃一人。

一時間，人影閃動，群豪中又躍過數人，刀劍齊舉，又殺死一人。

皇甫天長也奔了過來，一手奪過另一怪漢手中的長矛，反手一把，扣住那怪漢脈門。

鍾一豪奔過來一刀，砍斷鎖腿的鐵鍊。

皇甫天長喝道：「快說『紅花公主』是否被你們『萬花宮』劫來了？」

那怪漢仰著滿臉鬚髮的怪臉，瞧了他一瞧，默然不語。

麥小明突然走了過來，舉手一劍，穿腹刺過。

皇甫天長臉色一變，慍然說道：「你這是什麼用心？」

麥小明淡然地說道：「他又不能說話，留著幹什麼？」

余亦樂知道麥小明素來膽大口利，不肯饒人，而皇甫天長領袖江南武林，當著江南武林道上的人物，也自然不甘向一個小孩兒家低頭，現今深入敵巢，自是不能自己干戈相向，是以他趕忙接道：「小明說得不錯，這個人想來定是不能言語，皇甫莊主縱然想問，也是問不出什麼所以然來。」

皇甫天長皮笑肉不笑地說道：「那麼依余兄高見呢？」

余亦樂也冷笑道：「不入虎穴，焉得虎子？既然來到此處，除了硬闖『萬花宮』之外，在下不才，實在還真沒有什麼妙策？想來莊主是胸有成竹了？」

皇甫天長嘿嘿微笑，正待答話，忽然「萬花宮」外的樹蔭之中，響起了幾聲「呱呱」怪鳴，樹葉一陣搖震，兩隻巨大的怪鳥，沖天飛起。

萬映霞一見怪鳥，急急嚷道：「不錯！不錯！到『垂楊村』去的，就是這種怪鳥……」

她話音未完，那隻怪鳥，盤空鳴繞，倏地長尾一沉，鐵翅疾斂，直向群豪立足之處撲下。

鍾一豪已知此鳥厲害，高喝道：「怪鳥凶殘，大家小心……」

群豪都是久經大敵之人，一聽他嚷喝，人已分散開去。

那怪鳥一見人群急散，似是十分氣怒，兩隻鳥同時舒展翅尾，又衝至半空之上。

兩隻怪鳥一隻在半空盤旋，另一隻見幾人隱藏在一棵大樹下，低啾一聲，頭下尾上，疾逾流星地俯衝而下。鐵翅過處，但聽一片折裂之聲，那棵大樹被牠鐵翅一掃，竟弄得枝斷幹折！

隱在樹下的幾人雖然久歷江湖，哪裡見過這等厲害的怪鳥？都不禁大為震駭，紛向四面閃避。

怪鳥見人散避，大尾急擺，順著衝下之勢一個急轉，鐵翅挾著勁風，追向幾人橫掃過去。

幾人一聽背後勁風呼嘯，本能地撲倒地上。

怪鳥雖然凶狠，應變機智究竟無法與人相比，強猛的衝疾之勢，一時收斂不住，掃切到一塊突立的巨石之上，一陣石崩土裂之聲，激得土翻石飛。

譚九成伏在一塊巨石之後，喝道：「快用暗青子餵牠……」

那怪鳥究竟是血毛之物，折樹崩石之後，兇焰稍斂，屈腿昂首，正待升空，忽然寒光點點，數種暗器，從四面八方射到。

這陣突然打來的暗器，似又激起牠的忿怒，一聲怪嘯，鐵羽抖擻，宛如沖天火炮一般，直向半空衝去。

怪鳥飛至半空，掉尾斂翅，再度衝下之際，忽聽遠處飄傳過來一陣輕微的金振玉鳴之聲。

怪鳥一聽這聲音，猛收住下衝之勢，伸頸怪鳴，向那盤旋在高空的怪鳥飛去。

那盤旋在高空的怪鳥，也和應了一聲，雙雙向西疾墜飛落而去。

「江北三龍」久隨「冷面閻羅」胡柏齡，此時胡柏齡已逝世，但他們已將對胡柏齡的一片忠心，轉對了谷寒香，這時已遙見「萬花宮」的紅牆，心中大為焦急，頓時顯得緊張起來，三人互望一眼，急步衝過木柵，奔出了石橋。

苗素蘭知他們三人勇雖有餘，謀卻不足，一見他們衝了過去，急得叫道：「三位不可莽撞，快……」

她說話之時，人已躍上石橋。

「江北三龍」也都依言停步，立在橋上。

苗素蘭站在橋上，回向麥小明招招手，說道：「小明，你過來。」

麥小明兩眼望著苗素蘭，走了過去。

苗素蘭忽然放低聲音，柔和地說道：「麥小明，前面就是『萬花宮』了，你好好的替大家領路，帶咱們前去搭救公主……」

麥小明略一遲疑，但再一與苗素蘭的眼光相接之後，才點點頭，領先走去。

鍾一豪看著麥小明的背影，微微怔了一怔！突然縱身躍前，說道：「麥小明，慢走一步，讓我來陪你……」

以快疾的步法追了上去，只聽他笑著對麥小明，道：「說不定咱們還可再來一次『刀劍合搏』……」

群豪也魚貫走上石橋，緊跟二人身後走去。

這條路，只有二尺寬窄，兩邊盡都是一望無際的花、樹，宛如走在花海之中一般。

麥小明突然回頭說道：「諸位腳下小心，不要踏到那些花樹……」

譚九成低頭看了看腳邊的花叢，泛現出一片迷茫之色，惘然問道：「難道這花木之中，還有什麼埋伏不成麼？」

麥小明冷冷地道：「哼！不信你就試試。」

群豪對麥小明都有一種莫測高深之感，聽他如此一說，當真不敢踏那花叢，腳下行走過於謹慎，速度便不由得緩慢了下來。

走了一陣，前面現出一塊廣大平坦的草坪，中間有一條青石塊鋪砌成的石板路。

這石板路的盡處，是一級一級白玉色的石階，石階上排豎著八根雙人合抱粗細的大紅柱。紅柱翠廊之後，是一堵雪白的粉牆，迎面兩扇朱漆銅環的大門。

大門拱頂，懸吊著一張墨底金邊的扁額。

扁額上三個二尺見方的金光耀眼的金字，寫著「萬花宮」。

這時天近黃昏，夕陽沉落山後，西天又泛出絢爛的晚霞，天際斑斕的彩雲，照映著遍山黛翠，滿地繁花，再加上深谷山嵐，只見眼前瀰漫著一片紫色的輕煙細霧。

千峰萬壑之中，晚風吹著山樹，遠近迴響，宛如海潮江濤一般。

風濤呼嘯，薄霧瀰漫，那「萬花宮」雖是建築宏偉，卻充滿著一種神秘、恐怖的氣氛。

群豪看了一陣，只覺得這壯麗的宮殿，陰氣森森，不由得都放慢了腳步。

鍾一豪和麥小明在前，走上石階，只見那緊閉的朱漆大門之前，橫栓著一條拇指粗細的金黃色的絲索。他環顧四周，打量了一陣，卻看不出這條絲索，有什麼作用？一時間豪氣油生，猛地抽出緬刀，翻腕一挑，直向那金黃絲索上割去。

麥小明瞥眼看他揮刀割索，立時臉色驟變，急急叫道：「不能動……」

呼叫之間，人也躍了過去。

但鍾一豪乃是猝然而發，麥小明發覺之時，那絲索已應刃而斷，他的呼叫哪裡還來得及阻止？待他躍到，那絲索已向牆內縮去。

麥小明一臉驚恐之色，似是自言自語，又似抱怨鍾一豪道：「糟了，馬上就有人來了……」他一言未完，只聽見半空中響起了一陣「嗡嗡」之聲。

站在廣坪口的群豪，聽得半空發出一陣音響，仰頭一看，只見屋頂之上，二座大的風輪，迎風滾轉，帶動輪上的風哨，發出淒厲的嘯聲。

原來這門前的絲索，正是那風輪的制鈕，控制著那風輪的扇頁，這絲索被鍾一豪割斷，風輪立時轉動。

鍾一豪也不禁一怔！凝注著麥小明，一時之間，竟是不知所措？

麥小明一雙眼睛，怔怔地望著宮門，人卻緩緩地向後退去。

忽然間「呀」的一聲，兩扇大門，慢慢地向兩旁開去。

鍾一豪聞聲警覺，閃身向側一偏，橫刀護身，兩眼中神光炯炯，盯著那慢慢開啓的大門。

環立的群豪閱歷豐富，一看大門自開，都不由登時向兩旁散開。

兩扇大門，慢慢開啓之後，卻無半點動靜。

群豪向裡面一瞧，只見裡面是一處庭院，兩旁是曲折走廊，庭院之後，則是重樓疊院，花木扶疏，只是光線幽暗，無法瞧看得清楚。

鍾一豪回頭看了群豪一眼，心中對這座「萬花宮」雖存怯意，但在眾人之前，卻又不甘現示出畏縮之態，雙眉微蹙，凝神沉思了一陣，突然冷哼一聲，邁步跨進門去。

余亦樂一見鍾一豪邁步走進「萬花宮」，知道此去定是步步危機，心中極是不放心，一擺手中銅鑼，道：「咱們是多年老搭檔，二一添作五，有生意還是合夥……」

說話時，人已緊跟了上來。

皇甫天長也不能示弱，躍身追了上去，口中道：「兄弟來陪陪兩位……」

三人進入跨院，地上一層厚厚的鮮苔，彷彿很久未有人行走過一般，雜樹深廊，顯得十分幽暗。

這時三人心中都存有警戒之心，所以走得甚是緩慢。

宮外的群豪，也都魚貫地跟了進來。

眾人越穿過庭院，跨上五級台階，眼前是一排落地長窗。

鍾一豪左手摺扇一點，當中兩扇長窗，應手而開。

群豪進內一看，原來是處極爲寬敞的大廳，只是窗門緊閉，竟似進了暗室、山洞一般。

大廳中間，高高地懸吊一盞琉璃長明燈，灑射出一片藍藍的如豆螢光。

群豪剛由明亮之地，進入黑處，是以一時之間，尚未看清廳內的陳設。

突然間身邊發出一聲淒厲的呻吟，只聽得群豪心中一駭，泛上一股寒意。

群豪都是武林道上，極負盛名的人物，進入黑室，略一定神，便能張目辨物，只見大廳兩側，蜷曲地臥了十多個人。

譚九成喝道：「你們是什麼人？」

麥小明此時神情，甚爲緊張，他連大氣也不敢出，猛聽譚九成一喝，似是吃了一駭，連忙低聲對苗素蘭道：「叫他們不要管地上之人……」

苗素蘭也不言語，跨前兩步，推開了廳後的房門，舉步跨了過去。

群豪見苗素蘭一走，也立即跟隨上去。

眾人越過兩重廳殿，到了一處拱圓門所在。

過了圓門，是一塊有畝許大小的人院，地上用一尺見方的白石，鋪成十字形的石道，通達四面，除了一端直達這圓門之外，另三條的極處，都是曲廊畫榭圍繞的高樓。

除了中間縱橫的十字道以及幾堆假山、幾叢花樹之外，地上盡是各式形態的石塊，織成參差交錯，曲折迴旋的道路。

群豪看了看三面的高樓，不知該向哪一面走去？一個個怔怔地呆在當場，大有不知何去何從之感？

突然間，兩側幽暗的走廊之內，響起了一陣「咚咚」「嗆嗆」的鼓鈴聲。這聲音，十分急

促，聽得群豪心煩氣躁。

群豪循聲望去，只見幽暗的走廊內，一陣人影蠕動，走出兩隊人來。

兩隊人，緩緩向中庭走來，只見左邊一隊十人，穿著彩褲，身披紅色披風，右邊十人，則是身披綠色披風。

這兩隊人，臉上全都塗著油彩，長髮披散，直垂腰際，左手執著一面小皮鼓，右手揮指輕輕敲拍。

每個人的腰肢之上都各生出一隻手，這隻手上，拏著一支銅鈴，搖發出「嗆嗆」的聲音。

這等畸形怪狀之人，出現在這幽暗，充滿森森陰氣的深宮之中，只看得群豪毛髮豎立。

群豪都是身經百戰之人，在「垂楊村」又曾與「萬花宮」的怪人交過一次手，是以一見這兩隊三手怪人緩緩走來，立時運集功力，排成一個半圓陣勢，蓄勢以待。

那兩隊三手怪人，鼓鈴齊鳴地走到庭中，分成「八」字形站定，目光齊注著群豪，口中發出「絲絲吱吱」的輕呼。

對峙有一盞熱茶工夫之久，也不見這些怪人有何動靜。

群豪之中，似已有人被那鼓鈴之聲擾得不耐，漸漸有人發出急躁的呼吸之聲。

就在這時，正中那座樓前的八盞七角紗燈，突然亮了起來！

兩隊怪人一見燈亮，手中的鼓鈴，更是加勁搖拍，在空曠的庭院之中，激起一種嘈雜無比的煩音。

只聽一陣隆隆之聲，那正廳兩扇大門，突然大開。

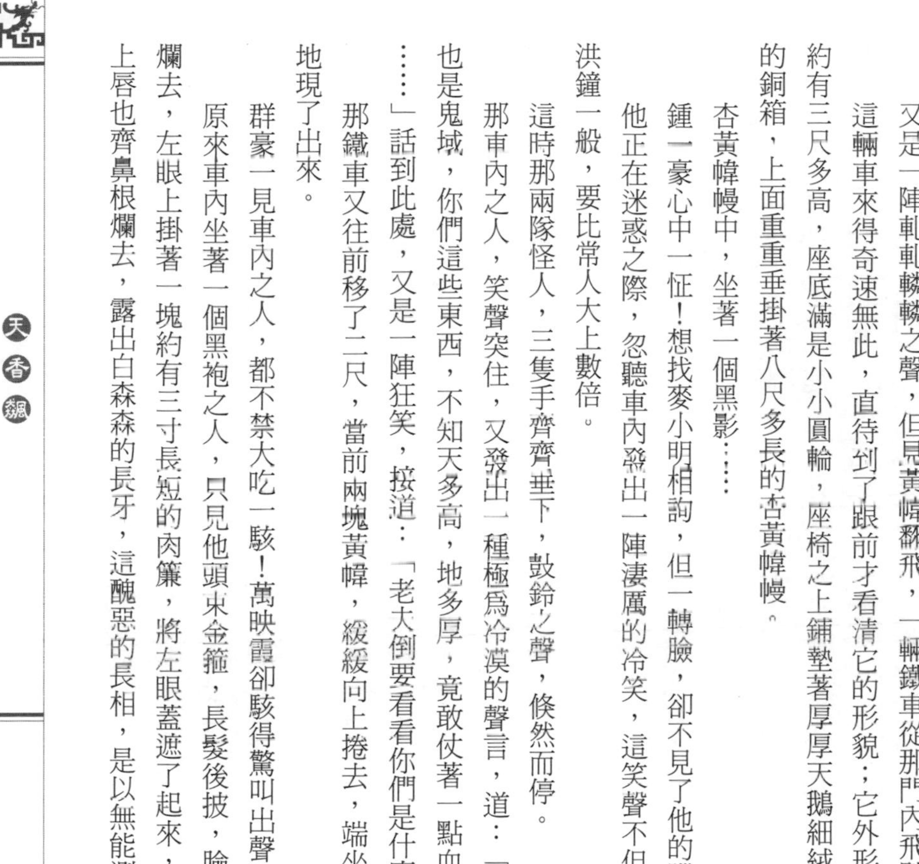

又是一陣軋軋轔轔之聲，但見黃幃翻飛，一輛鐵車從那門內飛馳而至。

這輛車來得奇速無比，直待到了跟前才看清它的形貌：它外形宛如一張圓形座椅，鐵座椅約有三尺多高，座底滿是小小圓輪，座椅之上鋪墊著厚厚天鵝細絨，座位前後裝置著一種特製的銅箱，上面重重垂掛著八尺多長的杏黃幃幔。

杏黃幃幔中，坐著一個黑影……

鍾一豪心中一怔！想找麥小明相詢，但一轉臉，卻不見了他的蹤跡。

他正在迷惑之際，忽聽車內發出一陣淒厲的冷笑，這笑聲不但是淒厲刺耳，而且聲音竟似洪鐘一般，要比常人大上數倍。

這時那兩隊怪人，三隻手齊齊垂下，鼓鈴之聲，倏然而停。

那車內之人，笑聲突住，又發出一種極爲冷漠的聲言，道：「天台『萬花宮』，是仙境，也是鬼域，你們這些東西，不知天多高，地多厚，竟敢仗著一點血氣之勇，擅闖我『萬花宮』……」話到此處，又是一陣狂笑，接道：「老大倒要看看你們是什麼三頭六臂的人物？」

那鐵車又往前移了二尺，當前兩塊黃幃，緩緩向上捲去，端坐車內之人的形貌，立時清楚地現了出來。

群豪一見車內之人，都不禁大吃一駭！萬映霞卻駭得驚叫出聲。

原來車內坐著一個黑袍之人，只見他頭束金箍，長髮後披，臉上疤痕塊纍，兩道眉毛亦已爛去，左眼上掛著一塊約有三寸長短的肉簾，將左眼蓋遮了起來，右眼大如鴿蛋，突出眶外，上唇也齊鼻根爛去，露出白森森的長牙，這醜惡的長相，是以無能測知他的年歲。

他左手扶在座前銅箱之上，右手執著一把銀絲拂塵，一雙手瘦骨嶙峋，有如雞爪一般。

他猛聽萬映霞一聲驚叫，心知定是見了自己形貌，驚恐過度，發出呼叫。這乃是他最爲痛恨之事，一翻突出的右眼，厲聲說道：「你們可曾見到老夫在石樑峭壁所留的警示麼？」

群豪雖都是膽識過人之人，但面對這怪人，也不禁全都有一股畏怯之意，一時之間，竟沒有一人上前答話。

獨眼怪人一見群豪對自己，不睬不理，心中似是甚爲不耐，掃視了一眼，道：「如若再無人與老夫說話，可別怪老夫……」

他說到此處，忽又改口說道：「爾等既敢無端進入我這『天台萬花宮』，老夫自然不用和你們多費唇舌了……」

皇甫天長聽他口氣狂妄，忽然記起侵犯「垂楊村」之事，又想起那貌若天人的「紅花公主」竟被這醜怪之人所劫，心中泛起一股怒恨之氣，當下冷哼一聲，邁步走了出去。

獨眼怪人喝道：「你是何人？」

皇甫天長這時氣憤塡胸，昂然說道：「你不用問我是何人，我來問你，我『垂楊村』與你『萬花宮』井水河水，互不相犯，你爲何無故相侵……」

獨眼怪人哪裡受人這般指責過，只氣得臉上疤塊抽動，厲聲喝道：「住口！」

皇甫天長心知此來不能善罷罷休，膽氣一壯，繼續說道：「『紅花公主』下榻我『垂楊村』，你全不顧武林規矩，犯莊劫人……」

獨眼怪人又怒喝道：「住口！」

這時江南群豪怕皇甫天長受襲，是以一個個都走上前來，環立在他身前身後，運功戒備。

獨眼怪人臉上疤塊又一陣搐動，突然呵呵大笑，道：「看不出你還有幾分膽量……」突然獨眼一翻，道：「在老夫面前，卻容不得你這般猖狂……」話至此處，右手往前一伸，銀絲拂塵，筆直點出，一縷勁風，直向皇甫天長前胸「神台穴」襲去。

皇甫天長要想閃避，已是不及，一聲悶哼，摔坐地上。

獨眼怪人點傷皇甫天長，立時激怒了江南群豪，一聲怒叱，已有兩人奔了過去。

獨眼怪人左手微微一抬，兩粒鐵膽，電飛射出，分向兩人擊去。

只聽兩聲悶哼，那飛躍上前的兩人，胸前各中了一枚鐵膽，張嘴噴吐出一口鮮血，翻身摔倒地上，當場死去。

譚九成情急之下，叫道：「用暗青子……」

群豪被他一提，立時暗器紛紛出手，齊向那獨眼怪人射去。

那獨眼怪人右手一旋，銀絲拂塵幻化出一蓬白幕，然後往內一收，竟將打來暗器吸在銀絲之內。

「劍栲雙傑」袁氏弟兄，揮劍舞栲，分從兩側猛襲那獨眼怪人。

那獨眼怪人右手拂塵往外疾揮，適才被吸在拂塵之內的暗器，應手而出，宛如滿天雨花，齊向袁達人射去。

袁達人萬料不到獨眼怪人會施出這一著，但覺眼前銀光閃耀，各式暗器，滿天星般地打來，要想讓避，已是不及，連哼都未能哼出一聲，就立時斃命。

獨眼怪人在右手外揮之際，左手也同時外揚，兩支三寸長短的小劍，一柄長有一尺的短劍，分二路疾向袁奉天射到。

袁奉天雙劍倏分，左劍「玉尺量天」，右劍一招「怒海砥柱」，分向三劍迎去。

疾射而來的三劍，突然中途一頓，勁勢立緩。

袁奉天舉劍迎封襲來的短劍，不料那劍的來勢卻中途突然一緩，他乃久經陣仗之人，對這等暗器的奔射之勢，竟能使之中途變慢，卻是罕聞之事，是以不由悚然一怔！

就在他怔神之際，手中劍招登時遲緩下來。

說時遲，那時快，猛然金光跳閃，那三柄劍，突然之間，快如流星，直向袁奉天射去。

待袁奉天發覺，驚叫一聲「不好……」，話音尚未離唇，兩柄小劍已直中雙目，另一柄短劍卻插在他心膛之上，他手中雙劍剛一拋出，人已倒地死去。

「江北三龍」中「多爪龍」李傑，性子最爲急躁，他一見那獨眼怪人，舉手之間，連斃四名江南武林道上的高手，他心中暗暗忖思：「要對付這獨眼怪人，不如大家一擁而上，聯手齊攻，打他一個措手不及。」

他乃粗率之人，想到就做，一擺手中虎頭鉤，大喝一聲，道：「咱們一齊上吧……」人卻當先衝了上去。

這一聲呼喝，立時起了作用，「飛天龍」何宗輝首先跟了上去，江南群豪除了譚九成在助皇甫天長療傷之外，其餘四人也各擺兵刃，一聲呼嘯，同時圍攻而上。

獨眼怪人一抛手中拂塵，雙手在座前銅箱之中，一陣揮動，口中冷冷說道：「我要你二人

的右臂……」

說時手向外一揚，兩柄柳葉薄刀，疾飛而出。

只聽「多爪龍」李傑、「飛天龍」何宗輝一聲痛呼，兩人身子半空一陣跳，撲倒地上，右臂已掉落身後。

獨眼怪人動作毫不遲慢，擲出兩刀之時，雙手又一陣揮動。

江南群豪中的四人，當先一人只覺眼前銀芒一露，雙眼如中刺芒，痛得在地上一陣翻滾。

那第二人只覺兩腿一麻，跌坐地上，兩條腿竟齊膝斷去！

隨後攻上的兩人，似是被一陣無形阻力，撞得連連後退，直被一棵大樹所阻，才擋住退勢。身子尚未立穩，兩根尺餘巨釘，已電快射到。

這兩根巨釘，挾著強猛的衝勁，趁二人後退之勢，適時而至，將兩人肩上琵琶骨對穿而過，牢牢釘在那大樹之上。

獨眼怪人眨眼之間連傷多人，心中似是大爲高興，不由發出一陣淒如鬼梟夜鳴般的笑聲。

鍾一豪、余亦樂雖然久在江湖行走，但像這獨眼怪人的武功，與出手傷人殘酷的慘狀，確是罕聞罕見之事，看得心中大爲駭然。

「江北三龍」情逾手足，「噴火龍」劉震一見李傑與何宗輝二人斷去右臂，將心一橫，已把自己的生死置之度外，一聲怒叫，道：「我老劉與你拚了……」雙筆一掄，直撲鐵車。

文天生與「江北三龍」相處較久，有著一種篤厚的友情，一見劉震爲友拚命，一時間豪氣如雲，抽出軟鞭，緊隨攻上。

萬映霞本是女孩子家，她對獨眼怪人傷人的毒辣手段，適才連看都不看一眼，但她與文天生乃是相依爲命的伴侶，這時見文天生奪身向前，自己也不知哪裡來的一股勇氣，手中扣著「燕尾銀梭」，也躍身追了上去。

苗素蘭、鍾一豪、余亦樂一見他們三人不計利害地攻了上去，自不能在一邊旁觀，也都一齊縱身而上。

這種局面，已成了孤注一擲之勢，以那獨眼怪人適才傷人的武功而言，只要他存了傷人之心，這幾人有立時被傷的危險！

就在這時，右側那緊閉的樓窗上，突然現出一片明亮的燈光。

那獨眼怪人也正待出手，突見樓窗燈光一亮，轉頭向樓窗望了一眼。

此時樓上「呀」的一聲，推開了一扇綠窗，谷寒香憑窗叫道：「都與我住手！」

她的聲音，雖然是柔美安詳，但卻似含有一種無上威嚴，不要說鍾一豪等，都停身正步，就是那獨眼怪人，也朝著她，翻了翻那突出的大眼，住手不動。

谷寒香喝住了眾人之後，推上窗戶，轉身入內。

片刻工夫之後，那右側樓下，朱門開啓，走出兩名手執紗燈的青衣小婢，另一名藍衫女婢，扶著谷寒香，緩緩走了出來。

萬映霞、苗素蘭等一見谷寒香走了出來，一齊奔了過去。

獨眼怪人喝道：「不許亂動……」

谷寒香望著那獨眼怪人，道：「這都是久隨我之人……」

獨眼怪人冷冷說道：「他們違我禁令，擅闖『萬花宮』，我要他們嚐嚐老夫『脫胎換骨』的滋味……」

谷寒香發出一聲嬌笑，道：「不自責私將我劫來『萬花宮』，卻反怪他們前來找尋於我……」她一眼看到李傑、何宗輝等人斷臂殘腿的慘象，長長地嘆了口氣，道：「這些人定是你所傷的了？」

獨眼怪人冷冷一笑，沒有言語。

谷寒香道：「他們雖違你禁令，闖入『萬花宮』，但他們是爲我而來，既要留在此地，我就不准你對他們妄加殘害，不然，你也休想我留下來……」

獨眼怪人看她說話的神態，甚是莊嚴，怔怔地睜著那隻怪眼，不知如何回答？停了半晌，他才在座面取過一面皮鼓，拍擊了兩聲，道：「把他們抬下去。」靜立兩邊的三手怪人，應聲走了過來，將倒臥地上之人，一齊抬入內去。

獨眼怪人一指鍾一豪等，道：「先將他們關起，以後再發落。」他看了谷寒香一眼，道：「不准爲難他們，好好款待……」

他語至此處，那冷漠的聲音忽然變得柔和起來，溫和地對谷寒香說道：「山風夜寒，咱們還是進內去吧！他們既是你的人，我絕不會給他們苦吃……」

谷寒香點頭微微一笑。

獨眼怪人見她展顏一笑，心中似是甚覺高興，探臂將谷寒香抱上鐵車，然後雙手在車上略一按動，發出軋軋一陣輕響，車下小輪滾動，但見黃幃飄飛，飛快地向內駛去。

谷寒香被獨眼怪人抱上鐵車，只覺一股腥爛的臭味，鑽進鼻孔，感到心中一陣難受，幾乎要嘔吐出來。

但她此時已與過去大不相同，她經歷過許多人間最痛苦、最殘忍，也最險詐之事，所以，她已能強壓下自己的心意，來適應各種環境，她知道這獨眼怪人是一個喜怒無常，異常冷漠，殘酷絕倫之人，只要一點極小之事，不能順遂他的心意，立時即將遭遇到極爲悲慘的命運。

獨眼怪人腰際爛瘡，發出的臭味使人難以忍受，但她卻強壓下厭惡的神情，倚著他坐在他身旁。

鐵車緩緩地駛入內廳，又經過兩重庭院。

谷寒香此時心中掛念著苗素蘭等人的安危，心中雖是十分憂急，不知怎樣安排才好，但神情上卻又不敢表露出來，所以一直默然不語。

獨眼怪人怔怔地瞧了她一陣，他臉上滿是疤痕，是以無法看出他的表情，但炯炯的眼神卻不時地在變化著。

他突然伸出骨節嶙峋的手來，抓住谷寒香的纖纖素手，神情很是激動。

谷寒香回眸看了他一眼，面上泛現出一絲幽怨的笑容。

獨眼怪人心中一陣悚然，彷彿覺得自己不該瀆犯於她，這時鬆開了手，低聲問道：「你不高興麼？」

谷寒香搖搖頭道：「不是……」

她停頓了一下，嘆了口氣道：「我不知道你把我的那幾個人怎樣了？」

獨眼怪人道：「他們既然是爲你而來，我不會爲難他們的。」

谷寒香嬌媚地笑了一笑，把身子又往獨眼怪人身上，倚偎了過去，道：「那你爲什麼不把他們放開呢？」

獨眼怪人被問得翻著那隻突出的大眼，卻答不出話來。

他怔了半晌，才道：「自然是要放他們，但眼下還不到時候……」

谷寒香聽得心中一動，不待他話完，接口問道：「不知你要什麼時候？才……」

她轉眼一看，見他神情肅穆正凝神沉思，並未在聽自己說話，一時不敢打擾於他，只好倏然住口不言。

這時車子忽然微微一陣顛動，同時眼前一明，現出一種鮮紅色的光亮。

谷寒香舉目一看，原來鐵車已駛進一處地下通道。

這地道乃是石塊所建，建築得甚是牢固高敞，兩側石壁之上，每隔一段，插有一支松脂火把，發出紅紅火光。

鐵車行馳在這地道之中，發出一陣轔轔聲響，這聲音迴應在這深遠的甬道之中，有著一股驚人心魄的恐怖感覺。

谷寒香悸動地問道：「你要帶我到什麼地方去？」

獨眼怪人對她相問之言，恍如未聞一般，直怔怔地坐在車上，呆呆出神，又似在思索著一

件重大的疑難問題一樣。

他長得原本醜凶已極，又在這種充滿陰森的地下通道之內，此時他更是神情木然，宛如一尊石像，木雕般坐在車上，更顯得鬼氣森森。

谷寒香心中愈來愈覺得可怖，為了打破這如沉死一般的沉寂，她壯了一壯膽氣，故意地提高聲音，道：「你對人竟這等無禮……」

獨眼怪人似被她說話之聲，驚醒過來，茫然問道：「你說什麼？」

谷寒香冷冷說道：「你此時心目之中還有別人麼？」

獨眼怪人對她這句冷漠的話，不但毫無惱意，而且甚為高興，忽然溫柔地說道：「我在想一件事。」

谷寒香此時已懂得許多對付人的手段，聽完獨眼怪人的話，只冷冷一笑，並不出言相問。

那獨眼怪人見她並不追問，心中似是意有未盡，頓了一頓，又繼續說道：「我在想這一件事，該如何對你言講……」

谷寒香漫不經心地道：「你的事都是奇奇怪怪的想法，我也不想知道。」

獨眼怪人把眼光凝注在谷寒香的臉上，停了片刻，才道：「此事與你有關……」

谷寒香道：「那麼你就說吧。」

獨眼怪人喃喃地道：「我自然要對你說的……」他此時神情，竟似中酒微醉一般，自言自語地道：「否則，我也不用把你劫到我這『萬花宮』了……」

谷寒香雖然不願與這奇醜的怪人多說話，但這時不由得生出一陣好奇之心，道：「你劫我

來此，就是爲了要對我說這件事麼？」

獨眼怪人搖搖頭道：「不是說這件事，我是要你依我一件事……」

他說到此處，忽然仰首一陣狂笑。

他笑得甚爲激動，只見他那疤痕纍纍的臉上，肌肉一陣抽動，笑音也漸漸發出抖顫之聲。

這時鐵車停在一道鐵門之外，獨眼怪人收斂住狂笑，銀絲拂塵迅快地擊向那鐵門旁側的銅環，微微往後一帶，銅環往下一沉，發生一陣隆隆響聲。

那道鐵門隨著隆隆之響聲，往上緩緩升起。

谷寒香忍不住問道：「你究竟有什麼事要和我說？現下你要到什麼所在？」

獨眼怪人沉吟了一陣，忽然變得很傷懷的樣子，憂然說道：「這件事，在老夫心中已留了多年，這地方也有許多年，沒有其他人來過。」

他頓了一頓，又道：「老夫只道此事在老夫有生之年，再也無能如願，誰知……」話到此處，倏然住口不言。

鐵車進入鐵門之後，轉了一個彎，眼前突然一片光亮，明如白晝，並有一陣淡淡的幽香，飄傳過來。

只見人影閃動，一個身軀佝僂的駝背老人迎了上來。

這老人面蒙黑紗，是以無法看清他的面貌。

獨眼怪人對他揮了揮手，他佝僂著身子，領前走去。

他雖是身體佝僂，腳下卻是極爲快速，行走了二十多丈遠近，還是一直走在鐵車前面。

來到一處雙扇的房門之前，那駝背老人晃亮火摺，點燃起門口兩盞緋紗宮燈，啓開朱門，靜靜地肅立門前。

獨眼怪人點點頭，揮揮手，似是叫他退出。

那駝背老人仰起蒙著黑紗的面，朝著谷寒香瞧了一眼，身子微微抖顫了一下，倏然低下了頭，轉身疾步走了出去。

獨眼怪人按機鈕，車上鐵桿與黃幔，立時折收起來。

鐵車一進房門，只見眼前珠簾一陣閃爍，恍如萬點繁星。

珠簾之內則是一間陳設華麗，芬香濃郁的臥房。

鐵車穿過珠簾，停在一張香木雕花的木床之前，獨眼怪人將谷寒香抱著送下車，指著桌旁的錦椅，叫她坐下來，然後自己縱身一躍，落在木床之上。

二人沉默了一陣，獨眼怪人方開口問道：「公主自來老夫這『萬花宮』，你可知老夫的心意麼？」

谷寒香望著他，搖頭淡淡一笑。

獨眼怪人點頭笑道：「此事如老夫不說，你自然無能得知……」

他說到此處，似覺沒有到正題，乾咳了一聲，接道：「老夫深居『萬花宮』，對江湖上之事早不想過問，但自你的艷名，由西域播傳到中土之後，老夫也有風聞，不過老夫還難以相信，這人間能再有像傳說中那等艷麗之人，哪知見你之後，竟大出老夫意料之外，老夫再三思

量，才帶你來此密室。」

谷寒香見他說了半天，自己依然不明他心中之意，不由嫣然一笑，道：「你說了半天，我還是沒有聽懂。」

獨眼怪人對谷寒香之言，恍如未聞一般，又自說道：「你可喜愛這座『萬花宮』麼？」

谷寒香不知他問這話究竟存的什麼用心？秋波微轉，緩緩說道：「這座『萬花宮』實在是美輪美奐，縱然是王侯府第，也不過如此了……」

獨眼怪人聽她這等讚美，似是大感快慰，立即接口說道：「如此說來，你是很喜歡了？」

谷寒香道：「你『萬花宮』雖好，我也不能就住在此。」

那獨眼怪人忽然面露慍色，沉聲說道：「你還想走麼？」

谷寒香嘆了口氣道：「我待辦之事甚多，才不遠千里自西域來到中土，自然是要走。」

獨眼怪人冷冷一笑，冷漠地說道：「你雖有許多隨行相護之人，不過那班人在老夫眼中，連三尺孩童也不如，老夫如若不放你走，你也是無能走脫。」

谷寒香道：「你這般強留於我，不知是什麼用心？」

獨眼怪人呵呵一陣大笑，道：「老夫要你永留『萬花宮』，陪伴老夫過這逍遙生涯。」

谷寒香聽得芳心一震，暗自忖道：「要我留在這『萬花宮』陪伴於你，豈不是伴著一個怪物在一起麼？」

她心裡雖然這樣想，臉上卻不動聲色，反而展顏媚然一笑，道：「要是我不肯呢？」

獨眼怪人嘿嘿一陣冷笑，道：「既進了老夫的『萬花宮』，你不肯也由你不得，哼！如敢對老夫有半點違抗，就要他身受分肢移臟之苦！」

他話到此處，似是覺著說得太過衝動，立即改口說道：「但對你，老夫絕不忍施出此等手段，只要你好好地聽從於我……」

獨眼怪人此時神情甚是大異尋常，滿布疤痕的臉上，泛現出一片深紅紫色，那隻突出眶外的獨眼，也發出異樣的光芒！倏然一聲不響，盯注在谷寒香的身上，一瞬也不瞬。

谷寒香一看他這般神色，心中感到一陣悚然不安，但此時身陷虎穴，而這獨眼怪人，武功奇絕，手段殘酷絕倫，心中雖然焦急，卻想不出脫身之計。

正當谷寒香芳心紛亂之際，那獨眼怪人突然由床上縱起，凌空一個旋身，已將谷寒香攔腰抱起，躍返木床之上。

獨眼怪人兩臂如兩道鐵箍，牢牢地摟住谷寒香，臉上滿是貪婪、醜惡的神情，看得谷寒香心頭泛起了一陣噁心，要想抗拒，已是無能為力。

但谷寒香原是冰雪聰明之人，又經歷了許多事故，在這千鈞一髮的緊要關頭，本能地生了一種應變的急智，她忽然嬌叱一聲，道：「你這般對待於我，到底是何用心？」

獨眼怪人恍如未聞一般，醜臉往谷寒香臉上湊去。

谷寒香被折磨得真想大哭一場，但她知道，此時此情，任她哭斷嗓子，也是毫無用處，她用盡力量，掙出一條手臂，揚手一掌，摑在那獨眼怪人的臉上！

獨眼怪人似是未料到谷寒香這猝然之舉，被打得怔了一怔！

谷寒香乘他怔神之間，厲聲說道：「你也是一宮之主，怎地如此無恥？」

她雖然貌如春花，但這時說話的神情，卻含有一種無上的威儀，那種艷若桃李，冷如冰霜的神情，使人一見，就產生出一種不敢侵犯的戒心。

獨眼怪人呆呆地瞧了她一陣，心中似是生出了一種羞愧之意，避開谷寒香的目光，說道：「唉！我是太喜歡你了……」

谷寒香「哼」了一聲，道：「縱然喜歡，也不該這等羞辱於我。」

獨眼怪人這時竟沒有一點凶殘之氣，長嘆了口氣，道：「你可知道我對你的一片心麼？」

他眼睛雖然盯注在谷寒香臉上，但目光卻是一片散亂，臉上也一片茫然之色，喃喃地說道：「我等了幾十年了，今天……」

谷寒香未待他話完，心中大感驚訝，接口問道：「什麼？你等了我幾十年了？」

獨眼怪人茫茫地應道：「不錯！多虧老天見憐，我這幾十年的心願今天才如願以償……」

他忽然發覺眼前之人是谷寒香，不由得泛起一陣宛如大夢醒來的驚異之色，失望地接道：「是你，原來是你……你太像她了……」

谷寒香看他失去常態的神態，心中油然生出一種奇念，同時，她知道這獨眼怪人，乃是一個殘酷成性、喜怒無常的怪人，適才自己在情急之下，摑了他一掌，不知他是否惱羞反目？懷著一種好奇與恐懼的心情，輕輕問道：「你說我像誰？」

獨眼怪人此時也平靜了不少，臉上那股貪婪、淫慾的神色，也已退去，他又看了她一眼，才道：「你跟我心中之人，長得完全一樣，但是老夫費盡心血，依然無法尋找得到，今天既然將你劫來，老夫要你代替她在這『萬花宮』相伴老夫，度享這有生之年。」

話畢，伸手在壁上一按，只見迎面牆壁之上一幅精繪的花鳥圖，緩緩往上捲去，現露出一幅古裝仕女的圖畫。

谷寒香舉目一望，也不由看得呆了一呆。

原來那畫中的美女，除了衣飾與自己不同之外，面貌、神態竟是無一不像。

谷寒香一面默察這張圖畫，一面心中暗暗盤算，她沉思片刻，轉臉瞧著獨眼怪人，道：「看你這般情形，你對她已是鍾情許多年了？」

獨眼怪人點頭道：「數十年來，一直未能相忘。」

谷寒香道：「你將此人看作何等之人？」

獨眼怪人道：「老夫將她看作瑤台仙女……」

谷寒香冷哼一聲，道：「我看你是心口不一！」

獨眼怪人道：「你怎說老夫心口不一？」

谷寒香道：「你既將她看作瑤台神仙，就不該生出那等猥褻之想！」

獨眼怪人臉上疤痕抽動，道：「老夫有生之年，如若不能一親芳澤，實是畢生的憾事。」

他頓了頓，接道：「但是畫中之餅，不能充飢，所以老夫許下心願，一定要找到一位與此畫神貌相若之人，要她常伴身側，以償老夫夙願，蒼天不負有心人，你果然真如畫中之人，所以老夫適才一時……」話至此處，似是不好再說下去，倏然住口不言。

谷寒香艷如春花的臉上，泛現出一片紅霞，低頭說道：「此事雖然不全怪你，但是此乃人生大事，自是不能視同兒戲。」

她說到此處，心中意念迴轉，許多事情一起湧上心頭，一時間心意紛擾，無法再說下去。

獨眼怪人見她話語溫和，不禁一陣心喜，忙道：「依你要如何？」

谷寒香心中默默一想，心知既然落在這種恐怖殘酷之人手中，未來命運，實在不堪想像，目前只有以話扣住他，苟延一時，再伺機而行。

她心意一定，伸手理了理耳邊鬢髮，又整了整零亂的衫裙，然後幽幽一笑，道：「你雖然喜愛那畫中之人，但我究竟不是她，日後……」

獨眼怪人未待她話完，搶著說道：「日後老夫也絕不會變心。」

谷寒香道：「你會不會變心，我現下也無從得知？不過你現在要苟且相亂，我是寧死也不能相從。」

獨眼怪人急道：「你……」他囚一時情急，說了一個「你」字，就沒再說下去。

谷寒香道：「依我看，你在武林道上，定也不是泛泛之輩，我也是一方公主的身分，如你果真喜愛於我，絕不可苟且亂禮，必須要隆重其事才行。」

獨眼怪人連聲應道：「老大依你。」

谷寒香搖搖頭道：「不是那麼容易，我要你答應我幾件事，如有一件不答應都不行。」

獨眼怪人急著說：「好，老夫全依你，你說好了……」

谷寒香微一沉吟，道：「如你真心喜愛於我，必須要明媒正娶，大禮要在兩個月之後，在這段時間，我要考查你對我是否真心？」

獨眼怪人道：「可以。」

谷寒香又道：「在這時間內，你要將『萬花宮』禁令解開，不得再殺一人。」

獨眼怪人道：「可以！還有什麼？你一起說吧。」

谷寒香又道：「大禮之時，我要請出三媒六證，以示慎重，同時，要你遍請天下各宗各派英雄，前來觀禮……」

獨眼怪人翻著那突出的怪眼，道：「老夫與外界之人，久無往來，何必……」

谷寒香冷笑一聲，滿臉嬌態說道：「我早知你並無真心……」

獨眼怪人見她一副幽怨情態，急急地道：「好，也依你，你可稱心了麼？」

谷寒香又道：「我早對你說過，我不遠千里迢迢，自西域來此，是有著一件切身大事。」

獨眼怪人爲了要討好於她，立即說道：「什麼事？只要老夫力所能及，一定爲你辦妥。」

谷寒香玉面一冷，神情肅然地道：「這件事，在我未對你說時，不准你出口相問，不過，這件事我還是有借重於你之處。」

獨眼怪人這次並不接口，只望著谷寒香，點了點頭。

谷寒香又恢復溫柔之態，道：「我們成婚以後，我在宮中陪你一年，我必須出去一次，清了我這件大事，事情辦完之後，再返回天台，與你同老此間，你可答應？」

獨眼怪人沉吟了半晌，點頭應道：「這也可以依你。」

谷寒香道：「不過我前去了斷此事，或恐遭遇險難，雖然有人隨行相衛，終是不妥，所以我要你在這段時間，傳我一些防身的武藝。」

獨眼怪人聽了，突然發出一陣呵呵怪笑。

谷寒香見他這等狂豪大笑，不知他是什麼用心？怔了一怔，惘然地瞧了他一眼。

獨眼怪人笑了一陣，握住了谷寒香的纖手，道：「放眼當今武林，能在老夫手下走過三招五式之人，哼哼，恐怕是數不出幾人，只要你肯應允於我，老夫傳你幾種絕學，保管你馳騁江湖，沒有人敢欺侮於你了。」

谷寒香聽得似十分神往，幽幽地說道：「你這話可是真的麼？」

獨眼怪人撫摸著谷寒香的玉手，輕聲說道：「老夫雖不是什麼大信、大義之人，但對你所說之話，卻是絕無一句誑語。」

他因爲臉上疤痕斑斑，說話之時，看不出什麼表情，但他說話的語氣，卻是極爲至誠。

谷寒香本是極爲善良之人，看他這時對自己竟是這般的至誠，心中也覺得很是感動，不由柔聲地對他說道：「我知道你對我很好……」

獨眼怪人聽她讚譽自己，心中大爲受用，握住谷寒香的雙手，竟發出一陣微微的抖顫，激動地道：「只要你相信我，我定會使你過得很高興。」

谷寒香溫柔地點點頭。

獨眼怪人見她這般柔順，似是極力的討她歡心，立即又道：「我一定要全力的把我生平得意的獨門絕學，傳授與你。」

谷寒香一雙秀目，望著那映在燈光之下，閃爍的珠簾，眼睛一瞬不瞬地在怔怔出神，彷彿在思索著一件重大之事。

獨眼怪人忽然發覺她並未全心聽自己說話，不由得搖了搖她的手，道：「你在想什麼？」

谷寒香「啊」了一聲，微微笑道：「我住在『萬花宮』雖是十分享受，只是太覺苦悶。」

獨眼怪人本想出口安慰於她，忽然覺得她的話確有道理，讓她住在這神奇陰森的處所，自然是難怪她苦悶難安了，而自己此時也實在無法安慰於她，所以倏然住口不言。

谷寒香似是對獨眼怪人，又似在自言自語一般地說道：「你如真的對我好，就該將來尋我之人，釋放出來，也好讓他們相伴於我。」

獨眼怪人脫口應道：「我明天將他們放出來就是。」

他忽然發覺谷寒香臉上微微泛現一絲倦意，又接道：「你定是累了！我送你回房去吧。」

谷寒香目光柔和地對他輕柔地一瞟，點了點頭。

獨眼怪人一按機鈕，那幅美人圖，立時又轉隱過去，他隨手抱起谷寒香，躍落在鐵車之上，按動機鈕，鐵車出了房門。那駝背蒙面老人，這時已迎了上來。

獨眼怪人停車向那駝背蒙面老人做了許多手勢。

那駝背蒙面老人，一面看著獨眼怪人在做手勢，一面卻又似斜仰著臉，在瞧望著谷寒香。

獨眼怪人一發覺駝背蒙面老人在注視谷寒香，突然臉色微變，但隨即又平復過來，一牽動機鈕，一陣軋軋聲響，鐵車已飛馳開動。

來到谷寒香住的繡閣，兩個小婢接迎進去。

獨眼怪人臨行之時，在谷寒香耳邊輕輕說道：「今日之事，不准對別人言講，尤其那張圖畫之事，更不可告訴任何人。」說完之後，才依依地離房而去。

廿一　捨身啖魔

次日午飯之時，女婢在桌上放置了三副碗筷。

谷寒香甚感驚訝，卻沒有出口相問。片刻工夫之後，婢女又捧上了菜飯。

不大一會兒工夫，房門開啓，傳過來一聲：「夫人……」與「嬸嬸……」之聲。

珠簾掀動，苗素蘭、萬映霞二人，雙雙走了進來。

谷寒香一見二人進來，起身分握著二人之手，半天沒有說出話來。

萬映霞兩手緊抓著谷寒香的手，叫了一聲：「嬸嬸……」秀目中滾動著濡濡淚光。

谷寒香微微笑道：「他們果真放了你們了麼？」

萬映霞點頭應道：「是啦……」

谷寒香道：「你們可知鍾先生、佘先生麼？」

苗素蘭道：「沒有看到他們。」

谷寒香見她們既不知鍾一豪等的情形，也沒有再問下去。

三人用過飯後，谷寒香把婢女打發去，然後把昨夜獨眼怪人種種情形對苗素蘭說了一遍。

苗素蘭沉思了半晌，瞧著谷寒香，道：「這老怪物既然這樣對你，他是絕不願輕易放過，

只是聽麥小明說過，他的脾氣甚是古怪，又是喜怒無常之人，以你來對付這種人，實在太使人擔心了……」

谷寒香道：「所以我要和姊姊商量……」

她說了這句話後，展顏微微一笑，道：「現在我比以前要強多了，要是以前遇上這等事，那真不知如何是好了……」

萬映霞道：「如今他肯釋放我們，對嬸嬸之言，倒是真的言聽計從……」

她話還未完，門口人影閃動，一個婢女走了進來，走到谷寒香跟前，低低的說了兩句。

只見谷寒香臉色一動，秀眉舒展，道：「快帶他們進來。」

那女婢出去之後不久，門外響起了一陣步履之聲，鍾一豪領先走了進來。

谷寒香看了鍾一豪等人一眼，道：「爲了我，勞你們冒這等大險……」

鍾一豪望著谷寒香，無比關懷地說道：「只怪在下等護衛不周，實是……」

他似是有著甚多的抱愧，這時見了谷寒香，一時之間，反而無法表達出自己的情意。

「江南雙豪」皇甫天長這時走上前，抱拳作禮，道：「在下兄弟，防範疏忽，實在於心難安，爲了公主，我兄弟特地率領了江南武林道上的朋友，前來『萬花宮』，就是爲了救公主出險，返駕『垂楊村』。」

鍾一豪眼睛掃了他一眼，冷冷「哼」了一聲。

皇甫天長看了看鍾一豪，臉上一紅，倏然不語。

谷寒香秀目緩掃，最後把目光投注在「噴火龍」劉震臉上。

「噴火龍」劉震立時說道：「他二人雖經那人療傷，卻還不能行動。」

谷寒香忽然「哎呀」了一聲，道：「怎樣不見麥小明呢？」

群豪互望一眼，都不知麥小明去處，是以一個也沒有說話。

萬映霞道：「我也很多時候未曾看到他了。」

谷寒香似是很為關心，幽幽地說道：「唉！不知這孩子一個人到什麼地方去了？」

她說話時，臉上泛現出一絲淡淡憂慮之色。

鍾一豪道：「他年紀雖小，但卻膽識過人，對這『萬花宮』也似甚為熟悉，量來不會有什麼差錯。」

谷寒香點點頭，勉強地微微一笑。忽然遙遙傳來一聲玉鳴金振的聲音。

一個青衣小婢，急急奔來，向谷寒香道：「主人請公主入內說話。」

谷寒香望著群豪道：「你們不妨先返回住處，我如有事，再著人前來相請。」說著又對苗素蘭道：「姊姊與映霞，可留此處等我。」說完起身扶著那青衣小婢出房而去。

谷寒香隨那小婢走入內室，見那獨眼怪人臉上蒙起一塊黑紗，盤坐在一張雕花木榻之上。

他一見谷寒香進來，用手拍了拍木榻的邊沿，示意谷寒香，要她就座，同時說道：「你要我辦的事，老夫都已照辦了。」

獨眼怪人生怕谷寒香不盡了然他話中之意，接著又說道：「隨護你的那些人，老夫已經盡皆釋放，要他們依然隨護於你，那些受傷的，老夫也免了他們受那移肝換臟的痛苦，代他們醫

療傷處……」

谷寒香溫婉地笑道：「多謝你啦。」

獨眼怪人又道：「老夫也下了令諭，『萬花宮』從今日起，不再殘殺一人，明日開始，我就傳授你的武功，你……」

他本想說：「你看我是多麼歡喜你。」但「你」字離唇之後，便住口不言。

谷寒香這時做人處事，處處仔細，見他住口不言，已知他的心事，婉然一笑接道：「你待我這樣好，我……」

獨眼怪人不待她話完，立即接口問道：「兩個月之後，你答允老夫之事，可不准反悔。」

谷寒香低聲道：「你放心好啦……」

她微微沉吟片刻，道：「但是婚禮之日，我要你遍請天下英雄之事，你也要一定辦到。」

獨眼怪人沉思了半晌，道：「只是老夫久絕江湖，怎能將武林英雄請來呢？」

谷寒香黛眉微鎖，幽幽地嘆了口氣，道：「我知道你……」

她似是有甚多的哀怨，臉上泛起了一層淒惋的不愉之色。

獨眼怪人急道：「不是老夫不依從你，只是老夫與外界素無往還，縱令老夫遍散喜柬，也是無人肯來。」

谷寒香又綻顏微笑，道：「難道就不能想個法子，要天下英雄聞訊之後，一定要來麼？」

獨眼怪人微做忖思，然後說道：「你可有什麼法子麼？」

谷寒香搖搖頭道：「我一時也想不出來，不過，隨護於我的那位余先生定能想出妙策。」

獨眼怪人一拍掌，那小女婢走了進來。

他急忙吩咐道：「快請那位佘先生來。」

不到一盞茶工夫，佘亦樂已隨著青衣小婢進來。

谷寒香道：「佘先生，我已答應嫁給此宮主人，但是我在婚事大禮這一天，要天下英雄都能來參加我們的婚禮。」

獨眼怪人接道：「但是老夫與外界絕少來往，不知這喜柬如何傳發？況且武林中人，與老夫毫無交往，縱然接到喜柬，也不一定就肯趕來，所以請先生想個妥善之策。」

佘亦樂聞言之後，臉上突然青一陣、白一陣，半晌沒有言語。

獨眼怪人沉聲道：「看你這種模樣，倒像滿腔忿怒，無從發洩？難道你們公主嫁給老夫，就真的受了天大的委屈不成？」

佘亦樂忽然昂首向天，放聲一陣狂笑，聲達戶外，良久不絕。

這一陣狂笑，充滿了譏誚意味，直激得獨眼怪人無名火起，舉起手掌，欲將佘亦樂擊斃。

谷寒香惶恐萬分，急聲道：「佘先生，你笑的什麼啊？」

獨眼怪人緩緩垂下手臂，道：「你膽敢在老夫面前賣狂，倘若說不出一番道理，且看老夫如何整治你？」

佘亦樂鎮定如恆，突然雙目炯炯，凝視谷寒香道：「公主，是否由於這位『萬花宮』的主人相貌有異，你不願嫁給他，因而提出柬邀天下英雄前來觀禮的條件，故意與他爲難？」

此言一出，獨眼怪人和谷寒香俱感一怔！誰也不知他講出此言是何用意？

余亦樂突然大聲逼問道：「公主，屬下是否道破了你的心事？」

谷寒香並不甘心嫁於獨眼怪人，獨眼怪人心中自是明白，此時被他公然點破，頓令兩人面上俱感到難堪。

她口中囁嚅，不知如何講才好？獨眼怪人心下不忍，轉向余亦樂道：「你在自家主人面前居然如此無禮？想必是欺她孤身弱女，平日拔扈已慣……」說著舉起右掌，便待施展辣手。

余亦樂只作不見，突然道：「公主，你是否傾慕此間主人的武功，甘心情願地嫁給他？」

谷寒香暗忖：「我要爲大哥復仇，捨此人外，哪裡去找武功更高的？」想著螓首一垂，低聲道：「先生說得不錯。」

余亦樂道：「那麼公主要天下英雄前來觀禮，是恐怕有人不知『紅花公主』業已嫁給『萬花宮』的主人了？」他咄咄逼人，直問得谷寒香玉面蒼白，嬌軀暗暗地顫抖。

獨眼怪人惑然朝她望了一眼，轉向余亦樂道：「你有話好好地言講，再敢無禮，老夫要割掉你的舌頭。」

谷寒香突然淚珠泉湧，暗忖道：「他明明是點醒我，不要讓人知道，胡柏齡的妻子已經改嫁他人，唉！我將自己看作『紅花公主』，其實江湖上的人眼睛雪亮，我曾與大哥一道參加北嶽大會，認識我的人豈在少數？」

只聽余亦樂亢聲道：「公主如果不願嫁給此間主人，咱們拚著一死，也不束手就戮；但若傾慕他的武功，甘願委身相從……」

獨眼怪人截口道：「她剛剛承認，甘願下嫁老夫，難道你的耳朵聾了？」

谷寒香抬起衣袖，抹了抹臉上的淚痕，道：「先生去吧！我已想明白了。」

獨眼怪人聽谷寒香言下之意，似乎業已改變心意，不再堅持柬邀武林人物，來此觀禮，不禁心頭一喜，如釋重負，遂向余亦樂將手一揮，道：「你今天以下犯上，肆無忌憚，照理本該處死。」頓了一頓，又道：「姑念你進言有功，而且老夫喜期將屆，不願沾染血腥，功過相抵，你速即去吧！」

余亦樂不再講話，朝二人各行一禮，轉身走出室外。

獨眼怪人伸手一撫谷寒香的玉臂，道：「此人有點江湖習性，故意裝模作樣，其實對你倒極忠心，所講的也是正論。」

谷寒香暗忖道：「我既然決心捨棄皮囊，謀取武功，為大哥復仇，怎麼又畏難不前，三心兩意，忘了自己的初衷？」

她愧疚自責之心一起，立即決定割肉餵虎，不擇手段，早日騙取獨眼怪人的信任，於是說道：「我已想通了，『萬花宮』世外桃源，何必讓那種市井之人涉足，而且……」

說到此處，淚痕未乾的面頰之上，突然飛起兩朵嬌艷欲滴的紅暈。

獨眼怪人見她自行就範，不禁喜心翻倒，握住她的一隻柔荑，連聲道：「而且什麼？嗯？而且什麼啊？」

谷寒香羞不自勝，忸怩道：「我既然決心嫁給你，兩月之期，也沒有什麼意義。」

獨眼怪人大喜過望，道：「對對對！老夫即日安排喜事，與你行禮成吉。」

第二日晚間，「萬花宮」華燈通明，細樂鳴奏，獨眼怪人與谷寒香草草行了婚禮。

喜宴之後，獨眼怪人用車載著谷寒香，走過一條長長通道，到了那座暗室之中。

獨眼怪人摟抱著谷寒香，他自是極度的喜悅。

谷寒香只覺得一陣中人欲嘔的腥臭之氣，沖入腦鼻，心中一陣血氣翻騰，想起眼下的處境，她不由得滾下了兩行珠淚。

她知道自己即將面臨的命運，心中暗暗的禱告，道：「大哥，以前的我，已經早就相伴你於九泉了，以後的我，已經不是以前的我了……大哥，谷寒香算已死了，以後活著的乃是『紅花公主』，但是，我要借那『紅花公主』來為你報仇……」

夜闌更深，除了鍾一豪、余亦樂、苗素蘭、萬映霞、文天生、「江北三龍」、皇甫天長、譚九成等人轉輾反側，無法入睡，和深藏山谷石洞之中的麥小明在癡望星斗外，天台山是一片靜寂。

自此以後，谷寒香刻苦自勵，日夕隨獨眼怪人習武。

這一日，谷寒香練完半套掌法，獨眼怪人極感滿意，道：「你資稟好，肯用功，進境神速，大出我意料之外。」

谷寒香淡淡一笑，道：「練上十年，也難及你十之一、二。」

獨眼怪人傲然道：「你果真能練得我十分之一，也就可以稱雄江湖了。」

乾笑一聲，又道：「想練到我十分之一，談何容易？」

谷寒香心中原就想藉機套出他的底細，這時乘機說道：「我自西域來到中土，一路之上，也曾遇到不少武林人物，雖然，論武功自然難望你項背，不過據我所知，當今江湖之上，各門各派，依然有身負奇學之人……」

獨眼怪人冷冷地道：「哼！不是老夫誇口，那批人螢火之光，如何能與老夫相比？」

谷寒香稚氣地道：「依你這麼一說，我的武功也不用學了。」

獨眼怪人茫然問道：「為什麼不用學了？」

谷寒香嘆了口氣道：「那些掌門宗師，哪一個不是窮數十載歲月，才有這等成就，你卻說人家不過是螢火之光，你想，我縱然學上十年、八年，也是微不足道的了。」

獨眼怪人搖搖頭，道：「武功一道，不能以此而論，這要看各人的稟賦、機遇了……」

他微微一頓又道：「學武練功，首重稟賦，如果一個人生非此材，縱是大羅神仙，也難令人脫胎換骨，如若此人得天獨厚，再遇良師，那就一日千里，別人費上十年時日，也不如他一年半載的成就。」

谷寒香微微斜過秀臉，問道：「你看我如何呢？」

獨眼怪人咳了一聲道：「你天生佳質，聰慧絕倫，假以時日，我敢保你在當今武林道上，無人能與你匹敵。」

谷寒香臉上泛現出一種訝異之色，道：「這話我有點不信？」

獨眼怪人怔了一怔，冷冷望了她一眼，道：「你難道還信不過老夫麼？」

谷寒香盈盈笑道：「我雖知道你武功奇絕，胸羅天人，但是你卻身罹惡疾，自己也無能醫

治，所以……」

獨眼怪人聽得哈哈一笑，道：「所以你就不信任於我，是麼？」

谷寒香默然不語。

獨眼怪人點頭道：「這也不能怪你，不過，你卻不知老夫此病的由來。」

谷寒香道：「你腰部毒瘡，終年膿血，不但使人難以忍受，其實，就是你自己，行動上也是大爲不便……」

她停了一停，又道：「還有你縱然武功蓋世，但是半身癱瘓，總難與常人相比。」

這番話，原是有傷人自尊之心，是以她說來甚是和婉。

獨眼怪人聽來毫無慍意，仰臉沉思了半晌，才道：「你我既成夫妻，我也不用相瞞於你，說起老夫的病疾，實是世界之上，無人知曉的秘密……」

谷寒香連忙地搖頭，道：「快不要說了，既是這等重要的秘密，我也不想聽了。」

獨眼怪人轉臉望了她一眼，道：「時過境遷，說將起來，如今，也算不得什麼秘密了。」

谷寒香心中雖想獲知他的秘密，但表面上卻是漠不關心，淡然地「啊」了一聲。

獨眼怪人思想了一下，似是想在思緒萬端之中，整理一個頭緒出來。

他想了一陣，緩緩說道：「四十年前，老夫在江湖之上，已是叮噹響的人物，但想不到一次卻挫在一個仇人手中。那時老夫年少氣盛，受此敗挫，自是難於甘服，爲了要洗雪一敗之恥，是以遠走邊陲，深入蠻荒……」

谷寒香自己也正是懷習藝雪仇之志，聽他一說，也不由得提起精神，問道：「中土乃是武

術發祥之地，名家高手，又不知有多少？你又何必跑那麼遠呢？」

獨眼怪人道：「你是只知其一，不知其二。在當時來講，老夫會過的高手，何止百人？但是真能叫我衷心折服之人，實在不多。同時我還有一種怪想，我覺得循正常學武之道，勢必要花去甚多時日，那時我的好勝心強，報仇心切，恨不得三、五日之內，就學得一身令人莫敵的奇學……」

谷寒香聽到這裡，不禁微笑出聲，心中暗道：「這倒跟我的心一樣了。」

那獨眼怪人也不理會於她，繼續說道：「那時老夫心想，如若循正途，不若走旁門，何不到邊陲之地，向番蠻野苗學那些下毒、施巫之術？所以這才遠走邊陲……」

他說到此處，略略一頓，道：「哪知凡事皆有機緣，想不到我在苗疆野區，竟遇到一位隱跡多年的前輩奇人，可惜的是，這位前輩此時卻是油盡燈枯，奄奄一息，不然老夫也就不致落得這等模樣了。」

他說到往事，仍是有著甚多的喟嘆，嘆了一口氣，但轉眼之間，神情又奮揚起來，道：「這也是我曠世奇緣，這位前輩，傳了我兩本書，但臨終之時，卻告誡於我，要我只學第一本，第二本千萬不可輕試……」

谷寒香心中一動，關懷地問道：「那麼，你依他的話沒有呢？」

獨眼怪人此時閉起那隻突出的人眼睛，鼻子裡，沉濁的「嗯」了一聲，道：「那位前輩死去之前，對我所說之言，宛如蟻語蚊聲，斷斷續續，老大無法聽得清楚，只能意會，他似是說他這一生所學，均錄在這兩冊書上，第一本是些拳腳、兵刃的奇招絕著，第二本乃是他窮數十

年的時日，尋覓到的許多秘術，但是其中有許多內功修練，除了苦練之外，尚需仰仗丹藥為輔……」

他說至此處，轉臉睜眼對谷寒香，道：「當我得到此書之後，這位前輩就氣絕而亡了，當初之際，老夫尚能自我警惕，只是閱練那第一冊上的武功，但是老夫乃是好勝心強之人，五年之後，老夫雖然報得前仇，但是浴血困鬥，勝來卻是大為不易，老夫突然覺得，憑我這等聰明之人，苦練五年，依然不能稱雄武林，看來武功一道，實在是人外有人，天外有天了，所以我就決心找一處人跡不到之處，參練那第二冊秘書。」

谷寒香「啊」了一聲，插嘴問道：「想必你就選中了這處天台山了？」

獨眼怪人點頭道：「不錯！我跑了甚多地方，又為了此山靈泉、異花甚多，是老夫修為之時，不可缺少之物，是以選了此處。但是老夫此時的心裡，十分複雜，既想練成天下無敵的本領，又怕自身練後，步那位前輩的後塵。老夫幾經考慮，還是決心謹慎從事，不求急進，慢慢探討，總算如願以償，老夫在一半之前，竟是極為成功……」

他呵呵乾笑了一聲，似是甚感得意。

忽然，他似問谷寒香，又似在自言自語地說道：「你知道老夫練的什麼？老夫練的既非金鐘罩，又非鐵布衫，卻就憑那種純柔之內勁，竟能使刀槍不侵……」

谷寒香暗中一怔！心裡暗暗說道：「你已練到刀槍不侵之境了！」

獨眼怪人，頓了一頓，又道：「人心不足蛇吞象，老夫練到這等武功，原該滿足，但是這位前輩的秘冊，就如深山寶藏，愈掘愈是珍貴，我愈看愈想練，是以又狠心練了下去……」

谷寒香是何等聰明之人，此時，心中又另有打算，心機已變得極爲沉深，她明知獨眼怪人說將下去，定然是練功入魔，她此時卻做出極是關懷之態，道：「你此時的武功，想已是蓋世無倫，何必還要苦練下去呢？」

獨眼怪人恨恨地嘆了口氣，道：「你不知道這種內功的奇妙，怎能相怪於我？」

谷寒香冷哼一聲，道：「難道還能長生不老麼？」

她說話時的神情，滿是嬌嗔與不屑之態，但暗中卻含有激逗的力量。

獨眼怪人本想不說，但被她一逗，不由得改變了心意，道：「這種武功練成之後，雖不說能長生不老，但卻能自控血液的流動，臟腑脾胃，均可由自己控制，到這種地步，此人便可不受寒涼、炎熱氣候的影響，也沒有饑飽、癢疼的感覺，更不怕病毒侵害，不過，在修練之際，卻先要受血氣返回，臟腑震蕩之苦，不幸老夫練了數年之後，一不小心，竟使血流不能歸經，是以落得這等模樣……」

谷寒香見他說到此處，臉色突變，毛髮賁張，她深知他原是喜怒無常之人，這時只是靜坐一旁，不理會於他。

獨眼怪人憤怒了一陣，才漸漸消平下去，又道：「老夫這半身癱瘓難起，自信是不難療治，老夫不但已學得移腑換臟之術，而且老夫已不需仰仗此等手術，即可自療，但是這腰際的瘡口，卻是不敢療治了。」

谷寒香看他此時神色已恢復了平靜之態，而且說話，也沒有忿怒之氣，是以又問道：「癱瘓難起都能使它痊癒，這小小創口難道還沒有辦法麼？」

獨眼怪人道：「不是無能治療，而是不敢療治。」

谷寒香怔怔地望著他，似是不懂他此話的用意？

獨眼怪人點點頭，道：「這也難怪你不懂，你可知老夫這個瘡口，乃是自己開的麼？」

谷寒香訝然道：「你自己爲什麼要把好好的肉，開一個創口呢？」

獨眼怪人道：「老夫練功走火，血流不能歸經，內氣不能外逼，此乃最爲危險之事，所幸老夫功力尙淺，並未因此斃命，只僅昏迷了三、五日，便好轉過來。但是血流既被功力逼反，卻無能再導它走入正規，循流周身一周，必然要沖動心腑一次。心腑受到激動，內氣就被壓動，這股不正常的血氣，既無能得到排洩，只得在腹內，四處亂竄，這種痛苦，絕非常人所能忍受！那時老夫五臟翻騰，周身如崩，恨不能剖開胸膛，將那股血氣放將出來，才覺舒暢，總算老夫聰明過人，在飽受痛苦之後，只得橫了心腸，在這腰部，開了一個小口，再用內功，將那股亂竄的血氣，導引體外，這才保得老夫之命，所以這個瘡口，雖然終日排出惡臭膿血，老夫卻是不敢治療於它。」

谷寒香聽得點點頭，說了聲：「原來是這樣……」她說了一句之後，忽然「啊」了一聲，道：「萬一有人將你這個創口堵塞起來，豈不是……」

獨眼怪人哼哼一聲冷笑，道：「要想作弄老夫，豈有這般容易？何況老夫致命的『罩門』在旁的地方……」

他好勝心強，在谷寒香面前，又有著炫耀自己之心，竟趁興而道：「老夫雖然練功走火，但若以當今之世而論，老夫可稱宇內無敵了，這創口對老夫生命，雖是關係重大，但老夫唯一

的致命『罩門』，卻在另一個極爲隱秘之處，除了老夫自知之外，無一人能夠知道……」
谷寒香心頭怦怦亂跳，瞬息之間，暗自打定了欲擒故縱的主意，未待他話完，急急阻道：「你快不要說了，我不要知道這等重大的隱秘……」
獨眼怪人忽然柔和地說道：「你既嫁與老夫，結爲夫婦，古語說得：『夫妻好比同命鳥。』老夫這致命之處，對其他之人，自然是不能洩漏，對你說說，又有何妨？」
谷寒香搖搖頭，道：「話不是這樣說，承你之情雖肯將此等重要之事，相告於我，這也足見你對我之厚，但是此事與你關係極爲重大，如若我知道此等隱秘，將來萬一有個疏忽之時，洩露了出去，那可是畢生抱憾之事。」
獨眼怪人聽她這一番理論之後，忽然呵呵大笑，望著她連連點頭，雖然無法從他臉上，看出他的心情，但由他那動作上看來，似是甚爲高興。

這一日，谷寒香練罷武功，返回暗室，正巧那看守通道的駝啞老人不在，她便逕往內室。
但見朱門緊閉，她叩了兩下，不見有一絲回音，她知獨眼怪人每日此時都是留在此間，絕不會外出，此時竟毫無動靜，心中想道：「難道像他這等異人，此時會睡覺不成？」
正待返身欲走之際，朱門呀然而開，獨眼怪人端坐床榻之上。
谷寒香進門之後，只見那活動的暗壁，正緩緩合去。
獨眼怪人看了谷寒香一眼，道：「你可知道那暗室之內，藏的是什麼？」
谷寒香搖頭道：「別人之事，我從不過問。」

獨眼怪人翻著一隻突出的怪眼，怔怔地瞧了谷寒香一陣，口角微微張動了兩下，似有話想說，但隨即又默然不語。

停了半晌，似是忍耐不住，忽然道：「你對老夫，可以稱得上『賢順』二字了。」

他這話說得沒頭沒腦，谷寒香聽不出他的用意何在，只微微笑了一笑。

獨眼怪人又道：「老夫一生心血，盡在此室之內，你如對老夫始終不渝，自有你的曠世奇遇，如若不然，老夫大去之日，也就是此宮毀滅之時，老夫絕不願讓人佔去絲毫便宜。」

谷寒香聽了這幾句話，覺得答也不是，不答也不是，茫然地望了他一眼。

這時那駝啞老人走了進來，跟獨眼怪人比劃了幾下手勢，又退了出去。

獨眼怪人藉機將適才這種尷尬場面，遮掩過去。

谷寒香知他是多疑之人，但她卻依然不露形色，每日晨昏，替他穿衣脫衫之際，小心探查穴道。

轉眼三天過去，谷寒香試遍了獨眼怪人身上的穴道，依然毫無收獲。

這日下午，谷寒香一個人倚窗閒眺，只見樹梢一隻雀兒，將頭鑽在翅翼之下啄毛，不由心裡一動。

第二天清晨爲獨眼怪人穿衣繫帶之時，谷寒香手指順勢往他左腋之下，輕輕一觸。

獨眼怪人左臂迅快地往下一沉，對谷寒香望了一眼。

晚間谷寒香又藉機戳了一下。

那獨眼怪人右手一攔，谷寒香被震摔坐在地上，只見他臉上滿佈怒色。
谷寒香心中已然有數，表面之上，卻幽幽地道：「你怎麼啦？」
獨眼怪人見谷寒香一派幽怨之態，心念一轉，臉色又緩和下來，忽然呵呵笑道：「老夫雖然練有武功，卻是有一個怪毛病，這腋下、腳心，從小就怕呵癢，只要別人一碰，老夫就忍癢不住，是以適才你碰了一下，老夫就受不住了……」說罷，又是一陣大笑。
適才谷寒香觸及他腋下，他臉色陡變，本想發作，但忽然想起以前自己提及這處隱秘之時，谷寒香卻力予阻止，此時雖然觸及自己隱秘之處，看來似是出自無意，對自己這等粗暴的舉動，一時之間，頗為後悔。
他心念一轉，立時突換笑臉，一面說，一面躍身將她扶了起來。
谷寒香見他這等神態，已知自己所料不錯，但她表面之上，依然是一片茫然、幽怨之色。
獨眼怪人凝神注視了她一陣，愈悔自己出手孟浪，是以也顯出了一種不安之態。
這日午後，谷寒香與苗素蘭、萬映霞三人，一時興起，在一起演練了兩個時辰的武功，回去之後，獨眼怪人道：「你一臉汗水，不知做了什麼吃力之事？」
谷寒香見他和顏悅色相問，心內靈機一動，故意嘆了口氣，嗔然道：「不用說啦！」
獨眼怪人看了她一眼，茫然道：「難道你有什麼不如意的事麼？」
谷寒香故意沉默了片刻，才賭氣道：「我看，我這武功也不用學了。」
獨眼怪人似覺十分奇訝，道：「老夫不知你說此話是什麼用心？」

谷寒香氣得一轉臉，道：「你說你武功冠絕當今，可是我跟你學了這久時日，哼！連映霞我也竟無能勝得了她，這還有什麼可學的……」

獨眼怪人怪臉聳動，笑道：「原來爲的這等小事……」

谷寒香忿然反駁道：「在我乃是大大重要的大事，你怎能說是小事？」

獨眼怪人道：「我本就對你說過，武功一道，既要天賦，又要名師，絕非一蹴可成之事……」

他見谷寒香爲此事生氣，原想婉言勸慰於她，但說到此處，再看谷寒香，卻是怔怔地憑几而坐，對自己所說之話，竟似充耳不聞一般。

他對谷寒香真是萬分喜愛，所以才事事順從，這時見她滿臉氣憤、嬌嗔之態，一時間，竟無法再說下去，但他心中，又極想善言相勸，這種情形之下，只急得他怪眼亂翻，不知所措。

谷寒香暗中留意他的舉動，見他果然被自己作弄得不知所措，心中不由暗暗地笑了一下。她忽然轉臉對著獨眼怪人，輕嘆一聲，幽怨地說道：「這事只怪我天賦太差，也怨不得你，你也不必如此焦急了……」

獨眼怪人睜著一隻突出的大眼睛，沉思出神。

停了半晌，他才似由夢中醒來一般，冷漠地道：「你不要爲此事難過，老夫定要爲你想出一個法子來。」

谷寒香歉然一笑，道：「我雖知你學貫天人，但這等之事，還有什麼法子可想呢？」她說罷，又低低嘆息了一聲。

獨眼怪人滿臉疤痕的膚肉，渾渾抽動了一陣，那隻突出的大眼，暴射出懾人的光芒，忽然展舒兩臂，重重一擊，道：「人定勝天，老夫倒要不惜試它一試。」

說罷轉臉對谷寒香道：「你是否真的要想學成一身絕世的武功？」

谷寒香嫣然笑道：「自然是真的了，世上的人，哪個不想呢？」

獨眼怪人鼻中又沉沉「嗯」了一聲，道：「好，老夫問你能否吃得了苦？」

谷寒香不知他這話的含意，茫然問道：「但不知要我吃什麼苦？」

獨眼怪人面容一整，一片肅穆地道：「老夫潛心鑽練了數十年，但也煞受了數十年之苦，如今老夫要用另一種方法，將老夫這身絕學，化用一周時間，傳授與你。」

他頓了一頓又道：「老夫此舉，乃是與天爭勝，究竟能否人可勝天，尚在未定之數？不過，你卻要先嘗受七七四十九個時辰的血肉之苦……」

谷寒香泛現出一片堅毅之色，冷肅地說道：「只要你真心相傳，慢說七七四十九個時辰，就是七七四十九日又待何妨！」

獨眼怪人冷漠地道：「你不後悔？」

谷寒香淡淡地笑道：「我學武並不是想爭勝江湖，只是想試試看，我是不是不如別人？所以，縱然吃些苦，也是自相甘願的。」

獨眼怪人霍然一躍而起，凌空在櫥架之上，取過一瓶藥丸，交與谷寒香道：「老夫這等傳授武功，乃是武林之中，從未有過之事，也是老大一種大膽的嘗試，能不能成功，或是半途功敗垂成，都要看你的造化了，今晚你且將這瓶裡的藥丸，服用六粒，明早老夫就爲你用內功強自打通『任』、『督』二脈。」話完，閉目而坐。

谷寒香心中一陣莫名的激動，不知是喜？是悲？是禍？是福？只覺得渾身血液奔流加速，一時間，竟無法控制自己的情緒。

她帶著一股緊張的心情，將此事告訴苗素蘭。

苗素蘭微思了一陣，很憂慮地道：「老怪物心地陰毒，不知會不會暗中耍什麼花樣？況且依他所說，要身受四十九個時辰之苦，想妹妹這般嬌柔，如何能抵受得住？」

谷寒香冷冷的一笑，道：「與其終日生活於惶惶不安之中，倒不如求一速決，是生是死，我已不予考慮，不過看他的神情，也不致會有什麼陰謀。」

苗素蘭點點頭道：「妹妹說的也是，只是苦了你啦！」

谷寒香婉然而淒清地笑了一笑。

苗素蘭凝神沉思了片刻，握住谷寒香的手道：「到時候，我們自會設法守護於你。」

谷寒香道：「我要走了，姊姊雖可將此事告訴余先生和鍾一豪，但千萬叫他們切不可輕舉妄動，以免誤事。」說完之後，逕自轉回房去。

臨睡之前，獨眼怪人看著她服下藥丸。

谷寒香不知這種丸藥究竟有什麼作用，是以服下後，靜靜地躺在床榻上，等待藥力變化。

不知什麼時候，她卻在等待中靜靜地睡了過去。

夢境裡，只覺周身輕飄，恍如一只風箏，在輕柔的春風吹盪中，飄飄搖搖……

又彷彿身在一葉扁舟，浮漂在萬頃柔波之上，順水流去……

只覺得渾身有著一種無比舒泰的感覺，她乏力地睜開秀目一看，但見獨眼怪人，雙手正在自己左腕脈門之上，輕輕推動。

獨眼怪人雖然全神一意地在推動，但他依然注意著她的反應。

這時見谷寒香微睜秀目，未待她開口說話，立時輕聲說道：「你不要開口……」

谷寒香見他不叫自己說話，臉上泛現出一絲茫然之色。

獨眼怪人似是為了解除她心中的疑惑，道：「老夫先打通你的外六經，使流血歸心入經，到了正午時，老夫就要使流血逆轉……」他話到此處，倏然而住，低頭用心推拏。

谷寒香又在舒泰中沉沉睡去。

到了巳末時刻，獨眼怪人叫那蒙面駝啞老人在房中生起了一爐火，火上置了一只古銅青鍋，鍋內沸滾著一鍋沸水。

獨眼怪人拍醒了谷寒香，叫她盡去內衣，然後，他用兩塊長大的絨布在沸水中煮浸了片刻，取出氷涼了一下，便將這溫濕的絨布，覆蓋在谷寒香身上。

他此時也將外面長衫脫去，對谷寒香肅然地說道：「現在老夫要替你用內力強打通『督』脈，這種苦卻是極不易忍受……」

他本米還有話要說，但低頭一看，谷寒香一臉肅穆之色，立時住口不語。

谷寒香閉上雙目，想把一切之事盡皆忘去，也不思索即將領受的痛苦。

臥龍生 精品集

獨眼怪人靜坐調息，到了正交午刻之時，他長長吐出一口氣，左手按谷寒香「命門」大穴，右手迅快地點了她身上「督脈」的九處要穴。

谷寒香陡覺身子往下一沉，宛如由千仞高峰，跌落萬丈深淵，心中一陣絞痛，大有胃翻腹斷之勢，身上冷汗如淋，頭上汗珠如豆，滾滾而下。

痛苦難熬之中，又覺得似有一條燒紅的鐵鏈在周身抽打，打到一處，即有一陣炙熱難堪的感受。

不消一盞茶工夫，她已慘叫一聲，昏了過去。

她人雖然昏了過去，但這種難熬的痛苦，卻絲毫並未減輕。

獨眼怪人點拏一陣，又換上一塊絨布，又坐息片刻，這樣循環地忙到子時才休息。

到了次日午時，谷寒香身子剛稍稍平靜，獨眼怪人又走來道：「你覺得如何？」

谷寒香如生了一場大病一般，渾身無力，只微微點了點頭。

獨眼怪人道：「你『督脈』已通，如今老夫還要爲你打通『任脈』，到了明天，這『任、督』二脈接通之後，再與你通全身十二關竅，你能把這七七四十九個時辰熬受過去，就成功了一半……」

谷寒香似是甚爲感激，無力地瞧著他，悠悠地笑了一下。

獨眼怪人道：「你將身子翻過來，伏身而睡。」

谷寒香依言，伏下身子。

獨眼怪人右手抵谷寒香後心，左手疾揚，輕拍她「天府」、「地泉」二穴。谷寒香身上一冷，打了一個寒顫，張口想喝叫，但聲音尚未出口，渾身一陣痙攣，肌膚收縮，竟似跌進冰窖之中一般。

一陣酷寒之氣，像利刃一樣，刺膚侵肌，直鑽肺腑。這陣奇寒嚴冷，是她從未經過之事，只覺得口唇僵硬，牙齒粉碎，肌膚片片崩裂，遍體骨節，也似寸寸碎斷，一種說不出的難受，內外交相侵襲。

獨眼怪人以他多年潛修的一種至陰至柔的內家勁力，一連打通了她「任脈」一十二處要穴之後，翻身取出一只深埋地下的瓷罈。

這罈中乃是藏得終年不見陽光懸岩上的積雪，和無根的山泉。這兩種水乃是一種最陰、最冷之水，即在六月伏天，只要飲下一滴，立時涼透心腑，有趨炎祛暑之功。

獨眼怪人取過瓷罈，傾出一杯，左手捏開谷寒香牙關，將雪露冷泉，緩緩地灌了下去。谷寒香本已覺遍體冷得難以支持，這時又被灌下一杯世上最涼的雪露冷泉，就彷彿一把冰刀，直插心底，只覺得驟然一驚！丹田元氣，立時鬆散，張口呼吸，竟如游絲一般地微弱。

獨眼怪人又取了一粒紅如火丹的丸藥，灌服下去。

這粒丸藥乃是硃、砒等幾味最熱之藥調製，但谷寒香服下之後，也只發生了很少的作用。

直到了第二天午時，身上的寒熱方始恢復正常。

獨眼怪人也因耗去了甚多內力，靜坐養息直到此時，才醒了過來。

他醒來後，見谷寒香面色已回復原狀，扶她坐了起來，教她「周天運息」之法。

谷寒香依照獨眼怪人所授的方法，將「周天運息」之法，坐練了一個對時。

這乃是一種內家至上的修爲之法，她坐息一天一夜後，臉上漸漸泛現出了光輝，精神也極是舒泰。

獨眼怪人道：「你可覺得其中的妙處？」

谷寒香點點頭，吁了一口長氣，雖未答言，但神態之間，卻表示出欣愉之色。

獨眼怪人查對了一下時刻，道：「所幸老夫第一步的嘗試，未曾落敗，你的『任、督』二脈已然貫通……」

他微微一頓，又肅然說道：「你不要小覷打通『任、督』二脈的重要性，要知武林之中，能打通這『任、督』二脈之人，尚是不多，你雖然熬受了這兩天的奇寒酷熱之苦，但是在習武的進展上來說，你已超越了他人十年、二十年的時間……」

獨眼怪人說到此處，沉思了片刻，接道：「不過老夫所授你之武功，乃是我數十年痛苦所得的一種奇學，你『任、督』二脈雖通，如學其他內功，已是綽有餘裕，但是若要學我這種奇學，還是不夠，是以，老夫要大膽地再嘗試一件史無前例，武林從未有過之事。」

谷寒香茫然地看了他一眼，悠淡地笑了一笑。

獨眼怪人疤痕累累的臉上抽動了幾下，也看不出一絲表情，語氣極是堅定地說道：「老夫數十年來，爲了修習此一奇功，身受血脈逆流之苦，今天老夫要以自身功力，使你能令血脈逆流，但要免去此等難以忍受的痛苦，這等之事，雖是史無前例，但我自信有十分的把握，不過老夫行功之時，你可要強自忍耐。」

他原是冷僻異常之人，對谷寒香已算是盡了最大的情愛，此時乃是緊要關頭，他也不待谷寒香說話，立時伸手點了她二處心臟要穴，順手反拏，扣住她雙腕脈門，丹田運氣，功行雙臂，一股凌厲無倫的勁道，透過十指，直傳入谷寒香體內。

不到一頓飯工夫，谷寒香只覺如大旋地轉，山崩海嘯一般，全身經脈竟似粗脹欲炸，五腑翻滾。

獨眼怪人圓睜那隻突出的大眼，全神凝注在她的身上。

谷寒香宛如捶心絞腸一般，身子一振，本想翻滾，但獨眼怪人這時手肘往下一沉，就藉這一沉之勢，已點了她的穴道，使她無法轉動。

獨眼怪人雖然武功奇絕，但這等施爲，乃是他一種大膽的嘗試，而且這種嘗試乃是加在自己平生最爲愛憐之人的身上，是以顯得極是緊張，那醜怖的臉上已滾動著豆大的汗珠！

谷寒香由於內心痛苦難耐，已經面無人色。

獨眼怪人連續行動，將她的血脈逼得逆流了四個時辰，直到亥盡子交之際，才令她再依「周天運息」之法，調元歸本。

子刻過後，谷寒香才由痛苦中解脫出來。

獨眼怪人拭去汗水，長長吁了口氣，道：「你這七七四十九個時辰，已算是熬受過去，老夫這初步之事，也可說功德圓滿，現在你『任、督』二脈既通，又打通了血流逆順之道，你已盡得老大真傳，只是火候之差而「……」他說到此處，由秘牆內取出一個琉璃瓶。

這瓶也不過四寸多高，裡面滿盛清透藥水之中，浸著一株金紅的小草。

獨眼怪人左手托瓶，右手指著瓶內小紅草，道：「此草乃是昔年老夫在邊陲所得，當地山苗，稱它是『遊夢草』。不論人、畜，吃了此草之後，必定陷入一種半睡半醒之境，恍如夜魂夢遊之人一般。」

他頓了一頓，十分珍惜地道：「不過此草乃人間奇珍，老夫生平也不過僅有這一棵。」

說到這裡，拔開瓶塞，用竹箝取出「遊夢草」。

那草一離瓶，立時枯萎。

獨眼怪人迅快地放入一支瓷缽之中，又參放了幾味粉藥，研碎拌勻，搓製成一粒圓圓的丸子。遞給谷寒香，道：「你將此丸吃了下去。」

谷寒香接了過來，依言服了下去，然後笑問道：「你難道要我作夢不成麼？」

獨眼怪人也笑了一下，道：「老夫要盡三日之功，傳你一些奇絕武功，但是人生才智，極是有限，三日的工夫，你哪能學得許多？所以，老夫要借助這奇珍的藥物之功，以遂你願。」

谷寒香聽了甚覺訝異，正想啓口相問，突然生出一股睡意，頓覺心神一鬆，頹然倒臥床榻之上。

獨眼怪人盤坐榻上，伸手在谷寒香身上，前點「神府」後點「龍池」。

谷寒香兩處穴道被點，渾身一動，打了一個寒顫，兩眼緩緩睜開，惺忪地向四周掃了一眼。

這時室中，高懸著兩盞紗燈，燈內紅燭熊熊，遍室都滿溢著一種迷濛的橙朱金黃之色。

谷寒香舉手揉了揉秀目，悠悠地坐起身子。

獨眼怪人閉目斂神，恍如入定老僧一般。

谷寒香自經他打通「任、督」二脈，逆迴血流之後，此時心靈似已與他心靈相通。

獨眼怪人決心在谷寒香服過「遊夢草」之後，處身在半睡半醒的遊離狀況之下，用自己心靈感應的力量，將自己的武功傳授於她。

他心裡電一般地閃過一套武功。

這武功乃是最為迅快的身法，走動之時，能令敵人無法追及，用以避閃，實是第一等的武學，較之武當的「七星步」尤為神妙，這原是他自己參悟而來，並無一定名稱，此時，他替這種步法定了個名字，叫做「摘星步」。

獨眼怪人斂神靜坐，用靈思心語對谷寒香，道：「老夫傳你一種『摘星步』……」

接著他心念裡，像閃電般，幻湧起「摘星步」的步法。

谷寒香隨著他心念裡的幻象，舉步在室內，按步游走。

這「摘星步」乃是以八卦方位研創而出，每一方位計共六步，這六步之中，又分正三步、反三步，合共起來是六八四十八步。

獨眼怪人用漫步法，授過「摘星正步」，又教她走了兩遍怪步，然後才授她「摘星反步」。

谷寒香把正反「摘星步」又練了數遍，已是費去了甚長的時間。

獨眼怪人讓她休息了一段時間。

此時，已是上燈時光，獨眼怪人在室中四處的牆上，高高低低地燃插了許多細細的香支。

獨眼怪人將香支插妥之後，在桌上放置了一盒細如牛毛的銀針，然後用心意指揮谷寒香起身取針。

他教了施用暗器之法，不到三更，已將正射、側射、轉身反射各種打法，全部傳授於她。

第二日清晨，獨眼怪人將當今武林道上，九大門派的武功源流、要義，摘精擷華地，用心傳之法，向谷寒香解說一番，並將各派搏敵常用手法，以及一些絕招奇學詳盡地演說了一遍。同時又將一些不傳之秘的口訣，教授於她。

獨眼怪人心裡默想一句，谷寒香也隨著默唸兩遍，一日一夜之間，谷寒香不但對各門派武功門徑盡皆了然於胸，而且那些不傳之秘的口訣，也都牢牢熟記心中。

第三日，獨眼怪人又盡一日之功，將得自那冊秘笈上的一種「三元九靈玄功」相授於她。

這「三元九靈玄功」乃是一百零八式掌法，這掌法的奇妙，是在發掌之時，既無劈空嘯聲，又使人看來，只是輕描淡寫地略作手勢，其實這掌式乃是一種極柔至陰的內勁，如若發掌之人的功力深厚，只要掃中敵人，立時斷經斬穴，厲害無比。

獨眼怪人雖將這「三元九靈玄功」相授，然而，二人因一連七日，已將元神耗去甚多，此時已到了強弩之末，精力鬆散，教的人既無法全力相授，學的人也似無法將之全部消化，是以谷寒香也未能盡得所傳。

待「三元九靈玄功」授完之後，二人已是大感不支。

獨眼怪人強自鎮定了一下，道：「老夫傳你武功，自身心力消耗過多，如今要到山後空靜之處，靜坐十日，你也不可過事勞動……」

這幾句話，他說來大感吃力，說完之後，馳車急急而去。

谷寒香也覺精神萎頓，靜坐在床榻之上，閉目養神了一陣，然後和衣睡去。

她因耗去甚多精力，一覺睡去，自是甜甜無比，也不知睡了多少時辰？

谷寒香酣睡了一日夜，精神漸次恢復。

此時，谷寒香的「任、督」二脈已通，又經獨眼怪人用心法傳授了許多不傳之秘的武學，聽覺、警覺與以前自是判若兩人。

她正在沉睡迷濛之際，只覺著一陣窸窣之聲，不由恍然一驚！本能地微睜秀目，向外看。

室內還是紗燈映耀，遍室熊熊，一個巨大的黑影，竟向自己緩緩逼來。

她知此室乃是獨眼怪人的秘室，絕不容其他之人進入，心中不由一動，但她乃是絕頂聰明之人，爲了要看來人究竟有什麼意圖？是以，依然文風不動，佯做酣睡之態。

適才是因爲她由沉睡中剛剛迷迷悠悠地醒來，一眼之下，未能看清來人是誰，此時再瞥目一看，來人竟是那看守秘室的蒙面駝背老人！

她一看來人是他，心想，此室本就是由他照應，他來到此間，自算不得什麼奇怪之事。

意念電轉，心剛趨平靜，陡見熊熊紅色的紗燈光耀之中，那駝背老人的手中，紫光一閃，

紫光中，含著一股逼人的寒氣，赫然竟是一把匕首！

谷寒香在此情此景之下，不由駭然一驚！暗暗忖道：「看他的情形，似是老怪物的心腹之人，此時此地，他竟手持利刃而來，不知是存何用心？」

蒙面駝背老人，躡手躡腳，潛至床榻之前，左手掀起羅帳，靜靜地站在床前，神情木然，似是在想著一件重大之事。

谷寒香雖無法從蒙面的紗巾後看出他臉上的表情，但卻能由他舉動中體會出他的心意來。

那駝啞老人呆立了片刻，突然一掄右手，藍汪汪的刀光一落，竟然猛向谷寒香身上刺來！

谷寒香雖不知自己武功到了何種境界，但卻本能地運用出獨眼怪人所授的武功，左腳一抬，逕向駝啞老人的脅間踢去，同時身子一翻，右手疾出，反手一格，直向他右腕之上擊去！

那駝啞老人猝不及防，脅間已被踢中，同時右手只覺微微一麻，已吃指風掃中。

但這老人也非庸手，雖然兩處爲谷寒香擊中，竟然並不慌亂，右手一揚，匕首脫手飛出，閃電般地向谷寒香擲去。

谷寒香此時已經坐起，因二人距離僅僅二尺左右，那老人匕首脫手，閃電般地已到了谷寒香面前。

她一聲驚叫，一面立出左手，迎著匕首，斜劈出一掌。

此時她因不知身具上乘武功，所以一見匕首電射而至，不由驚叫起來，但一方面因已學得無倫的武學，所以又自然而然地出掌相拒。

她只知劈出左掌，隨意一揮，卻不知這乃是獨眼怪人數十年修爲的菁華，揮彈之間，就暗

夾無比的威力。

那匕首吃她斜切的掌風一擊，宛如殞星一般，跌落在床榻之上。

那駝啞老人脅下已被踢中，又見擲出去的匕首被她擊落，不由駭然吃驚，一種無比恐怖的寒意，襲上心頭，立時舉手一掌，猛向自己天靈蓋上擊去。

谷寒香也不知哪裡來的本領，素腕疾探，玉指輕抄，這舉動雖比那駝啞老人後發動，但竟遠比他快了一步，他一掌還未擊中自己的天靈骨，右手已被她拏扣住了。

谷寒香此時的心情，雖較以往大爲改變，但潛在的本性依然存在，何況她自思與這駝啞老人無仇無怨，他何以會向自己下這等毒手？所以她心中還存有這種疑念。

她一把扣住了駝啞老人，驚訝地問道：「你雖然未能刺死我，也用不著就自殺呀……」

那駝啞老人脈門被扣，已無抗拒之能，側著臉，似是在凝視著谷寒香。

他見谷寒香嬌靨之上，只是一片茫然迷惑之態，卻毫無慍怒之色，心裡不由大感奇怪！

駝啞老人正怔神之間，谷寒香左手快逾電閃，已到他面門之上，老人要想避讓，已自不及，谷寒香手往上一揚，已將他蒙著臉的一塊紗布，取揭下來。

谷寒香一看，心裡大感不解。

原來她以爲這「萬花宮」之人，定然是生相醜惡。哪知她揭開了他的面紗之後，竟是大出了她的意外，這駝啞老人生得五官端正，面目和蒸，不過，此時的臉上卻滿佈驚異之色。

谷寒香看了他一陣，迷惑地問道：「你和我無怨無仇，爲什麼要想刺殺於我呢？」

她本性原是純厚之人，在這忽遇此等突發事件之際，沒有容她思慮，是以，她真純地出言

相問。

那駝啞老人怔怔地望著她，漸漸地，臉上泛現出一種羞愧之色。

谷寒香自來到「萬花宮」，一直未見他說過一句話，此時連問他兩遍，見他楞然不答，才想起他乃是駝啞之人，不由得又問了一句，道：「你當真不能說話麼？」

那駝啞老人沉悶地喟嘆了一口氣，張開嘴來，用手朝嘴內指了一指。

谷寒香一看，原來這老人嘴內的舌頭，似被人割去一般，只留下短短一截舌根，所以無能發音說話。

她看得心中一震，「啊」了一聲，道：「原來你是被人所害！」

她乃是絕頂聰明之人，話甫說完，心念電轉，頓時會悟過來，心中暗暗忖道：「看這老人情形，想必定是受那老怪物所害……」想到此處，乃出口問道：「難道你也是爲這老怪物所害麼？」她說此話之時，已將扣住他脈門的手，鬆了下來。

那駝啞老人茫然地瞧了她一眼，然後茫然地用手指了指谷寒香，同時嘴也啓張了幾下，喉嚨裡發出一種沉濁的「呀呀」之聲。

谷寒香看他神情，點點頭道：「你可是問我是什麼人？是麼？」

那駝啞老人見谷寒香甚是慈和，已不似先前的緊張、驚訝，聽谷寒香一問，連忙點點頭。

谷寒香道：「我是被他擄劫而來……」她頓了一頓，又補充道：「我順從於他，也是無可奈何之事……」

那駝啞老人又望著她，點了點頭。

谷寒香眨了眨眼，問道：「你是什麼人？看你的出手，似是武功不弱……你為什麼竟要謀殺於我呢？」

那駝啞老人臉上現出一種有口難言的焦急之態，游目四周看了一眼，見牆上四周都插有谷寒香學習暗器的殘香，立時伸手取下十數根。

他又找出一塊白絹，用香燼寫道：「我以為你和他是一丘之貉，故欲殺你，以為天下蒼生除害。」

谷寒香微笑道：「啊，這就難怪於你了。」

她接著又問道：「你是什麼人呢？」

那駝啞老人沉思了片刻，然後才寫道：「在下包九峰。」

谷寒香心中暗道：「想必你也是被他擄俘而來的了。」當下又問道：「看你武功也非泛泛之輩，為何不設法逃走呢？」

包九峰寫道：「在下已被俘來數十年，不僅無能逃脫他的手掌，而且在下服了他的毒藥，每隔半年，必須服用解藥，是以，也不敢背叛於他。」

谷寒香心中想了一想，暗道：「他在此地，過著這等暗無天日的生活，卻還不敢背叛於他，可見螻蟻貪生，人也是盡量苟活的了。」

她想了一陣，忽又問道：「你既不敢背叛於他，怎麼又敢下手謀殺於我呢？」

包九峰表情大為尷尬，怔了半晌，才緩緩寫道：「在下見他傳你武功，怕你們將來狼狽為奸，貽害天下，思之再三，故而乘此你尚未復元之際，翦除於你……」

谷寒香冷冷一笑，道：「就縱令你能得手，你又如何能逃得了他的追殺？」

包九峰長長地嘆了一口氣，寫道：「一時之間，在下也未曾顧慮許多。」

谷寒香瞧了包九峰一陣，見他佝僂著身軀，鬚眉雪白，心裡不禁起了一種同情、憐憫之意，暗道：「看他這等高齡，還要在此執服苦役，不知老怪物，爲何要將他擄來『萬花宮』，如此折磨於他？」

她沉思了一下，忍不住問道：「不知你爲何被他劫來此地？」

包九峰鬚髮顫動，兩眼望著閃耀的燭燄，怔怔地出神。他似是被谷寒香所問之言，勾引起許多往事。

過了一盞熱茶工夫之久，包九峰激動的神情，才慢慢平撫下去，他此時已知谷寒香與自己皆是受人荼毒之人，心中顧忌頓消，舒了口氣，換了一支殘香，寫道：「你可知在下與佟公常是何等關係麼？」

谷寒香訝然道：「你說那老怪物，叫佟公常麼？」

包九峰點點頭。

谷寒香微微搖頭，道：「這個，我可不知道？」

包九峰白眉聳動，低頭寫道：「在下乃是他授業師兄……」

他這話，實在大出了谷寒香意料之外，她怎樣也料到這看守通道，而且身被老怪物所殘害的老人，竟然是老怪物的授業師兄！她怔了半晌，也說不出一句話來。

包九峰側臉望著谷寒香，知道她定是爲自己之言所驚駭，當下向著她軒眉微笑，繼續寫道：「世間之事，原是有許多不可思議之處，你也不用驚訝……」

谷寒香此時又已回復了適才的神態，道：「我雖留在這『萬花宮』甚多時日，卻不知他到底是什麼樣的人物？你既是他的師兄，想來定然……」

包九峰未待她話完，卻揮動殘香，又用手勢比劃，道出了他與佟公常的一段往事。

原來當年包九峰與佟公常同門習藝，包九峰爲首座師兄，後來佟公常半途逃出師門，側身綠林。

此時佟公常在綠林道上，雖然已甚有名氣，但他對這位同門的師兄，卻還有著幾分忌憚。隔了數年，佟公常因做案被人圍殲，負傷遁走，從此便毫無音訊，江湖道上只當他定是亡命在外，或是傷重斃命在什麼隱僻之處。

不料過了數年，江湖上又傳出他的訊息，並對昔日圍攻他的仇家，大肆殺戮，當時，江湖道上被他擾得腥風血雨，造成了一場浩劫。

所幸，這佟公常在江湖上只如曇花一現，不久之後，便又銷聲匿跡，不知所之。

包九峰此時已排脫江湖紛爭，息隱家園，但卻在一個風雨之夜，這位斂跡多年的師弟佟公常，竟突然來到。師兄弟見面之後，略略寒暄幾句之後，佟公常便道明來意，要請包九峰隨他同去，代他主持某一處地方。也未容包九峰表示意見，佟公常已點了他的穴道，劫了就走。

原來佟公常此時，已佔據了天台「萬花宮」，倘將包九峰劫到「萬花宮」之後，一面對包九峰表現同門之誼，一方又以毒藥控制了他的行動，將「萬花宮」許多事皆交由包九峰，自己

則潛習武功。

佟公常練功走火之後，性情變本加厲，較以前更是險毒，爲了想療治他自己的病態，竟將許多活人當做移肢換臟的試驗。

這乃是慘絕人寰，罕見罕聞之事，包九峰自是看不過去，不免出言勸阻，但佟公常此時已是大反常態，對他百般折辱，最後又將他舌頭割去。

最後佟公常又強他服下另一種毒藥，使他不敢稍生逃走之念。同時，佟公常並以他全家性命做爲要脅，如若包九峰意圖逃走，或是自尋短見，他就下山盡殺他全家的性命。

在佟公常的淫威之下，包九峰真是求生不得，求死不能，而過了這數十年的歲月。

後來見谷寒香被劫入「萬花宮」，見谷寒香甚得佟公常歡心，後來又見谷寒香竟然嫁與佟公常，心中只道他們乃是一丘之貉。再見到佟公常竟又將武功相傳於她，心中更是憤恨，怕她一旦武功學成，與佟公常二人狼狽爲奸，爲害江湖，那實是貽患無窮。

爲了挽救江湖上一次大劫，所以他決心趁佟公常體力未復，靜休之際，除去谷寒香……

包九峰摘要從簡地將自己的身世，與佟公常的關係，連比帶寫地道了出來。

谷寒香點頭嘆息了一陣，將自己被劫之事，又略略相告，但對胡柏齡之事，隻字未提。

包九峰這時對谷寒香的情形，也知道了個大概，便寫著問道：「姑娘既然不甘常留此地，奉侍佟賊，不知姑娘可有什麼打算？」

谷寒香眨了眨秀目，心中暗暗沉思，不作正面答覆，卻反問道：「依你說我該怎麼辦？」

包九峰未料到她會反問自己，不禁怔了一怔！想了想，寫道：「佟賊對你雖是極好，但此人性情古怪，反覆無常，日久相處，總是難有善果，姑娘既有離此之心，除……」

他寫到此處，倏然住手不寫，卻將眼睛凝注在谷寒香臉上。

谷寒香道：「除？除什麼？」

包九峰臉上泛現出一片毅然神色，將手比了個殺人的手勢。

谷寒香冷冷一笑，道：「你是說，除了殺死他之外，就無別法了麼？」

包九峰微笑著點了點頭。

谷寒香道：「要殺他是談何容易……」

包九峰隨手將匕首撿起，遞給谷寒香，又握香寫道：「此刃淬有劇毒，見血封喉，佟賊與姑娘有同床之親，如俟機相謀，定然有成……」

他又沉思了片刻，接著寫道：「佟賊十日期滿，定然要與姑娘同床。此時，他精力還未能復元，不如就乘時動手。」

谷寒香秀目凝神，靜靜地在思索。

包九峰又寫道：「在下可在外接應姑娘。」

谷寒香點點頭，道：「既是如此，我也不再相瞞於你，我來此『萬花宮』之後，我的一些舊日之人，也相隨來『萬花宮』，舉事之夜，必要他們也來接應……」

她因耗去甚多元氣，雖經過一陣休息，精力依然未能全復，此時說了很多話，臉上不覺現出了困倦之色。

包九峰看了她一眼，寫道：「姑娘體力未復，在下也不打擾……」

寫罷對谷寒香欣然笑了一笑。

谷寒香道：「咱們所說之事，就按計行事了。」

說著，緩緩將匕首收藏懷中。

包九峰點頭示意，一面又蒙上面紗，對谷寒香做了個手勢，退出門去。

十日光陰，轉眼過去。

谷寒香心中充滿了一種不可名狀的緊張。

午時未過，她就在樓前守候。

等候了約有頓飯工夫，才聽車聲軋軋，黃幡飄飛，獨眼怪人佟公常，已乘車電奔而來。

佟公常見谷寒香在外迎候自己，雖然似是甚爲高興，但神情之間，卻彷彿冷漠了許多，冷冷地問道：「你精神可覺……」

谷寒香道：「我很好，你……」

佟公常點頭「嗯」了一聲。

二人進入室內，坐了片刻之後，佟公常忽又很似關心地問道：「這幾天，你可覺得比以前有什麼不同之處麼？」

谷寒香搖搖頭道：「沒有覺得有何不同。」

佟公常睜著那隻突出的大眼，瞧了她一陣，道：「老夫所傳你的武功，你可記得麼？」

谷寒香是聰明絕頂之人，見他返回之後，有點喜怒不定的神情，怕他對傳授自己之事，忽生悔意，那也是大有可能之事，是以對他的問話，與自己應答之言，特別小心。

此時見他相問，淡淡笑了一下，很隨意地答道：「這幾日我只知道睡覺，你教我的武功，只覺得恍恍惚惚，像是作了一場夢一般，真不知道學會沒有？」

佟公常瞪著一隻大眼睛注視著她說話的神態，見她說得這等平淡，臉上也並無特別歡欣之色，心中沉吟了一陣，點頭笑了一笑，默然不語。

谷寒香見他默然不語，心中一時料不透他存的什麼心意？也靜坐沉思起來。

二人默然相對，良久之後，佟公常忽然問道：「你在想些什麼？」

谷寒香此時正在默思著晚上如何下手之事，心中又希望天光早點黑下來，早辦完此事，離開「萬花宮」，但又怕自己萬一下手不成，情形又不知是如何演變下去了？

她心中盤繞著這些問題，但她聽佟公常一問，卻嫣然笑道：「我在試著想你教給我的武功……」說到此處，又幽幽笑道：「我真不相信，那短短時間，能學得什麼天大的本領……」

佟公常見谷寒香如此一說，心中已深信眼下谷寒香尚不知她自己的武功，已足能與目前江湖上一般高手分庭抗禮，更深信她並無什麼雄心異志。

心念一轉，神態之間，也隨著轉變了過來，又恢復了過去的情意。

到了晚間，佟公常載著谷寒香，走到暗室。

包九峰依然面蒙紗布，垂手引候。

谷寒香對他看了一眼，不由得心頭卜卜地跳了起來。

室門紗燈紅燭，花香氳氳，遍室通明，滿室生香。

佟公常已有十日未見谷寒香，此時一入暗室，房中又充滿著誘人的燈光、香氣，容顏絕代的谷寒香，在這種燈光香氣之中，更顯得冶豔駘蕩，他貪婪地凝視著谷寒香，心中油生出許多綺念，意態飄飄，竟有些不克自持之勢。

谷寒香又比平日溫柔三分，她一面曲意奉承以討他歡心，一面卻暗自思慮如何下手之事。

此時，天過二鼓。

佟公常擁著谷寒香，恣意調笑了半晌，已是心猿意馬，就要魚水之歡。

谷寒香許多時日以來，就盼望著這一天到來，但當時機未到之時，卻又無比的緊張，臉上泛露出一片紅雲，心跳氣喘。

佟公常此時神志已被慾火所蔽，只道她是被自己挑逗得神情躍蕩，根本未想到其他之處。

谷寒香身著一襲粉紅臥紗，仰臥床榻，素手已暗暗由褥底取出淬毒匕首。

她雖然追隨「冷面閻羅」胡柏齡多年，又在「迷蹤谷」那種複雜的環境之中，見了甚多的驚人之事。而此次謀刺佟公常，乃是自己朝思夕想必行之事，然而，一旦面臨現實，手握利刃之時，心意竟然極是紛亂，渾身沁出了一陣陣的汗水。

她怕自己沒有下手的勇氣，因為她原是心地善良之人，此時要她親手來刺殺一個人，實在是非常為難之事。

她強自鎮懾心神，把紛亂的思潮，盡量集中，回想著胡柏齡對自己的深情，想著自己與胡

柏齡的恩愛，想著爲胡柏齡報仇的決心……

她企望藉此，能使自己的心意集中，她想藉這報仇雪恥的意志，來增強自己的勇氣。

佟公常抬手彈指，彈滅了兩盞紗燈中的熊熊燭光，室內只留下兩盞燈光，立時暗了下來。

谷寒香知道即將來臨的事，心脈跳動得更是劇烈。她在無比緊張之中，閉上秀目，暗中叫了一聲：「大哥！」心裡彷彿向胡柏齡在禱告地道：「大哥，我爲了你，什麼事都不惜去做，今天我要刺殺此人，但求大哥在天之靈保佑，使我能一擊成功……」

她腦際現出胡柏齡的英姿，心內宛然似有了依託，立時產生出一股巨大的力量。

就在此時，一個醜陋的魔影，用雙手支撐著身體，向她身上撲下來。

血流似是要崩潰一般，時間使她無暇思考，就在那魔影壓下之際，說時遲，那時快，谷寒香藏在身下的右手，倏地抬起，正巧在佟公常的左腕之下，但見藍光一閃，霍的一聲，一把匕首已插進佟公常的脅下！鮮血如柱，直噴而出，染紅了谷寒香一隻右腕，錦被繡單之上，也灑滿了血水！

大雪紛飛，朔風狂嘯，北嶽恆山的千谷萬壑，俱已覆蓋在皚皚積雪之下，西面一座高聳入雲的山峰上，一株露出雪地四尺許的矮松之前，仆伏著一位渾身重孝的女子。

風不停地呼嘯，雪不住地降落。逐漸地，她的雙臂雙腿，俱爲厚厚的積雪所掩，但她絲毫未見移動，依然雙手捧面，埋首跪在矮松之前。

她似在垂泣，似在傾訴，似在祈禱！

不知過了多久，但見她緩緩地站立起來，白綾包頭，白緞外氅，白麻孝服，她！渾身縞素，絕代紅顏，正是一度性情大變，如今還我本來面目的谷寒香。

冶蕩淫佚，名噪一時的「紅花公主」已死，此處站的乃是已故綠林盟主胡柏齡的未亡人！

雪地之上，一片潮濕，那是她的淚痕。

驀地！谷寒香玉臂一抬，將外氅披向肩後，接著飄然旋身，雙袖交拂，朝雪地上連連揮掃。霎時間，峰上積雪，四散飛揚，她身形愈旋愈疾，雙袖愈拂愈快，倩影搖晃中，只見遍地積雪，直往四外蜂湧而射。待她垂手收勢時，峰上積雪，業已剷去了三尺。

忽見她雙眼凝視地面，喃喃自語道：「大哥英靈有知，請勿遠離，只待大仇得報，我立即前來伴你。」

說罷之後，默然良久，彷彿是在聆聽著回話。

突然，她身形一轉，朝峰下問道：「什麼人？」聲音冷峻，猶如萬丈玄冰。

只聽峰腰有人道：「屬下鍾一豪，是否可以上來，拜一拜盟主的遺體？」

谷寒香黛眉一蹙，淡淡地說道：「不必了。」

按著轉身望住地面，面露微哂道：「大哥，此人不過貪慕我的美色，對你並非真的忠心。」說到此處，倏地扭轉身形，怒聲道：「鍾一豪，你敢再上一步，休怪我不留情面。」

朔風震耳，她竟聽出峰腰的動靜，其內功之深湛，端的驚人。

忽聽她嘆息一聲，悠悠地說道：「大哥，我真想見你一面，卻恐打擾了你，令你魂靈不安。」說罷又是淒然一嘆。

風雪愈來愈大，她雙目泫然，朝地上癡望了半晌，倏地銀牙一咬，轉身朝峰下疾馳而去。

鍾一豪黑紗垂面，佇立在風雪之中，一見谷寒香由峰上馳下，立即閃開一步，躬身道：「夫人久久不歸，眾人俱都放心不下……」

谷寒香目挾霜刃，在他蒙面黑紗上一掠，沉聲說道：「有話少時再議。」說罷雙肩微晃，風馳電掣而去。眨眼之間，人影已在數百丈外，雪地上未留點滴足印。

鍾一豪目注她的背影，怔了一會兒，突然自怨自艾、自傷自憐的地「咳！」了一聲，猛一跺足，疾朝她的去路追下。

風雪交加下，谷寒香快如一縷飛煙，疾奔了頓飯工夫，接著星擲丸跳，閃身進了一座深廣不及兩丈的岩洞。

這岩洞之內，早有一群男女相候，余亦樂、「江北三龍」、文天生、麥小明、苗素蘭、萬映霞和一個唇紅齒白，英氣勃勃，看來八、九歲的男孩。

眾人俱都結扎停當，整裝待發；一見谷寒香入內，頓時紛紛起立見禮，那孩子撲身向前，道：「媽媽恁久不回，我要去尋找，他們偏是不許。」

谷寒香舉手拂著他的滿頭柔髮，低聲說道：「自今以後，媽媽有許多事情要做，你要乖乖的，聽苗姑姑和萬姊姊的話，知道麼？」她輕言細語，憐愛橫溢。

那孩子睜著一雙朗目，點頭道：「翎兒，聽苗姑姑和萬姊姊的話，翎兒再不離開媽媽。」

谷寒香藹然一笑，柔聲道：「咱們立刻動身，去收回你義父手創的基業，你與苗姑姑走在

一起，以免分散媽媽的心神。」

翎兒點了點頭，轉身退到苗素蘭身旁，谷寒香突然面容一冷，還掃眾人一眼，道：「走吧。」轉過身子，直向洞外走去。

眾人魚貫而行，緊隨在她的身後，出洞投東南而去，鍾一豪剛剛奔回，默然插入隊中。

谷寒香率領群豪，穿越一條窄谷，冒著風雪疾走，約莫行了十餘里山路，已然趕到了「迷蹤谷」外。

抬頭望去，群山連綿，一道蜿蜒而去的山谷，延伸入群山之中。

只見她停下腳步，秀目之中，陡地冷芒電射，道：「鍾一豪！那霍元伽等人既然尚在谷內，何以這谷口數里不見樁哨？」

鍾一豪閃步向前，躬身道：「屬下早已探明，霍元伽與巴天義、宋天鐸等人確在谷內。」

余亦樂邁上幾步，道：「他三人的老巢，已被『鬼老』水寒和『人魔』伍獨分別奪佔，霍元伽度德量力，自知無能繼承天下綠林盟主的寶座，不設卡哨，自是聰明之舉。」

谷寒香點了點頭，轉向鍾一豪道：「你走在前面，命他三人率眾出迎，聽與不聽，由其自願，我等隨後即到。」

鍾一豪道聲：「遵命！」當先往谷內奔去。

谷寒香倏地陰沉沉一笑，玉手一揮，舉步往谷內走去。

這「迷蹤谷」內，道路錯綜複雜，人入谷中，立即難辨方向，好在眾人俱是舊遊之地，而

且雪地之上，有鍾一豪特爲留下的足印，故而谷寒香毫不旁顧，一逕循著足印疾走。

快近大寨時，忽見鍾一豪獨自一人，疾奔而回，谷寒香不待他開口，微一擺手道：「不必講了。」說罷腳步加疾，朝前奔去。

大寨門外，並肩立著三人。

「羅浮一叟」霍元伽長髮散披，胸垂花白長髯，金箍束髮，依然是過去那副打扮。「嶺南二奇」仍是一襲藍衫蔽體，容顏絲毫未改。三人身後，排著二十餘名身穿黑衣的漢子。

谷寒香率領眾人疾奔而來，身未立定，「羅浮一叟」突然縱聲一陣長笑，道：「來者莫非艷名驚世的西域『紅花公主』？」

只聽麥小明大喝一聲道：「老狗，瞎了眼睛，連盟主夫人也不認識？」

霍元伽勃然大怒，雙臂微提，作勢欲撲，忽聽谷寒香冷森森地「哼」了一聲。

這一哼，聲音不大，霍元伽卻感到耳膜一痛，身心同時一震，凜然之下，移目朝她臉上望去。

四目一接，霍元伽機伶伶地打了一個寒噤，不由自主地雙目一垂。

原來谷寒香天姿國色，秀絕人寰，只是所有溫柔嫺雅，嬌媚艷麗的神情，突然由她玉容上消逝，代替的卻是一層玄冰似的薄輝與眉宇間騰騰的殺氣。

「羅浮一叟」霍元伽年老成精，心念一轉，業已知道谷寒香必有奇遇，已非昔日吳下阿蒙，當下雙拳一抱，道：「江湖傳言，夫人業已入主天台『萬花宮』，數千里北上，不知有何事故？」

谷寒香面凝嚴霜，凝視霍元伽半晌，冷冷地說道：「如果谷寒香踏入江湖，為先夫報仇，令少林、武當兩派灰飛煙滅，絕跡武林，你有什麼話講？」

她的口氣太大，霍元伽情不自禁地哈哈一笑，豈料笑出一半，目光突然瞥著她面上那一層殺氣，頓時巨嘴一閉，將未曾笑出的一半嚥了回去，道：「夫人不忘舊情，為盟主報仇雪恨，霍元伽不才，自當帳前聽令，以供驅策。」

谷寒香聽他語中帶刺，隱含譏誚，不覺陰沉沉一笑，問道：「如果我要收回先夫的基業，自任天下綠林盟主，你又有什麼話講？」

霍元伽濃眉一蹙，乾笑一聲道：「這個麼……如果天下綠林俱無話講，酆秋、水寒、武當、少林等俱無話講，霍元伽自然地無話可講。」

只見谷寒香嘿嘿一陣冷笑，玉臂一抬，退下了身披的外氅，飄身上前，道：「我大哥大仁大義，也不能贏得你們的忠心，看來綠林之中，是無道義可言了。」

霍元伽道：「胡盟主身在綠林，心存俠義，他算是黑道中大大的一個奸細，在綠林言綠林，霍元伽等陽奉陰違，心懷異志，也是人情之常。」

谷寒香玉容之上，突然掠過一片詭異的神色，道：「好一個黑道中的奸細，可惜這話由你口中講出。」

說著伸手朝一叟、二奇一指，道：「你們三人一齊上，盡力而為，勝了谷寒香任憑宰割，敗了，我對你們自有處置。」

只聽霍元伽震天一陣狂笑，半晌之後，始才收斂笑聲道：「『羅浮一叟』、『嶺南二奇』

三人齊上，哈哈！巴老弟、宋老弟，你們的意思怎樣？」

「搜魂手」巴天義鼻中一哼，道：「老子哭笑不得。」

霍元伽突然大邁三步，站在谷寒香身前五尺之遙，轉面道：「天下之大，何奇不有？『嶺南二奇』未見得奇絕天下，你們兩位就一齊上吧。」

「搜魂手」巴天義與「拘魄索」宋天鐸相視一眼，兩人跨步向前，立在谷寒香左右兩側四、五尺處。

只見谷寒香冷冷一笑，雙肩微晃，霍地欺身而進，玉掌一揮，直往霍元伽胸上擊去。

這一掌飄忽快捷，不帶絲毫風響，辛辣玄脆，迥異尋常！

「羅浮一叟」霍元伽看這一掌來勢奇快，雖無凌厲的掌風潛力，卻有一股狠毒的勢道，矍然之下，不敢輕攖鋒銳，滑步旋身，左臂上撩，疾抓敵腕，右掌一招「雪擁藍關」猛地朝前劈去。

只聽「搜魂手」巴天義「拘魄索」宋天鐸齊聲厲喝，一左一右，兩股凌厲的劈空掌力，向谷寒香身後擊到！

「嶺南二奇」是黑道中久負盛名的好手，此時蓄勢發掌，左右夾擊，那兩股掌風呼嘯作響，澎湃奔騰，直如倒海狂潮一般，這等凶猛渾厚的掌風，力能倒碑拔樹，只看得在場群雄，驚心動魄，齊將目光投注在谷寒香身上。

廿二　重振聲威

忽聽麥小明破口大罵道：「鼠輩膽敢背後傷人？」雙足一頓，飛身撲向場內。

余亦樂站在他身旁，一把攫住他的臂膀，沉聲說道：「稍安勿躁，仔細瞧瞧。」

麥小明雙眼一瞪，怒道：「你敢多事？」話聲中，場內情勢大變，谷寒香嬌軀微晃，倏地脫出了三面襲來的掌力，雙掌翻飛，剎那間攻出四指九掌，與三人對折了一十三招。

谷寒香自從刺死醜怪老人佟公常後，獨自一人，又在「萬花宮」後洞秘室之內，練了三月武功。她出洞之後，性情大變，與過去判若兩人，非但不苟言笑，對練武之事諱莫如深，而且冷若冰霜，臉上經常透出一層殺氣，令人望而生畏，不敢犯瀆，因而鍾一豪等只知她業已練成一身絕藝，但是究竟到了何等境地？仍然是莫測高深。

這時眼見她力戰一叟、二奇，進攻拒守，奇幻無倫，掌指之下，隱蘊無窮威力，不禁俱皆驚詫、眩惑、讚嘆、欣慰，百感交集，苗素蘭與萬映霞二人，更是熱淚盈眶，心情激動不已。

要知「羅浮一叟」與「嶺南二奇」在江湖上凶名素著，單打獨鬥，也不過輸於寥寥可數的幾名絕頂高手，以三敵一，實無幾人可敵，而且三人久經戰陣，臨敵經驗豐富異常，聯手卻敵，更似威力備增，轉眼之間，雙方力搏，已逾二百回合。

谷寒香情切夫仇，割肉餵虎，得天憐見，練出這一身武功，此刻與一叟、二奇力拚兩百招不露敗象，非但引得鍾一豪等人心下駭然，交戰中的一叟、二奇，亦是滿腔震怒，化作了一片驚恐。

惡鬥中，谷寒香忽感悲從中來，心中暗暗忖道：「連這三人也久戰不下，看來為大哥報仇，尚還遙遙無期。」心念一轉，殺機橫生，銀牙一咬，迸力向三人疾攻。

她鏖戰兩百回合，絲毫不露倦容，而且奇招怪著，層出不窮，霍元伽等三人雖然此遮彼架，始終有攻有守，但卻找不出克敵制勝之道。

三人本就愈打愈為膽寒，谷寒香突然招勢一變，使出一路破空生嘯的指法，瞬眼之間，三人感到壓力大增，攻勢受挫，須得全力自保。

「羅浮一叟」霍元伽心念電轉，暗忖道：「這女人有點邪門，再不見機，只恐悔之晚矣！」思忖中，勁貫雙臂，連環劈出四掌，略阻敵人攻勢，遊目一掠，打量周圍的形勢。

只聽麥小明嘻嘻笑道：「相好的，要突圍便往這邊走。」

原來他好勇喜鬥，眼看場內打得熱鬧，心癢難搔，早已手橫寶劍，在一旁掠陣，他近來對谷寒香忌憚日深，未得命令，不敢擅自伸手，因而一心一意，希望三人分頭逃遁，以便他弄一個殺殺手癮。

余亦樂眼看場內激戰轉烈，情知勝負一分，生死即判，於是朝眾人施了一個眼色。

鍾一豪一鬆腰中扣把，抖出緬鐵軟刀，閃身上前，堵住了出谷的去路。

苗素蘭與萬映霞將那翎兒夾護在中央，三人同時閃退在一側，余亦樂手執銅鑼、鐵板，文天生持定金絲龍頭軟鞭，與「江北三龍」齊皆守護在兩旁，以防霍元伽等羞怒成恨，對小孩猝下毒手。

「羅浮一叟」、「嶺南二奇」的屬下見勢不佳，亦皆紛紛將兵刃撤在手內。

場內惡戰，愈來愈見慘烈，一叟、二奇見麥小明與鍾一豪監視在側，知道即令自己三人甘心逃走，也未必能夠輕易地脫身，因之俱各將心一橫，竭盡平生所學，迸力與谷寒香搶攻。

激鬥之下，轉眼五十回合又過，霍元伽心念一動，尋思道：「這女子武功奇詭，步法玄奧，加上姓鍾的和那麥小明虎視眈眈，等在一旁接應，她明明是有勝無敗之局。」

想著心意一決，突地猛劈一掌，飄身後閃，大喝道：「夫人住手，聽霍元伽一言！」

「嶺南二奇」一聽霍元伽發話叫停，頓時連拍數掌，閃身並肩而立。

谷寒香收勢卓立，冷冷地問道：「你有什麼話講？」

打鬧一停，指風掌飆一歇，「嶺南二奇」的喘息之聲，頓時清晰可聞，霍元伽與谷寒香的氣息，亦顯得粗重異常，只見霍元伽雙拳一抱，微微欠身道：「夫人武功高強，在下萬分佩服，但不知我等落敗之後，夫人如何處置？」

谷寒香冷冷一笑，道：「你們尚未落敗，此時說之無益。」

忽聽「搜魂手」巴天義冷哼一聲道：「鹿死誰手，還不一定？霍大哥問這些廢話何用？」

「羅浮一叟」霍元伽猛一轉面，怨聲道：「巴老弟，如果你我獲勝，老弟面上是否光采？」

「搜魂手」巴天義環眼一瞪，怒道：「霍大哥此話是什麼意思？」

「羅浮一叟」霍元伽濃眉一軒，亢聲道：「到此爲止，霍元伽對盟主夫人的武功衷心佩服，怎麼？難道我錯了不成？」

只聽麥小明接口笑道：「霍元伽，你前倨後恭，敢莫是怕死？」

「羅浮一叟」霍元伽滿臉漲得血紅，目含怨毒，盯住麥小明說道：「小狗，你的武功想必也長進了？」

麥小明勃然大怒，寶劍一掄，直向霍元伽劈去，大喝道：「幾時我輸於你了。」

霍元伽看那寶劍削來之勢，猛惡無比，雙肩晃動，疾退兩尺。

情知他生性驃悍，不見真章不散，當下左手疾探，倏地向他探劍的手腕抓去，右掌一揮，隔空劈出一掌。

這兩招同時發出，快如電光石火，麥小明一招未盡，忽感掌風盈耳，一股暗勁，當胸直撞過來，右腕一熱，眼看即要被他抓上。

麥小明精神大振，高聲喝道：「來得好。」

寶劍一揮，猛削霍元伽的右掌。

谷寒香突然長袖一拂，一股極爲陰柔的暗勁直往兩人之間湧去，迫得二人同時閃退數尺。

她伸手朝麥小明虛虛一攔，雙眸冷焰一閃，凝注霍元伽道：「今日一戰，到此爲止，你們要走，只管自便，如果甘受約束，『迷蹤谷』自有你們的位置。」

「羅浮一叟」心頭閃電般地掠過一個念頭，暗忖道：「這女人滿眼殺機，『迷蹤谷』的形勢，我等瞭如指掌，她豈會放心我等離去？最毒婦人心，老夫防她一手，然後相機而動。」

想著不待「嶺南二奇」開口，抱拳道：「夫人如果有意爲盟主報仇，在下甘願效力，否則交還盟主的基業，就此離去。」

谷寒香面色沉凝，絲毫不露喜怒之色，面龐一轉，移目朝「嶺南二奇」望去。

「拘魄索」宋天鐸與霍元伽一般心意，既怕鍾一豪等一哄而上，又因老巢被「人魔」伍獨所奪，除此之外，沒有好的安身之處，當下抱拳躬身，搶著道：「如果爲盟主復仇，赴湯蹈火，宋天鐸兄弟甘心效命，否則留此無趣，就此別過夫人。」

這兩人老奸巨猾，自找台階，明知谷寒香念念不忘夫仇，卻偏是否則、否則的。

只見谷寒香淡淡一笑，道：「三位能與谷寒香敵愾同仇，亡夫在天之靈必定感激不勝。」

一叟、二奇，齊齊躬身道：「盟主大仁大義，我等理當效命。」

谷寒香冷冷掃了三人一眼，轉面喚道：「麥小明。」

麥小明嘻嘻一笑，上前道：「幹什麼？」

谷寒香冷冰冰地一哼，說道：「國有國法，幫有幫規，你年紀已經不小，言語行事，應當多加思慮。」說罷舉步朝寨中走去。

麥小明暗暗一吐舌頭，倏地面孔一板，朝著一叟、二奇冷冷地道：「聽到麼？國有國法，幫有幫規，你三人小心一點。」

「搜魂手」巴天義雙眼一瞪，怒聲道：「小兒找死？」

「拘魄索」宋天鐸一拉巴天義道：「我們快去搬地方，將後寨讓給夫人，何必與這乳臭小兒一般見識？」

麥小明寶劍一舉，又想上前動手，佘亦樂突然將他的手臂拉著，道：「夫人重臨舊地，內心沉痛，可想而知，今非昔比，你確實應該檢點些。」

說話之中，目光朝鍾一豪掃去。

鍾一豪知道這番話是講給自己聽的，他心中何嘗不明白這層道理？怎奈他因愛成癡，不克自主，這時想到谷寒香武功高過自己甚多，兩人間的距離愈來愈遠，一時感慨叢生，黯然神傷地垂下頭來。

這「迷蹤谷」經胡柏齡開闢草莽，營建柵寨，早已粗具規模，一叟、二奇自老巢被奪後，索性以此為久居之地，大事擴建，不遺餘力，而今屋宇連綿，柵寨林立，規模氣勢，已大非昔日可比。

靠崖壁的後寨，如今由谷寒香佔居，與她同住的除使女外，只有苗素蘭、萬映霞，和那取名胡白翎的小孩；「白翎」二字，乃是取「柏齡」二字的偏旁，意思指這小孩與胡柏齡有半子之親。

「迷蹤谷」內，除胡柏齡手訂的四大戒律外，新頒的一條規戒是：「妄入後寨者，殺無赦！」

後寨之中，有一間寬廣三丈的密室，室中陳列著幾個蒲團和一架兵器，此外則空蕩蕩的了無一物，谷寒香除了至中案議事外，無分日夜，均是獨處密室之內，每日傍晚，則將萬映霞和翎兒喚入室內，親自傳授武功。

這日清晨，苗素蘭正在督促翎兒練武，忽見谷寒香命使女前來傳喚自己，於是去到密室之內，問道：「夫人召喚，不知有什麼吩咐？」

谷寒香一指身旁的蒲團道：「姊姊請坐。」

苗素蘭依言坐下，看她一雙秀目，冷焰閃爍，開合之間，稜芒電射，芙蓉美面，卻日漸清減，體態也不似以往那般豐盈，忍不住心中酸楚，黯然輕嘆一聲。

谷寒香似乎明白她的心意，淡淡一笑，問道：「姊姊！『陰手一魔』算不算你的師父？」

苗素蘭聽她突然問及此事，不覺怔了一怔，道：「我的武功是他傳授的。」

谷寒香道：「姊姊的意思，認爲他是師父？」

苗素蘭搖頭道：「他奪了我的童貞，姬妾、弟子不分，也算不得什麼師父。」

谷寒香道：「自毀師倫大道，禽獸不如，他該不是姊姊的師父了。」

苗素蘭惑然道：「夫人忽然提起此事，想必是另有用意？」

谷寒香淡然一笑道：「『陰手一魔』凶毒險狠，姊姊既然棄暗投明，背叛了他，他如果得知姊姊的行蹤，想來不會將你放過？」

苗素蘭雙目一抬，在她臉上望了一會兒，嘆道：「夫人有話請照直講吧，不要轉彎抹角了。」

兩人同歷艱辛，早成了患難之交，加以同對胡柏齡抱著深沉的摯愛與幽幽的懷念，故而稱呼上雖然矛盾，實際上卻已是最投契的知己。

忽聽谷寒香緩緩地說道：「不殺酆秋、水寒、伍獨與『毒火』成全四人，大哥九泉之下，

難以瞑目。」

苗素蘭道：「是啊！夫人深愛盟主，自當體念他的心意，完成他的遺志。」

谷寒香秀目一合，默然良久，道：「我親眼見到大哥被人所殺，若不將少林、武當及范銅山家下那批兇手屠盡，我有何面目見大哥於地下？」

苗素蘭眼眶一紅，點頭道：「此仇勢在必報，再說映霞之父死於武當派的道人手內，也是受我等拖累，於情於理，我們也該替她報仇。」

谷寒香突然雙目一張，切齒道：「可是少林、武當人多勢眾，酆秋、水寒等武功高強，憑你我幾人之力，報仇之事，豈非遙遙無期？」

苗素蘭感傷地點了點頭，道：「你勤練武功，等到可以勝過酆秋時，咱們暗中下手，各個擊破，盡力而為，殺得一個是一個。」

谷寒香淒然一笑，突地將頭一昂，說道：「曾聽大哥言講『陰手一魔』有一種名叫『向心露』的藥物，服下之後，終生一世，聽憑施藥人主宰，姊姊久在他的門下，可知此事真實與否？」

苗素蘭想了一想，道：「他配製那『向心露』確是費了半生的心力，施之於人，也是屢試不爽，不過『向心露』是以毒力與麻醉劑為主，用之於內功登峰造極的人，就不知是否有效？」

谷寒香聞言之後，閉目沉思良久，然後秀目一睜，肅然問道：「『陰手一魔』隱跡的所在，姊姊如無礙難之處，就請告訴於我。」

苗素蘭黛眉一蹙，問道：「難道你要去找他？」關切之情溢於言表。

谷寒香螓首微點，道：「我便不去，他遲早會來，這批人絕不甘於寂寞，何況大哥曾將他打傷過。」

磨難與憂患，使千千萬萬的人一蹶不振，但谷寒香生有慧根，反因磨難與憂患的打擊，變得堅強無比，才智超過常人。

苗素蘭滿面愁容，道：「話雖不錯，只是『陰手一魔』成名數十年，其武功之高，絕非霍元伽等人可比，當日盟主與他在古廟一戰，實際是個兩敗俱傷的局面。」

谷寒香點頭道：「這點我知道，當日若非姊姊捨命相助，大哥難免一死。」

苗素蘭嘆息一聲，道：「他武功高強，尚不要緊，只是陰毒險狠，詭計多端，令人防不勝防。」

谷寒香道：「外號『陰手一魔』，又能調製『向心露』這等藥物，其人之險詐狠毒，自然是意料中的事。」

說罷站起身來，取下兵器架上的一柄淬毒匕首，反覆觀看，道：「不入虎穴，焉得虎子？姊姊不必過慮，快將地點說出，少時我即動身。」

苗素蘭知她心意已決，再難更改，於是堅決地道：「既然你執意要去，我陪你走一趟吧，快馬兼程，三日後可以趕到。」

谷寒香聽她要一同前去，心中暗想道：「『陰手一魔』名震江湖，絕非易與之輩，此去生死難卜，萬一二人同遭不幸，翎兒小小年紀，依靠何人？」

苗素蘭見她沉吟不語，急忙說道：「我久在『陰手一魔』門下，對他的鬼蜮伎倆，大半都能識透。」

谷寒香斷然搖頭道：「翎兒練武正勤，不可一日荒廢，我倆同行，便無人督促於他，我心意已定，姊姊速將地點指出，我立即動身。」

苗素蘭雖然放心不下，但見她語氣堅決，斬釘截鐵，令人不敢違拗，只得嘆了口氣，說道：「地點在呂梁山，靠離石縣境，『陰手一魔』潛修的所在，名為『黑風峽』，洞府深藏在山腹之內，範圍不小，除弟子、姬妾外，以前即有二十餘名武功不弱的屬下。」

谷寒香聽說「陰手一魔」除弟子、姬妾外，尚有屬下，不禁秀眉一剔，道：「這樣說來，『陰手一魔』志不在小？」

苗素蘭道：「是啊！他原有問鼎中原，逐鹿綠林盟主之意，近年來按兵未動，想必也是鑒於少林、武當的勢力過於龐大，酆秋、水寒等不可輕敵之故。」

只見谷寒香玉容之上，掠過一抹肅殺之色，道：「姊姊命人傳話，著霍元伽、鍾一豪、麥小明及巴、宋等五人多備暗器，整裝待發。」

苗素蘭領命而去，谷寒香將那柄淬毒匕首插於腰際，另將一柄百鍊精鋼長劍揹好，轉身走出密室。

密室之外，是谷寒香的起居之所，兩名貼身侍婢，經常守在房內，此時見谷寒香外出，即忙拏起披風，替她穿好。

谷寒香道：「密室上鎖，任何人不許入內。」

說罷出門，往寨內的練武場走去。

練武場上，僅有小翎兒一人，只見他揮臂揚腿，滿場盤旋，正在練習掌法。

這套掌法是谷寒香親授，全套六十四招，尚只傳了一半，但已被他練得抬臂勁響，推掌有風，工穩爛熟，使來如行雲流水一般。

他練得意如神會，谷寒香到了場邊，他仍絲毫不覺，三十二招使完，收勢卓立，一斂氣息，從頭又練起來。

只見谷寒香莞爾一笑，柔聲道：「翎兒住手，媽媽有話講。」

小翎兒收掌一望，頓時歡呼一聲，騰身一跳，拉住谷寒香的手道：「娘，我練給您瞧。」

谷寒香微笑道：「怎麼你不叫媽媽，要喚作娘？」

翎兒道：「她們說的，小孩喚娘作媽媽，大人喚媽媽作娘，我如今是大人啦！」

谷寒香藹然一笑，點頭道：「好吧！你如今是大人了，大人要明理講話，娘有事出門，多則半月，少則七日即可回來。」

翎兒聽她說有事出門，剎那間小臉黯然，訥訥地說道：「媽媽別出門啦！翎兒也不做大人。」

谷寒香玉手一抬，輕拂著他的頭頂，道：「好孩子，這次與以往不同，幾日便回，而且有苗姑姑留下伴你，來，留神看著媽媽傳完功夫，立即須得啓程。」

說罷步入場中，拉開架式，一掌一掌地傳授與他。

這翎兒聰明剔透，天賦極高，谷寒香傳他四招掌法，教了兩遍不到，已被他學得爛熟，谷寒香見無謬誤，於是說道：「每日至谷外練輕功，須由苗姑姑或是映霞姊姊陪伴，晚間練內功，須以兩支香爲度，不可中輟，不可貪多，知道麼？」

翎兒將頭一點，道：「知道，翎兒像義父一樣，翎兒不哭。」

見他眼眶發赤，又補上一句道：「男孩兒應當堅強，像你義父一般，不可哭，知道麼？」

突然間，一聲隱隱約約細如游絲的嘆息之聲，隨風傳入了谷寒香的耳內。

這聲嘆息大異尋常，谷寒香凜然一驚！功凝雙目，往聲音來處望去。

這後寨倚山而築，寨後山居，壁立千尺，雀鳥難渡。

谷寒香窮盡目力，在岩壁上逐排搜索，要知這岩壁如果可以容人上下，則「迷蹤谷」的天然蹊徑，及一切人爲的布置，便都形同虛設了。

忽聽一陣縹緲的語聲傳入耳內，道：「老夫在離地百餘丈處，如欲會見老夫，可至西面崖上相見，但不可攜帶從人。」

谷寒香目射精光，向離地百餘丈的岩壁上凝神搜索，怎奈距離太遠，看來看去，除了藤蘿草莽，嵯峨怪石，及皚皚積雪外，終是一無所見。

相隔百餘丈高，能將語聲頗爲清晰地送入旁人耳中，這種神乎其技的功夫，谷寒香見所未見、聞所未聞，如果其事當真，怎不令她駭然汗下？

她疑信參半，驚詫未已，正要移目他顧時，忽見一條灰色人影，自練武場的百丈高處，朝山頂筆直走去。

這還是她遭逢奇遇，得了一身精湛深厚的內功，因而目力陡增，大異常人，若是換了霍元伽、鍾一豪等人在此，只怕連這依稀淡薄的人影，也無法看得清楚。

翎兒突然將她的手臂一搖，仰面道：「娘，您在望什麼？瞧您的臉色蒼白，手又是冰涼的。」

谷寒香略定心神，溫柔地道：「娘有事，你在此處練武，不許離開。」

說罷雙肩微晃，一掠七、八丈，直往寨外趕去。

由後寨轉出前寨，直奔谷口，她馳行太快，看來只是一抹淡影，因而一路之上，不時有人發出驚噫之聲。

出得谷口，她掉頭向西，直往山頂奔去，星躍電閃，一直花了頓飯工夫，始才翻上千仞絕壁上的一片懸崖。

懸崖之上，一個亂髮披肩，胸垂長髯的灰袍老者，正自雙目微合，神色漠然地向谷寒香望著。

谷寒香駐足不進，在那灰袍老者身前一丈之遙站定，秀目凝光，向他仔細地打量了一陣。

這老者鬚髮衣著，全是一片灰色，他雙手籠在袖內，臉上皺紋累累，膚色亦呈灰白。

谷寒香暗忖道：「此人不知是敵是友？看他貌相倒不獰惡，只是神情冷漠，令人難以忍受。」

她自從在「萬花宮」閉關三月，獨處石室，練成佟公常所傳的幾項絕藝後，神情器宇，舉

止風華，俱都隨之一變，這時心頭雖然震於灰袍老者的武功高不可測，表面上卻不顯露出來。

只見她雙拳一抱，不卑不亢，從容問道：「老者見召，不知有何指教？」

這灰袍老者，似對她的鎮靜功夫大感意外，此時雙目微張，冷冷地在她面上一掠，淡然道：「你是當真想要制住『陰手一魔』，將什麼『向心露』灌入他的腹內？」

谷寒香一聽，不禁驚詫欲絕，剛剛才在密室中議定的事情，不知他怎能得知？想來想去，想不出其中的緣故。

只聽灰袍老者道：「你不用疑神疑鬼，這半年來，老夫一直跟在你的左右，自『萬花宮』、『天香谷』以至此間，你每夜練那破書本上的武功，老夫盡都一一收入眼底。」

谷寒香暗忖道：「他所言不知是真是假？若說是真，未免令人難信。」

灰袍老者道：「你怎不答覆老夫所問的話？看你面無血色，手足發抖，想是害怕得很，其實只要你不忤逆老夫，老夫非但不會傷你，而且少不了你的好處。」

谷寒香強顏一笑，道：「『生死』二字，早已不在谷寒香心上。」

灰袍老者道：「你忍辱含垢，臥薪嚐膽，都是爲了什麼？哼！違心之論，竟敢在老夫前面言講！」

谷寒香直感到心中一痛，定了定神，抱拳道：「老丈上下如何稱乎？這般不辭辛勞，跟在谷寒香左右，其用意何在？」

灰袍老者冷冷地道：「老夫姓名已經忘了，守著你做甚，少時你自然知曉，你未答覆老夫所問的話，最好不要先盤問老夫。」

谷寒香哂然道：「江湖中人有得七分武功，立即忘了姓名，故作神秘，其實可笑得很。」

灰袍老者厲聲道：「丫頭利嘴，想是活得不耐煩了！」右掌一豎，凌空一掌推出。

寂然無聲，絲毫不見警兆，一股如山暗勁，直湧谷寒香胸前。

兩方相隔尋丈，谷寒香既不甘心，亦無顏面就這般退讓。

只見她足下暗踏子午，披風一抖，露出一雙白玉手掌，平胸一併，緩緩朝前推去。

灰袍老者見她居然出掌相抗，頓時眉端一蹙，不待雙方掌力接實，猛地振腕一收，夷然不屑地道：「憑你微末之技，豈堪老夫一擊！」

話聲未竭，忽聽「砰」地一聲巨響，谷寒香所發的內家掌力，被他引向一旁，將雪地擊了一個深廣三、四尺的陷坑。

谷寒香銀牙緊咬，暗叫道：「谷寒香，不能哭，要堅強，不可氣餒！」

忽聽灰袍老者道：「念你是女流之輩，老夫特別寬待於你，如今閒話不講，你交出『問心子』，老夫任你要求，完成你一件心願。」

谷寒香訝然道：「『問心子』？我不知你指的什麼？」

灰袍老者突然森森一陣冷笑，怒道：「你趁早別自討沒趣，『問心子』大如龍眼，銀光燦爛，其上雕刻一條張牙舞爪的飛龍，如今就藏在你的身上。」

谷寒香芳心之下，怦怦亂跳，尋思道：「那是我大哥的遺物，他怎會得知？如果說是自己偶爾把玩，被他在暗中窺見，卻令人難以置信。」

原來當初胡柏齡和谷寒香赴北嶽大會，在途中救翎兒時，胡柏齡一念仁慈，親手將翎兒的

父母予以埋葬，不料卻由女屍身上，滾落那粒「問心子」來。

胡柏齡當時震驚過甚，雙手一鬆，竟把那女屍摔入了土坑之內，其時谷寒香雖在一旁，卻未發覺此事。

其後胡柏齡贏得天下綠林盟主的寶座，內憂外患，東奔西走，這「問心子」藏在他的身上，谷寒香一直不曾發現，直到他身罹慘變，死於非命，谷寒香掩葬他時，才發現這樣東西。

忽聽灰袍老者漠然道：「看你臉色陰晴不定，想必……」

谷寒香突然面色一沉，怒聲道：「我敬你年長，如果你自恃武功，出言無狀，休怪我也要口出不遜了。」

灰袍老者雙目暴睜，厲聲喝道：「你敢頂撞老夫，莫非真的不想活了！」

谷寒香冷冷地道：「豈止頂撞，我還要仲量仲量老丈。」

話聲甫落，雙臂微振，抖掉了肩上的披風，揉身而上，倏地拍出一掌。

灰袍老者冷哼道：「不知進退，自找死路。」說著左手大袖一揮，直往谷寒香掌上拂去。

近月以來，谷寒香的內外功突飛猛進，大有一日千里之勢，此時一則不明「問心子」的來歷，不願貿然開口，二則存心考驗自己，同時探一探這灰袍老者的深淺，故而先發制人，意欲搶制先機，傾力一搏。

她的武功本屬極陰至柔的路子，這灰袍老者的武功，竟與她極爲相似，二人掌袖同揮，俱都不帶半絲風響，豈料一觸之下，她身心一震，胸中血氣，頓時翻騰不已，老者身上的灰布寬袍，卻突生一陣劇烈的波動。

谷寒香蓮足微挫，暗踏「摘星步」法，白影一晃，倏往老者身後閃去。

只聽灰袍老者漠然道：「軟骨掌內，暗藏『三元九靈玄功』，機智膽識，俱皆不錯，可惜功力淺薄，火候太差，再練三年，也不是老夫的敵手。」

說話中，身軀微側，反手連劈兩掌。

谷寒香知道自己功力確實遠遜灰袍老者，不敢再行硬拆，柳腰一擰，閃電般地環繞灰袍老者盤旋了一匝。

灰袍老者驀地大袖一揮，擊出一陣排山倒海的暗勁，將谷寒香逼退數步，道：「快快住手，如再不知死活，休怨老夫要下毒手。」

此人語調聲音，冷漠無比，縱然一句好話，由他口中道出，也令人難以忍受。

谷寒香立定身形，哼聲道：「何必裝得如此神氣？功夫雖然不錯，卻也未到神鬼不測的程度。」

灰袍老者淡淡地道：「芸芸眾生，哪來神鬼不測的人？」

伸手一指南面崖下，道：「有人來了，你命他們速即退下。」

谷寒香見他頤指氣使，不由冷笑一聲道：「你可是怕我倚多爲勝，與屬下合力制你？」

灰袍老者道：「那麼你就讓他們上來吧！老夫一掌一個，管教無人生還。」

谷寒香嘿嘿冷笑，暗中凝神傾聽，待了一會兒，果然聽得崖下傳來隱隱的腳步之聲，心忖道：「這老者的耳目之力，果是駭人聽聞。」

想著轉過身形，朝崖下凝氣放聲道：「統統停在原處，未得號令，任何人不許上崖！」

灰袍老者見她話講完後，崖下果然再無人走動，於是說道：「你有何要求，只管說將出來，無論是『陰手一魔』的『向心露』、少林寺的『綠玉佛杖』，或是天禪、紫陽、酆秋等任何一人項上的頭顱，老夫俱可以替你弄到。」

谷寒香接口道：「而我卻只須交出『問心子』來。」

灰袍老者點頭道：「正是，而『問心子』卻本來是老夫之物。」

谷寒香秀眉一揚，道：「那明明是我大哥的遺物，你說是你的，豈非事無對證麼？」

灰袍老者道：「老夫與你交易，並不向你追討。」

谷寒香暗忖道：「那『問心子』不知有何用處？瞧這老者的神情，似乎將它看得極為重大，不過我若出言詢問，他必然不肯講明。」想了一想，道：「『問心子』確然在我手中，不過我有幾樁疑問，須得向你請教。」

灰袍老者道：「你若不知『問心子』的來歷，最好是不要多問，以免自招殺身之禍！」

谷寒香冷哼一聲，道：「你躡著我半年之久，難道就為了這件東西？」

灰袍老者怒道：「難道是為了你那當作寶貝似的兩本破書不成？」

谷寒香暗忖：「這老者火氣倒大。」

忽聽灰袍老者沉聲道：「你願也罷，不願也罷，東西老夫勢必收回；『萬花宮』、『天香谷』你那臥室，老夫俱已搜遍，如今只有兩處地方，未經老夫搜索。」

谷寒香問道：「哪兩處地方？」

灰袍老者道：「一是胡柏齡的埋骨之所，一是你的身上，這兩處老夫均不願親手搜索，你

自己權衡利害，如果激惱了老夫，那卻很難講了。」

谷寒香尋思道：「他既能殺天禪、紫陽，又能殺酆秋和『陰手一魔』，顯然便是個不論是非，不辨黑白的人，何以對大哥和我，又有所顧忌？」

她本聰明絕頂之人，略一尋思，已知其中必然有某種原因，迫使這老者不能為所欲為，但是到底是何原因？則非憑空所能想像。

忽聽灰袍老者道：「你想好了沒有？看你臉上陰晴不定，可是拏不出主意？」

谷寒香銀牙一咬，暗叫道：「是福不是禍，是禍躲不過！」

心意一決，昂聲道：「『問心子』在我身畔，你要想獨得，必須答應受我差遣，直到我報完夫仇為止。」

只見灰袍老者鬚髮怒張，冷哼一聲，霍地揚手一掌，朝兩丈外的岩壁遙遙擊去，「轟」地一聲暴響，海碗大的山石，雨點似地飛濺。

岩壁之上，被擊下方圓四尺，深達五寸的一片，一掌之威，如此之盛，寧不令人駭然！

谷寒香心意既定，反而鎮靜如恆，冷眼旁觀，聲色不動。

忽聽崖下傳來苗素蘭的聲音，道：「夫人是否在和人交手？」

谷寒香揚聲道：「沒有事，統統不要上來！」

灰袍老者怒不可抑，目中冷電閃閃，牙銀挫得格格亂響，良久之後，始才一字一頓地說道：「老夫何人，豈能受你的挾制？」

谷寒香語調平靜地說道：「誰挾制你了？既稱交易，自然要兩廂心願。」

灰袍老者突然手臂一抬，指著谷寒香道：「老夫暫不殺你，但你小心在意，如果失落了『問心子』，老夫誓必將胡柏齡鞭屍三百，將你碎屍萬段！」說罷雙袖一擺，直往百丈懸崖外躍去。

谷寒香眼睜睜地望著他的背影，只見他雙臂微張，形如一隻怪鳥，冉冉向崖下飄降，轉眼剩下一粒灰點，終於消失在茫茫雪地之上。

忽聽她幽幽一嘆，遙望遠處一座山峰，喃喃細語道：「大哥，天下能人如是之多，香妹自感力薄，大哥千萬不可離開香妹左右。」語聲溫柔，彷彿午夜夢迴，枕邊絮語。

午末未初，谷寒香率領霍元伽、鍾一豪、「嶺南二奇」、麥小明，一行六人，自「迷蹤谷」啟程。六騎健馬，首尾相啣，轉入官道後，立即縱轡疾馳，投西南而去。

一路兼程，趕到第三日黃昏，谷寒香一行六人，到了離石縣內，落店小憩，然後同進酒飯。飯後，谷寒香令麥小明在房外巡風，親自掩上房門，正色道：「谷寒香初當大任，此行成敗難卜，諸位有何高見，只管請講。」

忽聽麥小明在房外嘀咕道：「抓住『陰手一魔』，逼他服下『向心露』，他敢不從，我一劍將他宰掉，這還須要高見麼？」

谷寒香拉開房門，閃身到了外面，殺氣盈面，冷冷地望他一眼。

麥小明機伶伶地打了個寒噤，囁嚅道：「這一排房間都是咱的，連鬼也沒有一個。」

谷寒香冷冰冰地道：「你再若多話，我就點住你的啞穴。」

麥小明口齒一動，連忙又將嘴合攏，一聲不響地點了點頭。

谷寒香返回房內，目注「羅浮一叟」霍元伽道：「霍兄有何高見？尚祈不吝指教。」

霍元伽急忙將手一拱，道：「夫人過謙，屬下承受不起。」頓了一頓，接道：「為盟主復仇，自夫人以下，俱都不惜一死，不過依屬下管見，匹夫之勇，仍不足取。」

谷寒香暗忖道：「不惜一死的話，雖然言不由衷，匹夫之勇不足取，倒也說得過去。」淡然一笑，道：「請道其詳。」

霍元伽道：「盟主手訂四大戒律，禁的只是採花傷命，殘暴善良，不守信義，與逆不受命，卻未禁群打合毆，與暗算偷襲；『陰手一魔』既非善良之輩，我們以毒攻毒，以暴制暴，如其力戰，不如計擒。」

谷寒香不置可否地點了點頭，轉面問鍾一豪道：「鍾兄有何高見？」

鍾一豪的心意，本來與霍元伽一樣，但因兩人自來不睦，這時見話已被他講過，不願出言附合，只好說道：「屬下愚魯，一時想不起良策。」

谷寒香冰雪聰明，加以飽經憂患，閱人已多，因而察顏觀色，見微知著，這時略一轉念，業已明白他的心意，於是轉問「嶺南二奇」道：「兩位意下如何？咱們是明裡向『陰手一魔』叫陣，暗裡以迅雷不及掩耳之勢，合力將他制住？」

「搜魂手」巴天義道：「如果夫人自信單打獨鬥，勝得過『陰手一魔』，則明著叫戰，自然是較為光采。」

谷寒香暗想道：「此人城府較淺，倒是容易對付。」

只聽「拘魄索」宋天鐸接聲道：「夫人千金之體，豈可輕於犯險？還是到時候由屬下等一擁齊上，聯手對付他便了。」他生性陰辣，幾句尖酸刻薄的言語，由他口中道出，竟然不露惡意，好似出自肺腑一般。

谷寒香漠然望他一眼，生像並未理解他話中的含義，接著目射寒光，環掠四人一遍，緩緩說道：「諸位的話，都有見地。」

頓了一會兒，又道：「諸位想想，設若盟主尚在人世，遇著這等情況，他將如何處理？」

只聽「搜魂手」巴天義道：「可惜盟主……」說了一半，目光突然與谷寒香那銳利如箭，冷削如刀的兩道眼神一觸，頓時住口不言。

谷寒香冷冷地道：「可惜盟主已經死了，不過怕死的人，並不一定活得久些。」

她近來一日較一日深沉，予人一種喜怒無常，冷峻殘酷之感，「搜魂手」巴天義原是桀傲難馴，凶悍成性之人，但與她相處幾日後，居然暗生出怯意，這時耳聞她出語諷刺，竟不敢反唇相譏。

谷寒香面龐一轉，移目朝霍元伽望去。

霍元伽想了一想，道：「盟主天生神勇，我等不難企及，夫人大仇在身，還是以慎重爲宜。」此人老奸巨猾，雖然口是心非，卻能把握旁人的弱點，令人無法反駁。

谷寒香目光一掠，在鍾一豪面上一瞥而過，只見他雙目之內，隱含著深沉的憂慮，不由暗嘆一聲，忖道：「此人作繭自縛，雖然放縱一己私慾，不顧朋友道義，卻也是可憐得很。」心念一轉，環顧眾人道：「究竟是先禮後兵，或是猝然下手，且待找到『陰手一魔』的洞府後再

作決定，各位長行勞頓，如今就請回房，調息元氣，以備明日大戰。」

霍元伽等聞言，急忙起身告退，各自回房安歇。

次日凌晨，六騎馬離了客店，出城向呂梁山進發，入山之後，又疾馳了一、兩個時辰，方始進入「黑風峽」內。

這「黑風峽」兩壁夾峙，中通一條寬約四尺的窄徑，峭壁高聳入雲，絕壁上伸出的參天古樹，遮斷了一線天光，因而雖在日中，峽內卻是黑暗沉沉，鬼氣森森，加以刺骨陰風，吹得人汗毛直豎，其險惡之狀，較「迷蹤谷」遠為可怖。

一行六人，縱然都是以膽包身，叱吒風雲的人物，入了此等幽冥絕地，也難免惴惴不安，怦怦心跳起來。

谷寒香手牽馬匹，當先朝峽內走去，行入十餘丈後，忽聽頭頂響起一聲短促銳嘯。這銳嘯尖厲刺耳，恍若鬼哭梟鳴，峽壁傳音，更增恐怖氣氛，眾人入耳心驚，不由自主地駐足不前，仰面朝頭頂望去。

驀地！一聲巨響，自身後傳來，眾人轉面一望，只見峽口一片漆黑，業已被堵得一絲縫隙不露。聽那沉重響亮的聲音，堵住峽口之物，應在萬斤以上。

麥小明雙肩一晃，返身奔到峽口，拔出寶劍，朝那封閉出口之口連砍數劍。

只聽「噹噹噹」連響，沉悶的金鐵之聲不絕於耳，陰沉沉的峽谷頓時充滿了嗡嗡的回音。

谷寒香初入峽內，本為那淒慘的氣氛和幽暗的景色所懾，心中暗感到慴怵，此時突然覺出

強敵已在身側，反而膽氣大壯，精神爲之一振。她久歷艱辛，養成了超人一等的膽識，此時雙眸凝光，朝四面陰暗處游目一掃，揚聲道：「小明回來，不要損壞了寶劍。」

麥小明手提寶劍，縱身回到谷寒香身前，笑道：「好傢伙，半尺厚的鋼閘！」

「羅浮一叟」霍元伽道：「那鐵閘頂端尙有縫隙，想是『陰手一魔』特爲留下的陷阱。」

谷寒香淡淡一笑道：「霍兄說得不錯，敢犯『黑風峽』的人，自不將兩、三丈高的鐵閘放在眼內。」

麥小明嘻嘻一笑，道：「我去試試看。」轉身又待奔去。

谷寒香低喝道：「站住！你可是有點害怕？」

麥小明雙眼一睜，道：「我怕『陰手一魔』的魔崽子太少，不夠餵我的寶劍。」

谷寒香長袖一抖，一張大紅柬帖，直往麥小明懷中飛去，接著手指一處岩壁道：「那上面藏得有人，你前去投帖，命『陰手一魔』出來迎客。」

麥小明朝她手指張望半晌，用力一拍脖子道：「當真有人，怎會我未曾發覺？」說罷騰身一躍，直落三丈以外，突然又扭頭道：「如果有人拒不受命，或是出口傷人，我是否應該一劍將他殺掉？」他久未與人動手，此刻心癢難搔，恨不得立即點燃戰火，與人惡鬥一場。

谷寒香秀眉一蹙，不耐煩地說道：「該殺就殺，你瞧著辦吧？」

麥小明聞言大喜，柬帖往囊中一揣，手橫寶劍，人聲道：「有人沒有？」

只聽颯颯風響，四名身著黑色勁裝，肩後插著兵刃的大漢，飛瀉而下，並肩擋在路中。麥小明雙眼一掃，看出四名黑衣大漢，腰下均掛著皮囊，不由嘻嘻一笑，寶劍前伸，道：「快將拜帖交給『陰手一魔』，命他趕緊前來迎客，誰跑慢一步，我砍下誰的狗腿。」他口說拜帖，卻不將拜帖取出。

四名黑衣大漢齊聲怒喝，刹那之間，俱將兵刃亮出。

只見麥小明挺劍疾躍，亮聲道：「你敢罵人？」，「唰唰」連聲，寒光電掣，一連攻出四劍。這出手四劍，詭異絕倫，暴伸疾縮，快得肉眼難辨。

驚哦之聲紛起，忽聽一名黑衣大漢怒喝道：「點子扎手，大夥並排上！」白光一閃，厚背鬼頭刀倏然劈去。刹那間，刀風霍霍，刀影重重，排山倒海般激湧而前。

原來這「黑風峽」窄隘幽暗，如四人聯手，以暗器襲敵，則對手武功再高，也必陷身危境，麥小明鬼精靈，猝然突襲，一招四劍，竟將四名黑衣大漢盛放暗器的皮囊，巧妙絕倫地挑落在地。

只聽四名黑衣大漢怒聲一喝，一排刀光，倏然捲進，將麥小明迫退一步。

這四人兵刃相同，招術一致，聯臂出手，其應敵方式，殊為少見。

麥小明滿臉笑意，雖然被迫連退兩步，寶劍揮來，反而更見從容。

倏地，劍光大盛，麥小明健腕揮處，陡然一劍橫削。只聽「叮叮叮叮」刀劍相交，發出一串金鐵相擊之聲。這一劍凌厲至極，兵刃相觸之下，四名黑衣大漢被震退一步，麥小明的前衝之勢竟也為之一挫。

四名黑衣大漢突然大喝一聲，舉足一跨，同時一刀劈下。

這四人刀法不見精奇，功力卻甚深厚，一刀揮出，驚風震耳，閃閃刀光，布滿五、六尺方圓，將敵我兩方，隔做兩段。

麥小明驃悍成性，不退反進，寶劍一振，撒出萬點寒星，直往刀影叢中亂刺。

這一劍奇詭無比，四名黑衣大漢但見滿眼銀星，直透刀影而入，頓時怒聲一喝，翻腕掄刀，霍地迴鋒一辦。只聽金鐵交鳴之聲大作，四名黑衣大漢疾退兩步。

谷寒香突然冷冰冰地說道：「惡鬼奔喪……」

麥小明心頭一動，身軀一側，貼著岩壁暴進三尺，精芒電掣，一劍刺向左面一名黑衣大漢的脅下。

谷寒香沉聲道：「怨魂纏足，五雷擊頂……」

麥小明一招「惡鬼奔喪」使出一半，急忙伏身一劍，橫掃四名黑衣大漢的足下，緊接著凌空騰起，口中大喊起道：「試試看！」話未了，慘嗥之聲，響徹了幽暗的峽谷，漫天驚虹，帶起一片血雨，最右一名黑衣大漢，被麥小明一劍削下半邊腦袋，第二名大漢的持刀右臂，被齊肘斬下。

適在此時，陰暗的峽谷深處，傳來一個冷冰冰的聲音說道：「什麼人好大膽，入了『黑風峽』內，還敢出手殺人？」

麥小明寶劍狂揮，朝兩名連連後退的大漢追殺不已，四名黑衣大漢一死一傷，餘下二人，已無法抵擋他的劍勢。

谷寒香突然道：「小明住手，留此一人一命。」

麥小明不敢不依，飄身後閃，接過谷寒香手中的韁繩退向一旁，他的武功與谷寒香同一師承，適才與四名黑衣大漢動手時，他一味猛攻，無法破解四人的聯手刀法，谷寒香點撥三招，立即奏功，無形之中，令他對谷寒香的忌憚之心更增幾分。

眨眼間，數十丈外綠光閃動，亮起了四盞光燄碧綠，有似鬼火般的燈籠，四個身著綠衣的美婢，各提一燈，緩步向前走來。

當年在南昌藥王廟內，胡柏齡與「陰手一魔」相鬥時，谷寒香和鍾一豪等人俱不在場，此時一行六人，全都功注雙目，朝碧燈來處，凝神看去。這燈光雖然碧綠黯淡，但在谷寒香這等內功精湛的高手眼中，已不亞於旭日高掛，皓月當空。

只見那四個綠衣美婢，蓮步款款，姍姍而來，四人之後，走著一個胸垂白髯，身披黑袍，髮挽道髻，手執拂塵，臉長如馬，雙顴高突，面如死灰的高大之人。

此人生像已帶著三分森森鬼氣，加上那四盞碧綠燈光一照，和他那一身陰氣沉沉的裝著，看將起來，直似剛剛由鬼域中走來。

谷寒香暗忖道：「此人大概是『陰手一魔』了。」

「羅浮一叟」霍元伽與鍾一豪等人，俱是叱吒風雲，稱霸綠林的人物，此時處身這舉頭不見天光，抬眼深不可測的峽壁之內，目睹「陰手一魔」這等形貌裝束，也不禁心頭怔忡，凜然懾懼。

只見「陰手一魔」走到四個綠衣婢女中間一站，輕咳一聲，冷冷地道：「這『黑風峽』內，二十餘年未見生人，爾等各自報上名號，此來是有意還是無意？速即稟上，以便老夫處

置。」

谷寒香聽他言詞托大，老氣橫秋，不禁冷哼一聲，哂然道：「聽閣下的口氣，想必是這『黑風峽』的主人『陰手一魔』？」

四名綠衣婢女一聽，急忙齊上三步，一邊兩人，將四盞碧焰紗燈，高高舉起。

「陰手一魔」突然冷冷地道：「揚燈。」

「陰手一魔」雙目之內，突地奇光流轉，盯住谷寒香的面龐一瞬不瞬。

他生性陰沉多疑，喜怒之情，從不形露神色之間，此時但見他雙睛幻動，被碧綠燈燄一照，映成兩點灼灼閃耀的燐光，面上卻仍是一片冷漠之色，對於谷寒香兩旁的一叟、二奇，及鍾一豪、麥小明五人，連瞥也未曾瞥上一眼。

忽聽麥小明笑道：「你到底是不是『陰手一魔』？裝模作樣，算什麼東西！」

「陰手一魔」恍如未聞，依然目注谷寒香的面龐，道：「老夫正是『陰手一魔』，你既識得老夫，則多半是有所爲而來，姓名、來歷，到此何事？且先說與老夫得知。」

谷寒香冷冷一笑，轉朝麥小明望上一眼。

麥小明探懷中取出谷寒香的大紅名帖，手朝「陰手一魔」一揚，道：「你的臭排場很多，少時我先鬥你三百回合。」那名帖被他隨手一擲，去勢如箭，直往「陰手一魔」臉上射去。

「陰手一魔」似未想到麥小明年紀輕輕，竟然內力深厚，能將一片薄紙，擲得疾勁異常，因而手接名帖，不禁向他打量一眼，然後方始目光一垂，轉向名帖上看去。這名帖之上，大書「天下綠林盟主谷寒香」九字，「陰手一魔」聲色不動，凝視半晌，然後雙眼一抬，神光湛湛

地盯住谷寒香道：「老夫曾聽人言，『冷面閻羅』胡柏齡的未亡人美絕人寰，國色無雙，但不知這前後兩位盟主之間，是否有何淵源？」

谷寒香沉聲說道：「胡柏齡正是亡夫，谷寒香即是胡柏齡的未亡人。」

她生來天香國色，任何人與她相對，都不免爲她的美色所惑，向她凝視不捨，她習以爲常，是以「陰手一魔」目光灼灼，緊盯在她的臉上，她也不以爲忤。

「陰手一魔」聽她自承是胡柏齡的未亡人，頓時微一咧嘴，無聲無息地一笑道：「你這天下綠林盟主，是以武功贏來，還是由天下綠林所推舉？」

「羅浮一叟」霍元伽突然冷冷地道：「以武功贏來，受綠林推戴，如果你這『黑風峽』也算綠林一環，少不了也在谷盟主的轄下。」

谷寒香暗忖道：「霍元伽老奸巨猾，與這『陰手一魔』倒可以針鋒相對。」

「陰手一魔」臉色一沉，斜眼在霍元伽面上一掠，驀地神色一弛，朝谷寒香抱拳含笑道：「谷盟主駕到，老朽疏懶成性，未曾遠迎，尚祈多多恕罪。」

說罷側身揖客，道：「盟主遠來不易，請至窩居待茶，以便老朽恭聆教益。」

忽聽鍾一豪「嘿嘿」笑道：「『陰手一魔』也會笑臉迎人？如此看來，江湖傳聞，盡多不實之處。」

「陰手一魔」果然名不虛傳，麥小明、霍元伽、鍾一豪三人一再撩撥，他仍是冷漠如故，絲毫不見激怒，其陰沉之甚，較谷寒香和霍元伽尤爲過之。

只見他拂塵一擺，緩緩地道：「谷盟主，你這幾位從人，似乎猖狂過甚。」

谷寒香尚未開口，鍾一豪突然舉步一跨，沉聲道：「你講話應該多多斟酌，『猖狂』二字豈可輕用！」

「陰手一魔」冷冷地道：「老夫愛用即用，這『黑風峽』內，沒有爾等開口的餘地。」

鍾一豪怒喝道：「你好大的口氣！」聲甫落，倏地欺身上步，揮手一掌擊去。

「陰手一魔」見他竟敢動手，不由眉端微蹙，移目向谷寒香望去。

這峽中形勢險惡異常，他那洞府之內，更不知是何等情況？因而霍元伽與鍾一豪等人俱不願深入涉險，而想就在當地挑起戰端，與「陰手一魔」決一雌雄。

谷寒香心中另有計較，此時眼看鍾一豪出手，並不出聲制止，僅只秀目凝光，冷眼望著「陰手一魔」，瞧他如何還手？

「陰手一魔」看她嘴角噙著冷笑，不言不動，猜測不透她的心意，不禁暗忖道：「怎麼這女人冷酷寡情，與傳聞中大異其趣？」這念頭在他心中一閃而過，勁風盈耳，鍾一豪的手掌，離他胸前已不過咫尺之遙。

「陰手一魔」冷哼一聲，舉掌一揮，便接鍾一豪一掌。雙掌一碰，「砰」地一聲脆響，兩人之間，陡然湧起一陣旋風，吹得四個碧燈高舉的綠衣美婢衣袂亂飄。

只見鍾一豪雙足交替，連退兩步，「陰手一魔」則站立原處，凝然未動。

谷寒香睹狀之下，暗皺眉頭，尋思道：「鍾一豪勇猛好勝，對敵之際，寧死不甘示弱，這般被震得退兩步……」思忖未已，忽見鍾一豪縱身一撲，一招「直叩天門」當胸一拳擊去。

同時間，麥小明飛身一劍，直襲「陰手一魔」頭頂，口中大喝道：「你也接我一劍看

看！」但聽岩壁之上，喝叱紛起，十餘縷藍光，帶著破空聲響，直向麥小明疾射而到，來勢勁急，一閃而至。

谷寒香眼看情勢即將混亂，霍地雙肩微晃，直欺鍾一豪與「陰手一魔」兩人之間，長袖一揮，劈出一陣陰柔暗勁。

「陰手一魔」與鍾一豪拳掌即將接實，忽見谷寒香出手相隔，頓時各自收勢，飄身退出數尺。但聽一陣叮咚之聲響過，十餘柄四寸長短，藍芒閃閃的柳葉淬毒飛刀，被麥小明劍光擊飛，撞得兩邊岩壁火花亂濺。

谷寒香冷冷掃視「陰手一魔」，伸手一指霍元伽說道：「這一位姓霍名元伽，江湖道上，稱做『羅浮一叟』。」

接著一指「嶺南二奇」道：「這兩位是巴天義、宋天鐸兄弟，人稱『嶺南二奇』。」

「陰手一魔」兩眼上翻，鼻中冷哼一聲。

「搜魂手」巴天義見「陰手一魔」公然無禮，顯然是目中無人，不將一叟、二奇看在眼中，勃然大怒之下，連衝數步，劈面一拳擊去。

這一拳含怒而發，猛惡至極，拳出未半，一股凶猛絕倫的拳力，轟轟有聲地同「陰手一魔」衝擊而去。

「陰手一魔」冷笑一聲，道：「你也不過如此。」右掌平胸推去，一聚暗勁應手而出。拳風、掌力一接，但聞蓬然一震，「搜魂手」巴天義「蹬蹬」連退兩步，「陰手一魔」靜如山嶽聳峙，依然凝立原地。

北嶽大會之上，「搜魂手」巴天義與鍾一豪一場硬拚，結果勢均力敵，兩敗俱傷，自此以後，二人各懷心病，一有機會，便明爭暗鬥，鍾一豪剛剛在「陰手一魔」掌下輸了一招，巴天義上來，仍是依樣葫蘆，不覺心病復發，不顧胸中血氣翻騰，踏上一步，左掌迅發，右掌回收，又極快地擊了出去。

他刹那之間，一連三、四拳連環擊出，每一拳發出的力道，匯合成一股如山狂飆，風起雲湧一般，直往「陰手一魔」懷中呼嘯撞去。

「陰手一魔」連劈兩掌，怒喝道：「你當真找死不成！」饒他目無餘子，也不禁凜然心驚。

谷寒香卓立一旁，玉容掠過一絲詭異的笑意，皓腕一舒，道：「巴兄先行退下。」

「搜魂手」巴天義所擊出的拳力，與「陰手一魔」劈出的掌力一觸，已感到胸腹中震痛不已，聞言之下，立即藉著反震之力，飄身退至原處。

谷寒香秀目一垂，一掃「陰手一魔」腳下，道：「老英雄名下不虛，功力的確不凡。」

原來「陰手一魔」與鍾一豪、巴天義二人接手幾招，業已雙足深陷，入地將及兩寸，這山峽內未見冰雪，岩石堅硬，足陷兩寸，其勁力可想而知，谷寒香言外之意，便是「陰手一魔」的功力不凡，鍾一豪與巴天義二人，亦非等閒可比。

「陰手一魔」豈不識她絃外之音？冷笑一聲，道：「谷盟主來至『黑風峽』內，殺人挑釁，究竟所爲何事？」

谷寒香微微一哂，一指鍾一豪道：「這一位姓鍾名一豪，領袖江北綠林多年，另一位名叫麥小明，乃是亡夫的師弟。」

「陰手一魔」見她顧左右而言他，心中有氣，冷聲道：「這幾人老朽已見識過，谷盟主能以統御群豪，武功造詣，諒必更高一等。」

谷寒香淡淡一笑，道：「有勞老英雄帶路，且容谷寒香一瞻仙居風采。」

「陰手一魔」暗暗忖道：「這女人行事奇特，迴異常人，看將起來，較胡柏齡更為厲害！」轉念之間，雙手一拱，轉身當先領路。

他老謀深慮，多疑善詐，一眼之間，即已看出一叟、二奇，及鍾一豪、麥小明等人個個身負絕學，俱是江湖上的一流好手，尤其谷寒香英華內斂，神儀外瑩，內功似乎已入六合歸一，返樸還虛之境，因而表面上自矜身分，落落大方，實際上則想先將眾人誆入洞府，然後再細加盤問，從容處置。

四個手舉碧綠紗燈的婢女見「陰手一魔」舉步，立即轉身緊隨兩側，朝峽谷深處走去。

谷寒香目光流轉，在霍元伽與宋天鐸臉上一掠而過，心頭冷笑道：「你們暗懷鬼胎，我將你們置於死地，且看你們賣不賣命？」她本是仁慈善良，萬分純潔的人，自胡柏齡死於非命後，她的性情一變，終於變得冷酷嚴厲，工於心計起來。

「陰手一魔」當先領路，谷寒香緊緊相隨，鍾一豪與「羅浮一叟」等跟隨在後，直往幽暗深邃的峽底走去。

這「黑風峽」全長三百餘丈，最寬之處，不過八、九尺闊，愈至峽底，愈為漆黑陰沉，伸

手不辨五指。眾人就著四盞碧燈，打量沿途的形勢，只見兩邊岩壁之上，散布著許多蜂房鳥巢似的洞穴，漆黑一團，深淺難測。

谷寒香暗忖道：「這些洞穴之內，十之八、九有人藏著，居高臨下，以暗器傷敵，誰想以武功強出強入，倒是不大容易。」轉念間，忽聽一陣嗚咽之聲，由遠而近。

四盞碧燈，倏地熄滅，一陣陰慘慘的刺骨寒風，朝眾人近面衝來，直往峽口奔去。燈光一滅，谷寒香立刻屏息挺立，雙掌虛提，凝足功勁，全神戒備，以防「陰手一魔」猝然發難。

黑暗之中，忽聽麥小明大聲叫道：「『陰手一魔』你在什麼地方？」他想必是對風發話，因而語聲嘶啞，聽來刺耳至極。這陣風來得猛惡，去得迅速，麥小明話聲甫歇，刺骨寒風，業已由眾人身旁一掠而過，只剩嗚嗚咽咽之聲，在眾人耳畔繚繞不去。

幽暗中，只見霍元伽等一叟、二奇背貼岩壁，屏息站在兩旁，谷寒香與「陰手一魔」面面相覷，二人之間，相隔不過兩尺遠近，鍾一豪立在谷寒香身後，麥小明手橫寶劍，一副躍然欲撲的樣子。

驀地，碧燄一閃，四名綠衣美婢手中的燈籠同時放出光亮。

谷寒香將手一擺，道：「老英雄請。」她目不旁瞬，面無表情，生似對於那種劍拔弩張，惡戰一觸即發的情勢，根本未曾留意。

「陰手一魔」乾笑一聲，轉身朝前走去，倏地又是碧光一閃，但見右面岩壁上現出一座高約丈許，寬八尺的洞門，四名背插長劍的青衣少年分立兩旁，每人手中高舉著一盞燈籠。

谷寒香暗暗忖道：「這四男、四女氣定神閒，舉止凝穩，似乎都有一身極佳的武功，若能

收爲己用，勢必方便不少。」轉念之間，秀目一閃，冷冷在四人面上掃視一眼。

「陰手一魔」當先領路，入洞之後，左轉右折，穿過幾重門戶，一直走入一間四壁洞開，中間設有桌、椅的石室，方始停下身來，肅容入座。他這洞府深藏山腹，洞內不見天光，全以那種碧綠燈光照明，陰氣沉沉冷森可怖。

「陰手一魔」輕輕地咳了一聲，道：「胡夫人的膽識與豪氣，著實令人佩服，但不知枉駕『黑風峽』究竟因爲何事？」

谷寒香成竹在胸，淡淡地道：「谷寒香來此，有件瑣事，要煩擾老英雄的清神。」

「陰手一魔」道：「夫人有話請講，力所能及，老朽無不從命。」

谷寒香雙眉一軒，神光炯炯，注視「陰手一魔」道：「聽說老英雄有一種名爲『向心露』的藥物，谷寒香不揣冒昧，欲向老英雄討取些許。」

「陰手一魔」眼珠微動，緩緩地道：「『向心露』雖然寶貴，夫人想要，老朽樂於相贈，但不知第二件事又是什麼？」

谷寒香道：「老英雄有個名叫苗素蘭的門下，現今與谷寒香爲伴，特此奉告一聲。」

「陰手一魔」道：「此事老朽略有所聞，既然夫人需她作伴，老朽不再追究便是。」

說話之間，一名綠衣婢女手托一面青銅茶盤走了進來，在眾人面前分別敬上一杯熱氣騰騰的香茗。

「陰手一魔」端起茶杯，微微一笑道：「這茶內絕無『向心露』，夫人但飲無妨。」說罷舉杯就唇，啜飲一口。

忽聽鍾一豪冷冷地道：「閣下太容易講話，與傳聞中的『陰手一魔』大相逕庭，這茶閣下敢吃，鍾一豪可是不敢。」

說罷右手疾探，陡地向身後侍立的一名綠衣婢女抓去。

但見「陰手一魔」五指箕張，電激而出，冷哼道：「鼠輩無理！」

這幾年來，鍾一豪隨谷寒香奔波勞碌，也是歷盡了人世疾苦，平居之餘，常以武功未能登峰造極，不能獨力為胡柏齡報仇，以致眼看著谷寒香自污清白，以色相換取武功，他暗自傷懷，但有閒暇，即苦練武功，因而雖只一、兩年時間，其技藝已大非昔日可比。

那綠衣美婢耳目原是極為靈敏，而且與鍾一豪相隔四尺之遙，鍾一豪坐在椅上，理該抓她不著，豈料鍾一豪這一抓之勢，快如驚霆迅雷，未見他身形離座，業已攫住那名綠衣婢女的手腕，一把扯入了懷中。

但聽谷寒香冷聲一笑，道：「屬下鹵莽，老英雄多多見諒。」

茶杯一舉朝「陰手一魔」一照。

鍾一豪與「羅浮一叟」霍元伽首先離座而起，「嶺南二奇」與麥小明亦紛紛起立，「陰手一魔」面露詭笑，目光湛湛地盯住谷寒香玉面之上。

原來谷寒香舉手之間，檀口一張，竟將一杯熱氣騰騰的茶汁憑空吸入了腹內，茶杯一晃，差點撞在「陰手一魔」的「曲池穴」上，迫得「陰手一魔」硬將襲向鍾一豪的一掌收了回去。

忽聽「嚶嚀」一聲，鍾一豪一指點了那名綠衣婢女的穴道，健腕一揮，將她朝另外一名婢女扔去。

他原是挑釁，此時伸手在腰間一拉，撤出緬鐵軟刀，道：「這茶中多半有鬼，夫人請在一旁監戰，待屬下來料理此人。」

忽聽麥小明大聲道：「第一場是我的！」嗆瑯一聲，已將寶劍執在手中。

谷寒香黛眉微蹙，緩緩地道：「除鍾兄外，其餘的人各守一處門戶。」

剎那間，颯然聲響，霍元伽、巴天義、宋天鐸、麥小明，分別守在四門之側。

「陰手一魔」安坐椅上，陰沉沉地冷笑一陣，道：「夫人指揮若定，果有領袖群倫之才，只是在老朽眼中，夫人這批屬下，不過是些土雞瓦狗而已。」

此言一出，連鼠首兩端的霍元伽與宋天鐸，也覺得怒不可抑，鍾一豪欺身上步，即待揮刀動手。

「陰手一魔」兩眼停在谷寒香臉上，對撲近身前的鍾一豪連瞧也不瞧上一眼。

只聽嬌叱之聲響起，兩個綠衣婢女倏地閃身上前，抖手之間，亮出兩柄軟劍，一柄金光耀眼生花，一柄銀光閃閃，如長星劃空。

谷寒香對這「黑風峽」內的一人一物，俱都別有用心，一見雙劍一刀將要交上，頓時揚聲道：「鍾兄手下留情。」

但聽一陣金鐵交鳴，滿室迴蕩，兩個綠衣少女環珮叮噹，同時被震得退出四、五尺遠。

谷寒香突然聲音一冷，道：「老英椎，谷寒香曾聽亡夫說起，你胸懷大志，腹藏機謀，素有問鼎中原之心，不知如今改變了初衷否？」

「陰手一魔」嘿嘿一笑，道：「有道是老驥伏櫪，志在千里，老朽雄心倒是未死，惟其自

恨力薄而已。」

谷寒香雙臂一震，抖掉了錦緞披風，離座而起，道：「勝得了谷寒香，自今以後，『迷蹤谷』歸『黑風峽』管轄。」

「陰手一魔」詭笑道：「夫人何不一提氣，試試體內可有異樣？」

鍾一豪面龐一轉，急往谷寒香臉上望去，他面垂黑紗，無人看得出他臉上的神情，但由那急驟的動作中，可看出其內心的震動。

谷寒香輕哼一聲，冷冷地道：「等閒的毒藥，毒谷寒香不死。」

說著雙肩一晃，迎面一掌，直往「陰手一魔」額上拍去。

這一掌疑真似幻，悄無聲息，緩緩而來，恍忽晴空一朵白雲。

「陰手一魔」嘴角間泛起一絲冷冷笑意，長身而起，揮掌向前迎去。

谷寒香天生絕色，一身之上，無一處不美，但見那纖纖玉掌欺霜賽雪，一眼望去，便令人有柔若無骨之感。

「陰手一魔」姬妾、弟子不分，本來就深具寡人之疾，他內力精湛，目光犀利，在峽內第一眼看見谷寒香時，即為其絕世容貌所震，色授魂與，不克自已，但他年老成精，情知來者不善，是以強自收攝心神，裝模作樣，直將谷寒香迎入洞內，示意身邊婢女，單單在谷寒香茶中弄鬼。這種簡單辦法，不過是姑且一試，並未期望必成，不料谷寒香明知故犯，偏偏將茶一飲而盡，意外之喜，怎不令他心頭雀躍？

只聽輕輕一聲脆響，雙掌甫接，一陣激烈異常的氣流，波翻浪滾，四散飛溢，吹得滿室之人衣襟獵獵作響。

「陰手一魔」急退兩步，足下一晃，身形朝前一傾，谷寒香雙足緊釘原地，嬌軀搖晃，彷彿風雨之下的一葉殘荷。

驀地鍾一豪大喝一聲，緬鐵軟刀帶起驚天毫芒，飛劈「陰手一魔」頭頂。

「陰手一魔」突然側閃五尺，雙掌連擊三下，「啪啪啪」三響，掌聲未落，四門之外，陡地湧起疾促的步履之聲。

谷寒香冷哼一聲，霍地欺身而上，左手駢指如戟，直點「陰手一魔」肩胛，右掌閃動如電，罩定「陰手一魔」左脅諸大穴道。

「陰手一魔」輕敵致敗，一掌硬拚，只使出五成功力，此刻內腑已被震傷，不敢再存毫絲憐香惜玉之心，一見谷寒香掌指襲到，立即旋身一掌，全力攻出。

剎那間，「陰手一魔」與谷寒香以快打快，爭搶先機，對拆了兩百餘招。

另一旁刀光閃閃，劍氣騰騰，兩名綠衣婢女與鍾一豪激鬥數招之後，另一名未曾動手的少女，也揮劍加入了戰團。

四壁洞門之下，打得更爲激烈，除先時在門外迎客的四名青衣少年外，另有十餘名男子，分頭向室內衝擊不已。

這石室形勢極爲怪異，東、西、南、北，各有一道門戶，四門之外，俱是一座略較狹小的石室。

此時室內室外，掌風盈耳，兵刃相擊之聲此起彼落，夾雜著喝叱之聲，火辣辣熾烈異常。

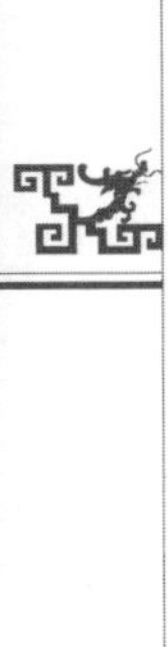

北面門戶通往洞外，「羅浮一叟」霍元伽暗懷鬼胎，一聽谷寒香下令各守一門，頓時搶先發動，佔據了這處出口，以便危急之時，易於遁走。

他心機深沉，預留退路，豈料弄巧反拙？「陰手一魔」輕敵過甚，一招之下，被谷寒香震傷了內腑，因而擊掌爲號，招入守伺在外的屬下，掌聲未歇，四名手持精鋼長劍的青衣少年，即已風馳電掣而來。

這四個青衣少年，是「陰手一魔」門下的精粹，由他一手調教的弟子，武功造詣，勝過那四名綠衣少女。

霍元伽的眼力何等敏銳，四人身形才現，他立時瞧出對方的深淺，一撩衣襟，撤出了極少動用的兵刃。

但見四個青衣少年兩前兩後，晃眼已至近處，爲首二人長劍疾震，同時向霍元伽刺去。

這二人劍勢一動，劍尖之上，立即銀星亂爆，威力懾人，實非小可！

霍元伽心下一凜，振臂一掄，龍吟聲響中，星火飛濺，當前兩個青衣少年倏地一分，猛向左右閃去。

這二人身形一分，寒光耀眼，兩柄長劍如響斯應，追蹤刺來，前後呼應，快捷無倫。

「羅浮一叟」霍元伽手執一柄通體烏黑，類似「雞爪鐮」的奇形兵器，出手一招，震退前面的兩名青衣少年，翻腕一揮，劃出一道烏光，封住了來路。

但聽嗆啷連響，金鐵相觸之聲，震得人耳鳴不已。

要知「羅浮一叟」成名數十年，原是問鼎綠林盟主寶座的首要人物，非但武功卓絕，而且

臨敵經驗車載斗量，料敵機先，以長擊短，等閒之輩，根本難在他手下走得了三招兩式。

兩名青衣少年長劍刺去，忽感身心一震，手臂一麻，長劍似欲脫手飛去，不由悚然一驚，撤招收勢，猛地閃退半步。

霍元伽所使的兵器名為「青龍奪」，招術極為詭異，前勢未盡，後招又起，只見他右臂微划，滿天烏光，夾著一股輕嘯應手而起。

驀地「拘魄索」宋天鐸的厲喝之聲，響徹了整座石室。

嗤嗤之聲，縱橫亂響，十餘枚淬毒暗器，由東、西兩面激射而入，砸得地面火花亂濺，叮叮之聲不絕於耳。

霍元伽暗暗忖道：「如果我這一面首先被人衝了進去，則顏面無光，二則必招她忌恨。」

轉念之間，忽見左右兩支長劍，雷奔電閃而來。

他不知不覺間，對谷寒香萌出了怯懼之心，青龍奪展出一招「雲魔三舞」，左拒右砸，迴環掃擊，硬將兩劍拒擋回去。

谷寒香掌指兼施，兩隻長袖，不時劈出一陣陣如山潛力，迫得「陰手一魔」無一絲緩手的餘地，霍然間，只見她左手中光芒一閃，多了一柄藍汪汪的淬毒匕首。

藍光乍現，一招「金鉤掛玉」，陡然向「陰手一魔」右脅撩去，其疾若電，狠辣至極。

「陰手一魔」見她愈鬥愈勇，一杯秘製的藥茶被她吸入腹內，迄今無半點反應，不覺驚疑交集，激戰之下，暗暗感到舉棋不定。

這招「金鉤掛玉」來得突兀，虧得他眼明手快，應變機警，危急之中，雙足疾挫，猛力後

閃，右臂下沉，併掌如刀，直砍谷寒香的左腕，左臂一揮，倏然擊出一掌。

只聽谷寒香冷冰冰一哼，右掌一揚，硬接來掌，左手繞了半個圓圈，側身探臂，匕首霍地一送。她招式怪異，與中原武學大有格格不入之勢，而鋒銳勇猛，與她那美秀絕倫的容貌更不相襯。

「陰手一魔」暴閃數尺，怒喝道：「谷寒香，你如此拚命，究竟爲了什麼？」

谷寒香欺身直進，如影隨形，淬毒匕首如靈蛇吐信，伸縮不已，颼颼之聲，刺入耳鼓，宛如草下毒蛇疾竄一般。

忽聽「搜魂手」巴天義怒罵道：「無恥鼠輩……」

聲未落，三名黑衣男子快若流矢，由東首門下一竄而入。

當先一人揮動一柄金背單刀，擁身一縱，撲向鍾一豪身後，掄刀便砍。

原來東、西、南三座門下，各有六、七人向室內衝襲，「嶺南二奇」與麥小明分據要隘，各守一門，外間人數雖多，本來難以攻入室內，只是這批人武功雖非一流，仗著人多勢眾，「嶺南二奇」與麥小明又要緊守門下，無法追擊，因而此遮彼架，蹈隙發招，餵毒暗器層出不窮，倒也不易應付。

「搜魂手」巴天義據守東壁門戶，以一根亮銀軟鞭，力拒此起彼落的兵刃暗器，他的武功本與「拘魄索」宋天鐸不相上下，但宋天鐸使單刀、軟索，單刀撥打暗器，軟索防身攻敵，硬軟相濟，兵刃上佔了便宜，因而宋天鐸尙能守住，他卻被人衝入了室內。

當先闖進室中的是一名年約四旬，身著黑色勁裝的男子，此人久隨「陰手一魔」，臨敵之際，心眼頗爲靈活，他不助「陰手一魔」，卻悄無聲息地撲向鍾一豪身後。

鍾一豪的緬鐵軟刀凌厲凶猛，三個綠衣少女原本抵擋不住，只是她三人聯劍相守，配合得嚴密萬分，鍾一豪雖然亟欲結果三人，以便協助谷寒香對付「陰手一魔」，急切之間，依然料理三人不下。

他久經陣戰，雖在激鬧之下，對周圍的動靜，依然看得分明，背後金風微動，頓時腳下用力，身軀半旋，陡地反臂一刀劈去。

突然間，麥小明的長笑之聲劃空而過，一道耀眼驚芒，橫貫石室一隅，直落谷寒香身後，但見他寶劍連揮，兩聲短促的慘嗥相繼響起，兩道血光直沖空際。

兩名衝入室內的黑衣大漢，就在也舉手之間，身首異處。

忽聽谷寒香怒叱道：「滾回去。」

麥小明大聲道：「那面沒有人了！」左手連連晃動，笑喝道：「『陰手一魔』接住！」

三顆血淋淋的人頭，啣尾飛去。

「陰手一魔」氣得牙根亂咬，眼見人頭飛來，卻無暇出手撥打，百忙之下，雙掌連環劈擊，身形電閃，疾飄四尺，避過了谷寒香的淬毒匕首，與激射而至的頭顱。

忽見白光打閃，麥小明的劍勢，緊隨著人頭刺到。

「陰手一魔」怒發如狂，只見他招式一變，雙掌迸發，一掌快似一掌，瞬息之間，攻出了二十餘掌，硬將谷寒香與麥小明二人逼在數尺之外。

突然間，異聲大作，「嶺南二奇」怒吼之聲同時響起。

只見東、西兩邊門外，各有三名勁裝大漢並肩而立，每人手中執定一具粗如海碗，長約三尺的圓筒，一股股黑色毒水，夾雜縷縷銀芒，由筒中激噴而出。

但見那噴出的毒水、毒針，噴出之後，立即四散開來，籠罩一丈方圓大小，三筒併發，更是滿空密密麻麻，彷彿一道怵目驚心的怒潮。

「搜魂手」巴天義、「拘魄索」宋天鐸，二人閃身退到了北面出口之處，手橫兵刃，眼中猶有餘悸。

鍾一豪緬鐵軟刀橫掃一匝，捨卻那名勁裝男子和三名綠衣少女，疾往「陰手一魔」身前撲來，口中大喝道：「夫人請退，待屬下與麥小明來鬥他一鬥。」

谷寒香突然冷冷喝道：「統統住手。」

這些都是瞬息間的事，谷寒香喝聲一出，鍾一豪與麥小明立即收勢住手，立在她的兩側。

「陰手一魔」也不進擊，僅只面含詭笑，冷冷地向谷寒香望著。

轉眼間，六名手執噴筒的黑衣大漢大步走入了室內，一邊三人分立在「陰手一魔」左右。

霍元伽聽谷寒香喝令住手，頓時身子一側，讓開一步，四名青衣少年一晃而入，亦都峙立在「陰手一魔」身旁，眨眼間，東、西、南三面門外，湧進了十餘名持刀大漢。

麥小明眼睛一眨，訝聲道：「噫？我明明殺光了，怎的又有人鑽出來？」

一名懷抱金背刀的大漢，朝「陰手一魔」躬身一禮，道：「啓稟祖師爺，這小兒前後廢了咱們十一名兄弟。」

「陰手一魔」將手一揮，道：「我知道。」

移目一望三個綠衣少女，冷然道：「將青娥抱來。」

三個少女喘息未定，聞言立即有一人奔向一旁，將那被鍾一豪點了昏穴的少女抱了過來。

「陰手一魔」瞧也不瞧，抬手一掌，擊在那少女的「秉風穴」上，只聽那少女嬌吟一聲，緩緩地睜開了雙眼。

谷寒香冷冷一笑，雙手一擺，將鍾一豪與麥小明擋退兩步，面龐一轉，移目朝霍元伽望去。她目光如電，威稜逼射，霍元伽心頭一震，趕緊跨步向前，與麥小明並肩而立，巴天義和宋天鐸相視一眼，急步跟上，轉眼間室內劍拔弩張，瀰漫起一片肅殺之氣。谷寒香目挾霜刃，目注「陰手一魔」道：「谷寒香所提三事，老英雄尊意如何？」

「陰手一魔」仰首一笑，道：「夫人風華絕世，武藝驚人，尤其膽識豪氣，不讓鬚眉，老朽實在心折不已。」

谷寒香冷冷地道：「老英雄不必過獎，其實谷寒香寄生人世，只爲一點心願未了，行屍走肉，談不上豪氣風華。」

「陰手一魔」目光一閃，環掃眾人一眼，緩緩說道：「今日之戰，勝負未分，不過老朽得地利、人和，略佔幾分勝算。」說到此處，頓了一頓，道：「若無老朽首肯，夫人與手下這幾位英雄，自信能夠生離『黑風峽』麼？」

麥小明笑道：「『陰手一魔』，你可敢與我單打獨鬥，決一死戰？」

在谷寒香一行六人中，麥小明的武功居於第二，而且較之一叟、二奇和鍾一豪四人，要高出甚多，「陰手一魔」對他早生疑竇，聞言向他仔細打量一眼，見他確是年幼，並非有什麼駐顏之術，不禁雙眉一蹙，說道：「胡柏齡的武功我曾見過，你既是他的師弟，何以武功路數，又與胡夫人相同？」

谷寒香暗暗忖道：「此人目光如箭，心機似海，當真是難以對付。」

只聽麥小明道：「你敢打就打，何必問這問那？」

谷寒香道：「老英雄多問無益，常言道：沒有三分三，豈敢上寶山？幾件暗器，谷寒香還不放在眼內，今日之事如何了局？老英雄只管示下。」

「陰手一魔」嘿嘿一笑，道：「夫人可知你所飲的茶內，除了中含劇毒外，尚融有碧蟾之血、金蟆之涎，若不服下老朽特製的解藥，那可是遺患無窮。」

此言一出，「羅浮一叟」、「嶺南二奇」、鍾一豪、麥小明等五人，俱都移目朝谷寒香望去，眾人雖不知碧蟾血和金蟆涎究係何物？但聽這兩樣名稱，亦可想像其厲害之甚。

麥小明突然大喝道：「鍾一豪，咱們刀劍聯手，先將『陰手一魔』廢掉。」

寶劍一揮，欺身直上。

只聽六名手執噴筒的黑衣大漢齊聲怒喝道：「站住！」

谷寒香皓腕一伸，綿綿玉掌，倏地按在麥小明肩上，阻止了他的前衝之勢。

這隨手一按，力逾千斤，麥小明慌忙沉肩一滑，卸掉谷寒香的手掌，瞠目道：「師嫂怕什麼？那玩意兒傷我不了。」

谷寒香玉面一沉，道：「站在一旁，未得我命，不許妄自出手。」

面龐一轉，目注「陰手一魔」道：「谷寒香的生死，毋須老英雄費心，所言三事到底怎樣解決？老英雄速即示下。」

「陰手一魔」沉吟半晌，道：「非是老朽危言聳聽，夫人倘若自恃內功深湛，不將老朽的毒藥放在心上……」

谷寒香暗暗忖道：「這魔頭儘管顧左右而言他，看來是在拖延時刻，想等待自己毒發。」

心念一轉，突然伸手一掠肩後，將長劍撤在手中，冷冷地道：「我若不相信老英雄的毒藥，怎會甘冒風雪，來此討取『向心露』？」

忽聽鍾一豪接口道：「『陰手一魔』，姑不論你的毒藥有效無效？你且說說，要你交出解藥，須得什麼條件？」

谷寒香陡地冷哼一聲，把口一張，昂首望空一噴，這舉動出人意表，滿室之人，齊皆仰首望去。但見她口齒張處，一股黑色煙霧激沖而起，那煙霧直升七尺，然後化作一大片濛濛灰霧，徐徐四散。

「陰手一魔」手下的男女人眾，俱不敢讓那灰霧沾上身來，卻因「陰手一魔」平日馭下極嚴，未得號令，不敢後退，一時之間，俱都眼望著緩緩下沉的迷霧，流露出滿臉惶急之色。

谷寒香妙目凝光，冷冷望著「陰手一魔」道：「老英雄這杯香茗，確然厲害無比，可是谷寒香雖然吸入腹中，卻並未容其滲入體內，有負盛意，尚祈老英雄見諒。」

她連諷帶損，饒是「陰手一魔」心機深沉，也不禁被挖苦得青森森的臉上泛起兩朵紅雲。

「陰手一魔」大袖一揮，擊出一陣無形勁氣，將那片即將沾上身來的迷霧逼得一分爲二，直往兩旁飛散，冷冷地道：「夫人玄功通神，竟將吸入腹中的藥物逼住，動手數十招後，重又噴射出來，老朽垂暮之年，得睹奇學，實是三生有幸。」

谷寒香道：「老英雄客氣，當真動手相搏，谷寒香殊無自勝的把握。」

這兩人口中講得客氣，其實各逞心機，都在籌思良策，想在不傷肢體的情況下，將對方擒到手內。

「陰手一魔」突然轉面吩咐身後的綠衣少女道：「快去取兩瓶『向心露』和一粒『寒蚿丹』來。」

一個綠衣少女躬身領命，急往洞後奔去，須臾奔了回來，手中捧著兩大一小的三只玉瓶。

「陰手一魔」擺手道：「送與胡夫人收下。」

那綠衣少女走到谷寒香身前，將三只玉瓶奉上，谷寒香接過手中，聲色不動往囊中一揣。

「陰手一魔」輕輕地咳了一聲，道：「那兩個大瓶之內，盛的是『向心露』，服後記憶喪失，神志麻醉，終其一生，任憑施藥人支配，赴湯蹈火，不知推辭。」

頓了一頓，接道：「小瓶之內，裝著一粒『寒蚿丹』，夫人雖已將那杯藥茶吐出，只恐仍有餘毒滲入體內，一旦發作，勢必抵受不住，到時候可將這『寒蚿丹』服下，毒性自解。」

谷寒香淡淡一笑，道：「老英雄顧慮周詳，令人感激不盡，不知老英雄是否尚還有興一爭綠林盟主之位？」

只見「陰手一魔」連連擺首道：「自從南昌古廟之內，與胡盟主一戰後，老朽已深感江湖風浪險惡，武功之道，卻是淵納海藏，了無止境，以有生之年，與其逐鹿虛名，自蹈危機，何如閉門納福，摩娑歲月？是以那盟主寶座，老朽今生是不想染指的了。」

麥小明突然嘻嘻一笑，道：「你說得太好聽，只怕有點口不應心？。」

「陰手一魔」充耳不聞，繼續朝谷寒香道：「老朽雖無江湖稱尊之心，不過胡夫人是老朽生平最為拜服之人，一旦『迷蹤谷』有事，但有需用之處，力之所及，老朽無不從命。」

谷寒香玉腕一抬，插還長劍，雙手抱拳，神情語調頗為冷淡地道：「盛情不敢相忘，谷寒香就此告辭。」

「陰手一魔」聽她開口告辭，當下也不挽留，一顧左右道：「送客。」

四名綠衣少女聞言立即奔向一旁，各自擎起一盞燈籠，晃手之間，碧焰閃閃，已然點亮。

谷寒香暗暗冷笑，忖道：「這魔頭巧言令色，當真令人莫測高深。」

轉念間，暗自戒備，故意與他並肩而行，緩步朝洞外走去。

一叟、二奇與鍾一豪等，俱是多疑善詐之人，「陰手一魔」今日表現得過於軟弱，對於連斃十餘名手下之事隻字不提，因而眾人心中俱都疑雲重重，不知「陰手一魔」有何詭計在後？

四名綠衣少女提燈領路，谷寒香與「陰手一魔」相隨在後，一叟、二奇與鍾一豪，同一心意，大家魚貫而行，各自看住一名手執噴筒的大漢。

「陰手一魔」忽然輕笑一聲，轉而向谷寒香道：「夫人重整綠林的消息，想必尚未傳出江湖，否則的話，那些自我標榜正大門派中人，必將聯手合力，準備大張撻伐。」

谷寒香秀眉一揚，道：「老英雄是否因此原故，才自甘寂寞，不再插手綠林盟主之爭？」

「陰手一魔」淡然一笑，道：「與我綠林存有誓不兩立之心的人雖多，但是真正成為綠林道的威脅者，不過少林、武當兩派，綠林道上的高手，如果真能合力同心，與那些自詡正大門戶中人，做一生死之搏，孰勝孰負？誰在誰亡？乃是殊難預料的事。」

谷寒香道：「聽老英雄言外之意，癥結所在，乃是如何令綠林道上的高手同心戮力，聯合對外？」

「陰手一魔」乾笑一聲，道：「大人聰慧，所言甚是，草莽中的人，類多是桀傲不馴，誰也不受羈勒，再說真是武功高強之輩，難免野心勃勃，不願屈居人下。」

說話間，眾人即要走出洞門，「陰手一魔」忽然伸手一攔，道：「夫人請稍待一時。」

谷寒香眉端一剔，方要開口，忽聽洞外的左側，有極輕微的嗚咽之聲，傳入耳際。

這聲音細微至極，非有極深湛的內功，無法聽得出來，轉眼間，聲音愈變愈大，一時嗚嗚咽咽，音迴峽壁，聲震耳鼓！

只見一陣黑越越的狂飆，翻翻滾滾，恍若千軍萬馬，由洞門外洶湧而過，直往峽口奔去。

黑風過去之後，眾人出洞往峽口走去。

「陰手一魔」道：「胡盟主前車之鑑，夫人不可再蹈覆轍，對於武當、少林兩派，理當早爲防範，對於酆秋、水寒等人，更須時時留意，以免落其圈套。」

谷寒香暗自冷笑道：「我若不落入你的圈套，大概也不會落入旁人的圈套了。」

想著抬眼一望，只見峽口那道重逾萬斤的鐵閘已開，兩名黑衣大漢牽著自己等人的馬匹，等候在峽外。

她此來的目的，實想制服「陰手一魔」收爲己用，這時一面打量周遭形勢，一面急轉念頭，準備猝然下手。

「陰手一魔」似是明白谷寒香的心意，行走之間，雙眼一直不離她的身上，看他兩手虛握在胸前的樣子，顯然是凝足了功勁。

片刻之間，眾人已走到峽口「陰手一魔」止步立定，雙手一拱，道：「請恕老朽不再遠送，如有相需之處，夫人可命人知會老朽。」

谷寒香目光流轉，掃視他身旁幾個手執噴筒的大漢一眼，暗忖道：「這東西威力太大，除非以迅雷不及掩耳之勢，同時將六個人制住，否則身法再快，也難逃毒針、毒水之厄。」無奈之下，雙手抱拳，道：「今日多有冒犯，谷寒香迫於境遇，尙祈老英雄見諒。」

說罷雙足微頓，飄身落於馬上，鍾一豪等人也都紛紛上馬，她是打定主意晚間再來；「陰手一魔」也料定她必會去而復返，因之兩人四目相接，俱都含著冷冷的笑意。

谷寒香高坐馬背，道聲：「後會。」擰轉馬頭，當先縱轡馳去，霎時蹄聲如雷，六騎馬絕塵而去。

冬月晝短，此刻天空已漸昏暗，谷寒香一馬當先，直往西邊疾馳，約莫奔出七、八里路，忽見她馬頭一折，轉往一座山頭上飛馳。

馬至半山，谷寒香突然一勒韁繩，道：「巴兄、宋兄，二位就在此處歇馬。」

「嶺南二奇」聞言一怔！兩人尚未駐馬，谷寒香業已繼續往山頂馳去。

行不一刻，谷寒香突然勒馬向霍元伽道：「霍兄留在此處覓地歇息。」

說罷不待回話，策馬再朝山頂馳去，鍾一豪和麥小明二人，縱馬緊隨在後。

上了一段，谷寒香駐騎朝鍾一豪道：「你就留在此處，不可使任何人闖上山頂。」

鍾一豪見她這等安排，顯然是在她的眼中，麥小明較自己更為親信，一時間百感交集，黯然垂下頭來。

他黑紗蒙面，旁人原是難以窺知他的心事，不過谷寒香與他相處日久，早已識透了他的性情，這時眉端一蹙，冷冷地道：「『陰手一魔』那杯茶厲害無比，我體內尚有餘毒，必須趕緊運功煉化，是否成功尚不一定？你守在這裡，無論如何，別讓人闖上山頂。」

只聽麥小明嘀咕道：「誰教你硬充好漢……」

谷寒香玉面一沉，冷冷地「哼」了一聲，麥小明急忙嘴巴一抿，將剩下的話嚥了回去。

鍾一豪似乎覺得自己使命重大，心下寬慰了不少，道：「今日若非夫人先將『陰手一魔』鎮住，令他莫測深淺，心存疑忌，他勢必一計不成，又生一計，咱們也無法離開得這般容易。」

谷寒香輕嘆一聲，道：「此人極爲厲害，他知道我目的不在『向心露』上。」

說罷一抖馬韁，再朝山頂上衝去。

鍾一豪望著她的背影，突然揚聲叫道：「夫人非到不得已時，不可服用『陰手一魔』所贈的解藥。」

麥小明笑道：「有我在一旁，不用你再費心了。」

山道崎嶇，加以皚皚積雪，行不多遠，馬匹已無法再上。

谷寒香飄身落地，朝麥小明道：「你守在附近，任何人闖上了山頂，我便取你的性命。」

麥小明笑道：「如果鍾一豪……」

谷寒香截口道：「不管是誰，格殺勿論！」

說罷身形微晃，直往山頂奔去。

只見她星擲丸跳，縱躍如飛，轉眼間到了山峰之上，略一打量形勢，立即在一株樹下盤膝坐定，閉目運起功來，眾人馬包內都帶有乾糧，這時各自揀了避風之處，歇憩進食，只有谷寒香高居山頂，盤坐在凜冽朔風之下，不言不動，彷彿一尊石像，遠遠望去，她是那般的孤獨和倨傲，卻又無比的堅毅，無比的剛強。

天黑之後，開始下起雪來，風愈來愈大，呼嘯之聲，震山撼嶽，樹木、山石，似欲離地飛起，直到下半夜時，谷寒香始才一躍而起，但見她雙臂一振，抖掉了滿身積雪，接著足尖點地，朝峰下如飛而下。

麥小明未敢偷懶，這時躲在一處山石之後，兩眼大睜，正朝山下望著。

谷寒香一掠而過，低喝道：「小明，走。」聲未落，人影已沓。

月黑風高，馬匹無法乘騎，麥小明縱身一躍，追在後面便跑，一會兒工夫，鍾一豪和一叟、二奇，俱都聚集到了一處。

風雪交加之下，只見谷寒香雙目電閃，在眾人臉上來回一掃，語聲沉痛地道：「武當、少林兩派人多勢眾，酆秋、水寒等武功高強，單憑谷寒香和諸位之力，實不足與彼等抗衡。」微微一嘆，又道：「是以谷寒香不惜一死，定要將『陰手一魔』收在手下，增加幾分實力。」

說到此處，倏地目如利箭，盯住霍元伽道：「你倘若怕死，趕快先對我講明，如果誤了大事，我必將你打入十八層地獄，令你萬劫不復。」

她講話時句句用力，風雪之下，字字鏗鏘，直入霍元伽耳內。

「羅浮一叟」原也是名震綠林的人物，此時俯首無言，心頭充滿了惶恐，半晌之後，陡地嘆息一聲，慨然道：「好罷，人壽幾何？夫人既然不惜一死，屬下又何必貪生？」

谷寒香目光一閃，一掃巴天義和宋天鐸二人，接著嬌軀一閃，直往「黑風峽」馳去。

幾里路程，片刻即至，抬眼望去，峽口那道鐵閘並未放下。

一行六人，俱是一流的輕功，眨眼之間，全無聲響地閃入了峽內。

這峽壁之內，只有刺骨的寒氣，和間歇的狂風，雪花卻打不進來，眾人才入峽內，便聽身後疾風陡起，緊接著「轟隆」一聲暴響，扭頭看去，那道萬斤鐵閘已被人暗中放下。

漆黑之下，忽聽機簧之聲大起，前後左右，俱是「喀嚓、喀嚓」的聲響。

但聽谷寒香急聲喝道：「散開！」貼地一掠，霎時出了五丈之外。

剎那間，遍地沙沙之聲，顯然是金針之類的細小暗器，散落在地。

這「黑風峽」內，鐵閘一關，頓時伸手不辨五指，適才機簧一響，一叟、二奇與鍾一豪等人，未待谷寒香令下，便已往四外閃避，這時各自屏息而立，誰也不知誰在哪裡？

谷寒香心中暗忖道：「剛才未聞人聲，想必還無人受傷。」思忖中，功注雙目，凝神朝黑暗中看去。

看了片刻，終是一無所見，不由尋思道：「我既然看不見，想他『陰手一魔』也瞧不出什麼？等而下之，他手下那批人更難看出敵人的位置。」想著膽氣一壯，轉將一身功力，往雙耳上凝聚。

仔細一聽，立即聽出數十個人的呼吸之聲，靠出口之處的人，氣息悠長而輕緩，岩壁半腰處的人，氣息則顯得較為粗重。

她略一尋思，立即雙掌貼住岩壁，徐徐往上升起。

這岩壁離地一、兩丈高處，有許多大小不一的洞穴，情知「黑風峽」的人，必定藏身在這些洞內，「陰手一魔」可能也在其中，因而上升之勢極緩，不敢發出絲毫聲息。

突然間，一道劍光，在黑暗中一閃，緊跟著機簧喀嚓之聲大響，夾雜著毒蒺藜與甩手箭等暗器的破空之聲。

但聽麥小明大喝道：「來得好！」

一片七、八尺方圓的劍光，閃掣不定，在峽內來回閃動。

谷寒香秀眉緊蹙，暗暗思忖道：「這傻瓜賣弄精神，時間一久，必然喪命在暗器之下。」心中念頭未了，人已迅捷地上升了一丈來高，耳聞頭頂有發射暗器的聲響，頓時嬌軀一擰，閃電般地騰身而起，朝著料想中的一處洞穴中激射而去。

這一著實在奇險無比，洞穴邊上，果有兩名大漢，正以居高臨下之勢，朝著麥小明的劍光施放暗器，一覺驚風撲面，立即將手中尚未發射的暗器，同時振腕打出。

谷寒香空著兩手，蓮足才一點住洞穴，頓時猛一側身，飛快地向洞中撞去，耳聽暗器嘯風之聲，左手一撈，攫住了一支擦衣而過的鏢槍，右手疾探，五根纖纖玉指，霎時插入了一個大漢的脅下。

但聞一聲淒厲慘呼，響徹了漆黑的峽谷，那大漢被谷寒香五指插入脅下，直感到痛徹心肺，來不及抽出肩後的兵刃，右臂一揮，猛力一拳擊來。

谷寒香殺機大盛，右手一緊，頓將那大漢的兩根肋骨捏碎，左手鏢槍一掄，直對劈面擊來的拳風砸去。

又是一聲慘嗥起處，那大漢一隻右手，被谷寒香砸爛，血肉橫飛，霎時昏死過去。另一名大漢心驚肉跳，兵刃尚未撤出，雙足一蹬，猛朝洞內竄去。

谷寒香聽風辨位，就以手中抓的大漢，直對另一人撞去，但聽那人「哎唷」一聲，直往洞外摔去。

壁上慘呼之聲一起，四外的暗器即已停頓，恢復了一片寂然，就在此時，忽聽「砰」的一響，「搜魂手」巴天義的悶哼之聲，似是被人在背後擊了一掌。

谷寒香瞿然一驚！忖道：「這一掌傷得不輕，除『陰手一魔』外，旁人無此功力。」

心念未息，忽見麥小明的寶劍光華由地面疾掠而過，剛剛被自己打下地去的那人慘叫了半聲，看樣子已被他殺了。

驀地，砰然一聲暴震，排空勁氣，撞得岩壁澎湃發響！

原來「陰手一魔」悄然到了峽谷，「搜魂手」巴天義首當其衝，閃避不及，被他在肩上狠狠地擊了一掌，幾乎將肩骨擊碎，這還是他日間與谷寒香對掌時受了重傷，否則巴天義的性命勢必不保。

「陰手一魔」一招得手，繼續在暗中搜索，移不數尺，恰與「羅浮一叟」霍元伽相遇。

霍元伽是老薑更辣，知道在這種狹隘的地方，縱躍閃避，極易吃虧，因而早以將全身功力，貫聚在雙掌之上，一待「陰手一魔」近身，立即迸力一掌擊去。

兩人硬接一掌後，各自藉勢飄退了老遠，霍元伽被震得血氣翻騰，兩眼直冒金星，「陰手一魔」也被震得舊傷復發，臟腑之間，隱隱生痛，因而兩人都忙著調息運氣，不敢輕舉妄動。

陡地，暗器嘯風之聲縱橫亂響，夾雜著嘶嘶的噴水之聲。

這峽內黑暗如漆，目難視物，而且地形窄長，只能東西走避，無法左右閃讓。「陰手一魔」手下的人施用的都是梅花針、柳葉刀等歹毒暗器，出手數量又多，確然是極爲厲害，再加上機簧發射的針筒和毒水，身法再快，也是難以抵受。

只見麥小明寶劍光華大盛，貼著地面，電光石火般地朝峽口飛掣，暗器破空之聲，追著劍光疾響。

「陰手一魔」眼見他由身前掠過，雙掌一揚，尚未擊下，已被他馳出了兩丈開外。

忽聽谷寒香的聲音道：「小明速將寶劍收起。」

麥小明手橫寶劍，背靠鐵閘站著，聽她聲音之內充滿了怨氣，只得暗暗做了一個鬼臉，將寶劍插入鞘內。

只聽「陰手一魔」的聲音冷冷地道：「谷寒香，你已身困絕境，識時務的，趕快與你這幾名屬下一齊放下兵刃，老夫言而有信，絕不會虧待於你……」

話聲未了，麥小明驀地直欺上前，一指向他「章門」穴上點去，漆黑之下，認穴竟是奇準。

「陰手一魔」早知麥小明一身上乘武功，與谷寒香同一師承，耳聽尖銳的指風襲來，立即右臂一沉，一招「浪搏江礁」，猛地朝下砍去，左手一揮，一招「破甲錐」直叩天庭。

麥小明指到半途，覺出敵人來勢，頓時變招換式，右手一招「烘雲托月」，封住自己門戶，左手一沉而吐，霍地一掌向「陰手一魔」小腹擊去。

「陰手一魔」暗暗心驚，右掌下拗，化解來勢，左手疾掄，一招「怪鳥搜林」陡地劈面襲下。

這時，雙方近身相搏，拳掌變化，迅快無比，招招間不容髮，著著滿藏殺機，剎那之間，兩人對拆了十七、八招。

就在此時，谷寒香業已屏息躡步，欺到了「陰手一魔」背後。

谷寒香對麥小明的拳法掌勢，瞭若指掌，因而雖在黑暗之中，僅聽拳風掌力，卻已分辨得出誰是「陰手一魔」，誰是麥小明，以及二人快攻快擊，掌指上的變化往復。

但聽兩人搏鬥愈來愈為激烈，就在四尺方圓之內，兩個身軀交錯旋走，疾轉如輪，拳來掌去，全憑聽風辨位，閉目換掌的上乘武術，相互搶制先機。

驀而三丈開外，傳來「呼」的一聲掌擊軀體之聲，按著悶哼暴喝。霎時刀風霍霍，劍光打閃。

同時間，峽底傳來了隱約的嗚咽之聲。

適在此時，激鬥中的「陰手一魔」，忽然雙掌連環迸發，一掄急攻過後，猛地撤身往一旁閃去。

谷寒香見機不可失，蠻腰微伏，身形電閃，運指如風，疾點過去。

「陰手一魔」身未立定，突聞銳嘯之聲，刺入耳鼓，一股凌厲絕倫的尖風，直對自己「三焦」穴上襲來，情知這一指是谷寒香所發，駭然之下，雙足貫勁，猛往一側暴閃，適在此時，麥小明陡然大喝一聲，揮拳反擊過來。

這一拳如巨斧開山，狂瀾擊岸，勢道之猛惡，令人矯舌難下，詎料「陰手一魔」卻是大喜過望，揮手一掌，迎著拳勢便擊，一聲疾震才起，「陰手一魔」已如流星飛射，藉著反彈之力，飄身到了兩丈以外。

谷寒香右手一指點出，左手五指微張，早已罩定「陰手一魔」的退路，豈料麥小明一拳擊

上，讓他藉刀閃了出去，芳心之內，不覺湧上了一股怒意。

忽聽嗚咽之聲愈響愈近，霎時便有震耳欲聾之勢。

麥小明看這黑風威力，較日間更甚數倍，心下一慌，不由對著「陰手一魔」退去的方向猛撲而去，口中大喊道：「『陰手一魔』你在哪裡？」雙臂揮舞，護住門戶。

谷寒香暗罵道：「混帳東西！」一待他由身前衝過，立即玉掌一揮，倏地向他肩頭拍下。

麥小明外表粗率，其實心思頗細，谷寒香掌未擊下，他已抬臂發招，迎了上來。

拆了一招，麥小明發覺對手是谷寒香，趕忙縮手退出兩步，足未站定，一陣強猛的狂風，業已排山倒海般湧過來，將自己的身軀帶得離地飛起。

黑風一去，谷寒香嬌軀連晃，眨眼換了三個位置。

只聽「陰手一魔」的聲音，由自己剛才上去過的那座洞口響起，道：「谷寒香，你已陷身絕地，依我良言相勸，不如提早放下兵刃，倘若妄自逞強，只要我一聲令下，立時有數十種絕毒的暗器，和十個特製的噴筒，同時打出，任你武功絕世，也難在此時此地，逃過這密如蝗雨的暗器襲擊，只要你中了一針一箭，沾了點滴毒水，立時將橫屍峽內。」

谷寒香暗暗忖道：「他這話雖是嚇唬之言，此時此地，倒也是實情，只不知因何緣故？遲遲不肯下手。」

心念一轉，暗中移動身軀，揀了一個暗器難以射到的角度立定。

幽黯峽谷內，沉寂如死「，陰手一魔」再沒有開口，瞧那情形，想是等待谷寒香的回話。

谷寒香倚壁站立，暗暗忖道：「許久未曾聽得鍾一豪的動靜，他克敵勇猛，有進無退，恁

久不見響動，看樣子必是潛入峽內去了。」

心念一轉，遂以內家練氣成絲的絕頂功夫，斜對右方岩壁，緩緩地說道：「『陰手一魔』，你將幾件暗器誇張得那般厲害，何不下令施放出來，讓谷寒香見識見識？」

她朱唇啓動，不見聲響，對面的岩壁之上，卻響起一個清脆的聲音，將她的話語逐字逐句，清晰地講了出來。

只聽「陰手一魔」輕聲一嘆，道：「我若非愛惜你的武功和人才，日間便將你置於死地了。」他微微一頓，繼道：「老夫生平之中，極少對人生出好感，但是當日一見胡柏齡後，竟生出一股憐才之念，想不到他不識好歹，竟與老夫以死相拚，是老夫門下突出叛徒，苗素蘭那賤婢生出弒師之心，致令老夫與胡柏齡兩敗俱傷，差一點同歸於盡。」

說到此處，沉聲一嘆，接道：「豈料造化弄人，今日見你之後，老夫又生出愛惜之念，因而一再容讓，不忍施展毒手。」

谷寒香暗忖道：「這般僵持終非了局，怎生想個法兒將這老魔引到空曠處，決一死戰。」

思忖中，忽覺一陣微風，由身側輕輕掠到，心下雖知是霍元伽等人之一，但卻拏不準是哪一個，當下將手一伸，突地朝前抓去。

原來由她身前經過的是「拘魄索」宋天鐸，宋天鐸已將軟索執在手內，此時覺出她出手抓來，不敢以軟索還擊，僅只旋身一讓，左手疾推而出。

谷寒香原是出手相試，宋天鐸身形一旋，她已覺出是誰，未待他左掌推到，已將抓出的手縮了回來。

瞬眼間，「羅浮一叟」也往峽壁深處閃去，只剩卜谷寒香、麥小明，和身負重傷的「搜魂手」巴天義三人，尚留在峽口附近。

忽聽「陰手一魔」的聲音道：「谷寒香，你可曾將老夫的『寒蚿丹』服下？」

谷寒香凝聚真氣，對著岩壁發話道：「豈但『寒蚿丹』，連那『向心露』也吞了半瓶，你掩耳盜鈴，自欺欺人，不知羞是不羞？」

說罷暗移雙足，慢慢往峽底走去。

「陰手一魔」意似不信，冷笑一聲，道：「谷寒香，你不必疑神疑鬼，我若想取你的性命……」一語未畢，忽聽「搜魂手」巴天義「嗯」了一聲，接著發出身軀倒地的聲響。

陡聽麥小明惶聲叫道：「師嫂，王八羔子施放迷藥！」

「藥」字出口，人已躍出了二十丈外。

谷寒香聽說「迷藥」二字，也不禁焦急起來，當下閉住氣息，身形連晃，疾往「陰手一魔」的洞門閃去。

「陰手一魔」好似覺出了谷寒香的動靜，黑暗之中，只聽他陰森森的語音道：「谷寒香，進門之後，左轉三次，右轉一次，然後再折而向左，錯了一步，必招殺身之厄。」

谷寒香暗暗忖道：「適才那峭壁上的洞穴，必然通往山腹之內，我何不出其不意，再由那處洞口進去？」

心念一轉，頓時悄然回至原處，手貼岩壁，以「壁虎遊牆術」緩緩向上升起。

這一著果然大出「陰手一魔」意料，她升至那洞穴邊緣，凝神一聽，了無聲息，於是嬌軀

微擰，探身鑽入了洞內，抽出腰間的淬毒七首，飄身朝洞內闖去。

谷寒香離開「迷蹤谷」時，已聽苗素蘭講過這「黑風峽」中的形勢，這岩壁上的許多洞穴，俱是天然生成，不過有的業經人工開鑿，與內洞相通。

她似乎全然漠視自己的生命，這時左手持定匕首，身形連晃，眨眼間深入了二十餘丈。突然間，通道前端，傳來輕微的步履聲響。

谷寒香尋思道：「聽這落足之聲，來人定必是『陰手一魔』的手下。」思忖中停下腳步，背貼岩壁站定。

來人果是輕車熟路，轉眼工夫，業已奔至谷寒香身前，谷寒香聽聲辨位，右手疾起，倏地一指點了出去。

那人奔行頗急，忽感腰眼之上一麻，一口濁氣尚未吐出，頓時全身無力，直往地面癱倒，手中提的一柄厚背單刀，脫手向地面落下。

他單刀脫手，谷寒香立即警覺，匆促之下，來不及出手搶接，只將匕首疾伸，猛地挑了過去，欲待將那單刀挑起空中，再伸手接住。

要知這通道之中，四面全是堅硬的山石，這單刀一旦落地，金石相擊之聲，必然遠遠傳開，直達山腹之內。

豈料，谷寒香匕首剛剛伸出，一聲冷冰冰的輕哼，驀地起自身側，接著一陣微風拂身而過，直往內洞飄去，谷寒香匕首挑空，身形未及閃動，四顧寂然，那柄行將落地的單刀，業已

被人半途中截走。

此人身手之快，不可思議，谷寒香突然心下一寒，生出了一股怯意，怯懼之心未消，一陣哀哀愁緒，倏地襲上心頭。

正當她愁緒隱隱，憂心忡忡之際，腦海中突然現出胡柏齡的影子，魁梧、昂軒，充滿了英雄氣概，與他在世時完全一樣。

谷寒香每遇疑難，或是憂急恐懼之時，就會情不自禁地想起胡柏齡來，想起了亡夫，一股百折不撓、勇往直前的毅力，頓時油然產生出來。

但見她淬毒匕首一送，倏地插入了右手所抓的那人身上，順勢放下屍體，直往洞內閃去。

通道中漆黑異常，谷寒香順著岩壁，左轉右折，約莫進入一、兩百丈深，忽然感到地勢空曠，好似進入了一間石室，同時隱約之間，感覺得身前不遠處，有一個人擋住了去路。

谷寒香銀牙一咬，暗將全身功力，往右掌上凝聚，準備猝然出手，以從未用過的「三元九靈玄功」，猛地一掌擊去。

驀地，碧燄一閃，只見「陰手一魔」手提一個燈籠，冷然地站在一座敞開的石門前面，陰沉詭異，望之毛髮悚然。

谷寒香暗忖道：「適才那人，絕不是『陰手一魔』，但是此時此地，非友即敵，那人既不屬於自己一面，則是『黑風峽』的人當無疑意。」想著右掌一揚，即待拍了出去。

「陰手一魔」突然怒哼一聲，道：「谷寒香，你也過於恃強欺人了。」

他說得理直氣壯，隱然含有責備之意。

谷寒香掌勢一頓，冷冷地道：「我不殺你，難道你就不殺我了？」

「陰手一魔」臉色一弛，說道：「我與你無怨無仇，河水不犯井水，你一再相逼，我一再容讓，難道你當真看不出來？」

谷寒香冷冷一笑道：「我大哥與你有何仇怨？你何以將他誘引南昌，暗算於他？江湖事恩恩怨怨，沒有多少道理可講，你有什麼本領，只管施展出來，谷寒香雖死無怨。」

「陰手一魔」道：「你雖死而無怨，胡柏齡的殺身之仇，卻教何人來報？」

谷寒香哂然道：「力不從心，也是無法。」

說著走上兩步，道：「依我之見，你最好是憑真實功夫，與我決一死戰，只要你勝得過我，生殺予奪，任你『陰手一魔』所喜。」

只見「陰手一魔」青森森的面孔，隨著黯淡碧光的閃動，顯出一種變幻不定的神情，良久之後，始才說道：「你先說出此來的真正冀圖，我就與你放手一搏，好歹完成你的心願。」

谷寒香淡淡地道：「其實你是明知故問，想當年在南昌古廟之內，你軟硬兼施，要我大哥將你的『向心露』服下，於今谷寒香以牙還牙，也只要你服用一點你自製的藥物。」

「陰手一魔」嘿嘿一笑，點頭道：「果然不出老夫所料！只是你可曾想過，『向心露』服下之後，神志即要喪失，那時就算老夫終生一世，對你不生二心，也不過在武功方面，供你派點用場。」

他微微一頓，臉上突然露出詭笑，道：「如果你不嫌老夫年邁，與老夫一雙兩好，攜手合作，那時老夫定必竭盡心智，助你爲胡柏齡報仇，進而掃蕩異己，稱尊武林。」

谷寒香飽經憂患之後，心機之深沉，已不在「陰手一魔」之下，此刻雖然怒火中燒，卻強行捺定，聲色不動地聽他將話講完後，始才冷冷地道：「貪慕谷寒香美色的人，並非只你一個，你是否有異他人？那要看你的武功如何了。」

說到此處，緩緩地收起淬毒匕首，雙掌微提，冷然一笑，道：「你亮出絕技，我看你是否有言過其實之處。」

「陰手一魔」雖然老謀深算，慣於穩紮穩打，也經不住她一再出言相激，怒哼一聲，道：「倘若老夫獲勝……」

谷寒香秀眉一蹙，不耐煩地道：「殺剮任便，遑論其他！」

只見「陰手一魔」怪笑一聲，大袖一揚，陡地向石壁上拂去，剎那間「轟隆」大響，前後兩道石門，應聲而閉。

「陰手一魔」將手上燈籠往壁上一插，沉聲道：「老夫也不敢說容讓，你先出手吧。」

谷寒香悶聲不響，欺身上步，陡然一掌擊去。

她這一掌蓄勢而發，雖然未曾施展「三元九靈玄功」，但那掌力沉重如山，捲起一片狂飆，凌厲之勢，更爲懾人。

「陰手一魔」見多識廣，一看掌勢，即知她力有未盡，真正的殺手，必然跟蹤襲到，轉念中，身形疾旋，揮臂一掌，阻遏她擊來的掌勢。

谷寒香面如玄冰，雙手忽拏忽劈，倏忽間連攻五招，招數奇奧，內力深厚，火候老辣，全然不似出自一個年輕女子的手下。

「陰手一魔」心頭大震，他雖看出谷寒香身負絕世武功，卻未料到她出手這般鋒銳，險象環生，勉強應付過五招，立即雙掌疾變，爭搶先機，力圖主動。

這石室寬長不及兩丈，四壁緊閉，不見絲毫縫隙，二人動手十來招後，室內已是狂飆激蕩，石壁轟轟發響，那個插在壁上的燈籠震顫不休，閃閃碧燄，僅剩一片極爲黯淡的薄輝。

二人的身法招術俱皆迅捷無倫，接手之後，但見兩團朦朦灰影縱横遊走，交相盤旋，倏分倏合，變幻不已。

激戰中，谷寒香心念電轉道：「看來今晚若不孤注一擲，勢難有獲勝之望。」

心意一決，驀地輕嘯一聲，足尖點地，猛然旋身一匝，右掌一揮，凌虛擊去。

這一掌又輕又慢，不帶絲毫風聲，看那掌勢，根本擊不到「陰手一魔」身上。

「陰手一魔」目光如炬，谷寒香手掌才動，他這裡業已瞿然一驚，脫口叫道：「好陰柔的掌法！」語音未歇，一陣極陰至柔的綿綿暗勁，陡地湧到了胸前。

「陰手一魔」一驚不小，身軀電掣，霍地左移數尺，右手飆然擊出一掌，左手駢食、中二指，陡地疾點過去。

谷寒香耳聽「嗤」的一聲，一縷尖厲刺耳的指風，疾往自己「七坎穴」上撞來。

這「七坎穴」正居雙乳之間，「陰手一魔」危急出手，倒非存心輕薄，谷寒香卻是暗暗生下了恨毒之心，左足一抬，嬌軀驀地横閃三尺，皓腕一掄，接連拍出三掌。

這三掌一晃而罷，快過火花一濺，手掌距身尙有兩尺之遙，「陰手一魔」已感左肩、右脅、小腹三處，同時有一股暗勁湧到。

「陰手一魔」突然大喝道：「好掌法！」塌肩滑步，雙掌猛甩，但聽「砰」的一聲輕響，剛柔兩種掌力一撞，激起了一陣搖曳不定的呼嘯之聲。

谷寒香暗暗忖道：「無怪這廝自高身價，端的武功、機智皆不弱，瞧這情形，自己未必就能勝他。」轉念之間，陡地腳踩「摘星步」，一掌快於一掌，全力朝他攻去。這一掄疾攻，招招連綿，彷彿天河下瀉，奇招妙著，更迭而起，變化萬端，睹之駭然。

「陰手一魔」也自施展全身絕學，掌指齊施，避敵還擊，招中套招，式中藏式，飄忽來去，閃動不已。

突然間「轟隆」一響，通往內洞的石門霍地大開。石門敞開，但見鍾一豪渾身浴血，手揮緬鐵軟刀，猛然衝了進來，兩個手執長劍的青衣少年追蹤而入。

鍾一豪竄入室內，大喝一聲，掄刀便向「陰手一魔」背後砍去，形似虹飛，精芒電掣，猛惡至極。

「陰手一魔」激鬥正緊，忽感刀風盈耳，背上如觸鋒刃，急忙滑步一轉，揮手擊出一掌。那兩個青衣少年啣身入內，雙劍齊揮，小自朝鍾一豪身後襲到。這室中空間不大，五人混戰，頓時有轉動不靈之勢，谷寒香眼看鍾一豪腹背受敵，只得撇下「陰手一魔」，劈空一掌，遙遙向兩個少年擊去，逼得二人劍勢一頓，退了半步。

但聽鍾一豪厲吼一聲，一招「神龍抖甲」，猛地朝「陰手一魔」襲去。他渾身為血汗濕透，蒙面黑紗已然不在，雙眼之內，血絲密布，一眼望去，凶神惡煞一般。

「陰手一魔」雙掌翻飛，迭連擊出三掌，硬將鍾一豪迫退數步，大喝道：「谷寒香，你再不令這莽漢住手，休怪我掌下無情！」

谷寒香冷冷笑道：「我令他停手，你不停手怎辦？」雙掌疾揮，分襲三人。

那兩個青衣少年聯劍相攻，配合得嚴密異常，無耐谷寒香的「三元九靈玄功」出神入化，輕描淡寫，略作手勢，大有手揮五絃，目送飛鴻之概，但那陰柔內勁撞到劍上，長劍頓時嗡嗡震響，似欲折斷。

混戰中，「陰手一魔」暗暗忖道：「這姓鍾的年紀輕輕，貌相俊逸，瞧他對敵時奮不顧身，若非與谷寒香情誼特殊，怎會如此替她賣命？」這般一想，不禁醋火中燒，殺機大起，一面折招避敵，一面潛運功力，伺機出手。漆黑的石室，吃那一盞閃動的綠餤一照，變成了一片濃重的深碧，所有人的臉色都變得青光森森，直似置身鬼域一般。

「陰手一魔」心機深沉，殺機既動，打得更形工穩，應戰中，掌掌不離谷寒香的要害，對於鍾一豪緬鐵軟刀潑風似的攻勢，反而力加閃避。

谷寒香聰慧過人，看他神情有異，心中忽有所悟，暗道：「這廝對我暗藏野心，出手之間，一直有生擒的打算，這時一反常態，諒必有什麼詭計？」思忖中，左手電激伸出，疾抓身側少年執劍的手腕，右掌迅如奔雷，一招「三仙朝觀」，突然向「陰手一魔」擊去，揚聲喝道：「鍾一豪，沉住氣！」

「陰手一魔」存心將鍾一豪毀在掌下，谷寒香偏在此時出言提醒，一個有意，一個無心，怎不令他醋火萬丈，忿恨欲絕？

但聽鍾一豪大喝道：「夫人將這老兒交給屬下！」

「陰手一魔」怒不可抑，陡地淒厲一聲長笑，厲吼道：「小輩拏命來！」聲出掌出，探手刀影叢中，迸力一擊。這一掌啣恨而發，掌入重重刀光，直擊鍾一豪心口！

鍾一豪雖然悍不畏死，睹狀之下，亦不禁心頭大震，急迫中雙足猛挫，擰腰暴閃，緬鐵軟刀輪轉如飛，直向「陰手一魔」的手臂絞去，應變之速，不謂不快。

但聽谷寒香急喝道：「『陰手一魔』看掌！」左手扣住一名青衣少年的腕脈，隨手一帶，將他猛朝另一人的劍上撞去，右掌左揮右掃，連續拍出三掌。

「蓬、蓬」連聲，鍾一豪被「陰手一魔」一掌擊在胸上，鮮血狂噴，身軀飛出丈外，撞上石壁之後，始才墜落地上。

同時間，「陰手一魔」左掌揮動，化解谷寒香連續拍來的三掌，卻被谷寒香至柔至陰的掌力餘波，震得身子猛地一陣搖撼，就在這一陣搖撼之間，右臂已為鍾一豪的緬鐵軟刀連衣帶肉，削去了老大一片，擊在鍾一豪身上的掌力，也因此消滅不少。

谷寒香勃然大怒，反手一撩，已將長劍摘下，震腕出劍，劍尖顫出萬點寒星，倏地向「陰手一魔」刺去。

「陰手一魔」右臂血肉模糊，劇痛難當，眼看驚芒閃耀，一劍疾刺而來，只得滑步旋身猛地往一旁閃避。

但聽兩個青衣少年齊聲大喝，一左一右，聯劍刺到。

谷寒香冷聲道：「不知死活的東西。」回劍一掄，橫削一劍。

剎那間，一陣風濤之聲，起自她那劍上，接著「嗆、嗆」兩響，三劍一接，兩個青衣少年同時震出了數步。就這略一阻擋之際，「陰手一魔」業已閃電般地竄到那盞碧燈之下，左手大袖一揚，頓時弄熄了那點昏黯的燈光。

濃重的夜色，重又布滿了石室，谷寒香急忙低頭一望，自己手中的一柄精鋼長劍，竟然不露一絲光亮，抖了一抖，依然不見光芒。

漆黑之中，但聽得兩名青衣少年急促的喘息，和鍾一豪游絲一般的呼吸，谷寒香和「陰手一魔」兩人，俱都使出了內家龜息之法，屏息站在室中。

谷寒香暗暗忖道：「這山腹中當真黑得厲害，精鋼長劍也不帶一點……」

思忖未了，石門之下，突然現出一道隱隱的光華。

忽聽麥小明的聲音道：「裡面是誰？趕緊報出萬兒，否則錯殺了好人，休得見怪！」

谷寒香怨聲道：「收起你的寶劍！」

只聽麥小明嘻嘻一笑，道：「師嫂不用擔心，我有法寶護身。」

說話之際，那道劍光業已隱去。

谷寒香暗忖道：「這石室門戶俱由機關啓閉，『陰手一魔』不將自己困在室中，反而敞開通往內洞的石門，顯然是有意誘使自己入內，怎麼鍾一豪與麥小明又能安然無恙，由裡面出來？還有先前撿去那柄單刀的人，怎麼又久無動靜？」

疑念未已？忽聽麥小明問道：「師嫂，裡面還有自己人沒有？」

谷寒香冷冷地道：「你囉囉嚕嚕，敢是找死？」

麥小明突然笑聲道：「試試看，誰倒霉？」

話音甫落，忽聽一聲輕微的機簧聲音，刹那間，嗤嗤之聲大作。

但聽「陰手一魔」狂聲吼道：「小賊該死，老夫不將你碎屍萬段，誓不為人！」

強猛的勁風隨聲而起，震蕩得石壁嗡嗡作響。黑暗之中，只聽一個青衣少年「哎唷」一聲慘叫，谷寒香則趁這混亂之際，飄身到了鍾一豪身側，玉手一伸，塞了一顆藥丸在他口中。

原來麥小明由正門進入洞內，浴血苦戰，闖到了此處，他驃悍成性，血戰之中，冒死搶著了一個噴射毒針、毒水的機筒，這時對著兩個青衣少年立身之處猛地一按機簧，數十枚細如牛毛的毒針，夾雜著蝕骨毒水，直對二人射去。室內漆黑不辨五指，這種機簧發射的暗器又是強勁非常，聲音入耳，暗器即到，陰損霸道，無以復加，兩個少年久戰之餘，喘息未定，更加無力躲讓，虧得「陰手一魔」應變機警，急迫中猛地拍出一掌，以強猛的掌風，震落了大部分的毒針、毒水。

麥小明得意至極，朝著「陰手一魔」立身之處大聲道：「『陰手一魔』是你麼？」

「陰手一魔」氣得暗自發抖，知道自己只一開口，毒針、毒水就會應聲而至，忍了一忍，暗將全身功力朝左掌運集。

忽然間，石門之外，傳來隱約的碧光，和呼喝打鬥之聲，燈光與兵刃相接的聲音，逐漸朝此處移近。

「陰手一魔」突然大袖一揮，在石壁上疾拂一下，兩扇厚幾盈尺的石門轟隆一聲，陡地由暗槽中直落而下。

麥小明當門而立，正欲施放毒針、毒水之際，忽聽聲響起自頭頂，駭得雙足猛頓，陡然朝前一縱。他身才縱起，「陰手一魔」一手抓著一個青衣少年，與他擦肩而過，眨眼竄出了門外，谷寒香耳聽驚風交熾，出手攔截，已是慢了一步。

麥小明定了定神，笑聲道：「師嫂，地上躺的是誰？」說著將針筒插在腰旁，兩手在石壁上敲敲打打。

谷寒香道：「鍾一豪挨了『陰手一魔』一掌，霍元伽等人的情形怎樣？」

麥小明雙手不停，將石壁敲得砰砰作響，道：「霍元伽今日不錯，倒是跟在鍾一豪身後進來了，宋天鐸那兔崽子膽小如鼠，我見他躲著不動，刺了他一劍，結果未曾刺著。」

谷寒香道：「你身邊帶有火摺子沒有？」

麥小明道：「有。」說著掏出火摺子一晃，火光一閃，室內重見光明，道：「我聽得兩個女人講話，說是許多機關，今日忽然出了毛病，可是師嫂弄的？」

谷寒香接過火摺子向鍾一豪臉上一照，隨口道：「這洞中另有能人，不過是敵是友，一時還分辨不出。」

麥小明朝鍾一豪望了一眼，見他雙目緊閉，氣若游絲，臉上黑氣密布，胸前衣衫四分五裂，清清晰晰一個掌印。

忽聽「陰手一魔」的聲音自石室上方響起，道：「谷寒香，你速即轉身看看。」

谷寒香與麥小明一聽，齊齊轉面望去，只見一股濃煙，由左面角落處緩緩升起，逐漸擴

散，大有瀰漫全室之勢。

只聽「陰手一魔」的聲音繼續道：「這黑煙含有劇毒，吸入腹內，頃刻窒息而死，而且遇火即燃，厲害無比。」

麥小明怒吼道：「『陰手一魔』，有種就一槍一刀拚個死活，倚仗機關埋伏傷人，你算哪一門好漢！」

但聽「陰手一魔」的聲音道：「谷寒香，你快將火摺子熄掉，回頭抵受不住時，可在左面門上用力連擊三掌。」

谷寒香秀目凝光，望著對面的石壁，暗暗忖道：「他兩次啓閉門戶，袍袖皆是拂在那處地方，看來門戶樞紐必在那裡。」心念一轉，出指如風，閉住了鍾一豪的呼吸，接著將火摺子滅掉，吩附麥小明道：「你閉住氣息，如果我能啓開石門，你便將鍾一豪抱起，隨我向外闖去。」這室中講話，外面想必聽得頗爲清晰，谷寒香話剛講完，即聞「陰手一魔」的聲音道：「你不要癡心妄想，我若不存心放你，這一輩子，你就休想出來。」

谷寒香不敢再行開口，屏住氣息，纖手一揚，一掌向對面壁上劈空擊去。

但聽「蓬」的一聲，迴音震耳，前後兩座門戶，依然緊閉如故，文絲不動。

那逐漸瀰漫開來的濃煙，吃她強勁的掌風一震，頓時波翻浪滾，四散飛揚，加速了蔓延之勢，一會兒工夫，鑽入了谷寒香的眼內，谷寒香突然感到眼中一陣辛辣，淚水奪眶而出。黑暗中，麥小明突然閃到石門之前，抽出寶劍，猛然一劍砍下。他這寶劍切金斷玉，一劍砍下，頓時在堅硬的石門上劃了一道深達五寸的糟痕。麥小明寶劍一揮，又待砍了下去，陡地手腕一

震，寶劍已被谷寒香伸手奪了過去。

忽聽「陰手一魔」的聲音道：「谷寒香，你不必枉費心機了，我已在門外布下天羅地網，只要你走出門外，必然落到我的掌握之中。」

谷寒香暗暗忖道：「這廝說的倒有幾分可信，石門縱然開了，如果他以那種機簧暗器堵在門口，自己仍然衝不出去。」思忖中，食、中二指貼著劍身一拂，覺出寶劍完好，並未受到損傷，於是身形一晃，轉到通往洞外的那座門戶之前。

只聽「陰手一魔」的聲音道：「你手下的什麼一叟、二奇，俱已被我擒住，依我良言相勸，你還是早點棄械投降算了，不要一個疏神，將毒煙吸入腹內，枉送了一條性命。」

谷寒香尋思道：「只要有山風透入，就不懼他這毒煙，然後再打脫困的主意，好歹要擒住這廝，不虛此行。」心念一轉，立即力透劍尖，緩緩朝兩扇石門之間插下。驀地，耳聽「陰手一魔」的聲音急喝道：「谷寒香，快閃！」

原來他這洞府之內，每處門戶，皆是兩扇並列，其中另含妙用，這時喝聲未歇，「颼颼」之聲，陡地大響，百十柄淬毒柳葉飛刀，由上下左右，猛然朝中央射來。

這百十柄飛刀，位置也分布得極爲巧妙，只要觸動機關飛刀射出，頓時將門前所立之人的退路盡行封死，任他身法再妙，也難逃亂刀解體之厄。

虧得「陰手一魔」出聲示警，谷寒香一聽語聲驚惶，未待他將話說了，立即鬆手蹬足，猛力朝後躍退，但覺驚風割面，十來柄飛刀貼身而過，劃破了身上的衣履。

驚魂甫定，忽聽「陰手一魔」的聲音道：「谷寒香，我那飛刀餵有特製的毒藥，見血之

後，一個時辰便死，如果你受了刀傷，趕緊將我給你的那顆『寒蚿丹』服下。」

他這攻心戰術端的厲害，一言一語，無不令人心煩意亂，惱怒不堪。

谷寒香飽經憂患，性情已變得極為堅忍，任他出言挑激，依然心神不亂，麥小明卻是不行，屏住呼吸，緊閉雙目，已是感到不耐，耳聽喋喋不休，自己不能回嘴，更是難以忍受。

谷寒香暗暗忖道：「我想活捉這廝，這廝想生擒自己，倒不知結果是誰勝誰敗？」思忖中，身形一晃，飄然又到了石門之前。她的膽量當真是大，手握劍柄，繼續朝門上刺去。

但聽「陰手一魔」的聲音又起，道：「谷寒香，你已是籠中之鳥，網底之魚，頑強抵抗，不過拖延時刻而已。」微微一頓，又道：「你如今應該知道，手下那批人俱不足恃，胡柏齡的血海深仇，須賴你獨自去報，少林、武當兩派，人數何止千百？加上酆秋、水寒等人，無一不是窮凶惡極之輩，你武功再好，孤身一人，也不是這些人的對手。」

麥小明愈聽愈氣，暗忖道：「這王八蛋先頭講過，如果抵受不住時，可在左面門上用力連擊三掌。」心念一轉，也不先與谷寒香招呼，閃身到了門前，左手持定毒針噴筒，右掌連揮「砰砰砰」連擊三掌。

谷寒香耳聞掌擊石門之聲，雙眉一蹙，徐徐地扭回頭來。

內功深厚的人，自閉氣息，個把時辰之內，倒也不難支持，只是石室中濃煙瀰漫，無法張開眼睛，卻令人感到不耐，而且那濃煙貼著臉面，又濕又熱，麻癢的感覺，極不好受，因而谷寒香雖知麥小明以掌擊門，也不加以制止。

但聽「陰手一魔」的聲音道：「谷寒香，老夫從未對人如此禮讓，今日和你一見投緣，這

才對你容忍有加，如今放你出來，倘若你依然不識好歹，老夫拚著終生抱憾，也要辣手摧花，將你毀在掌下。」

谷寒香氣得嬌軀發抖，身形一晃，閃到麥小明身後，將寶劍交還給他，按著躍到鍾一豪身前，將他移到靠壁之處，以免被人踩到。

她尚未站起，身後「轟隆」聲響，兩扇石門，業已霍地敞開。

麥小明久已按捺不住，石門一開，立即舞動寶劍護身，閃電般地衝了出去。谷寒香恐他有失，身形電掣，隨後便往外縱。

黑暗中，只聽麥小明狂叫一聲，寶劍針筒同時墜地。谷寒香凜然一驚！雙肩微晃，倏地橫飄丈餘。但聽一聲輕響，麥小明的身子倒了下去。

谷寒香再也按捺不住，秀目一睜，厲喝道：「『陰手一魔』，谷寒香人在此處，你還不趕快滾了出來！」

她這兩句話凝氣縱聲而發，語聲過後，室中回音震蕩，繚繞不絕，足足有半盞茶工夫，方才停了下來。

一片寂然，了無人聲，「陰手一魔」陡地一反常態，既不現身，亦不回話。

谷寒香一面留神戒備，一面思忖對敵之策，她雖膽識過人，但是處身這種險惡的環境，一行六人倒了三個，兩個下落不明，剩下自己一人，敵暗我明之下，怎不芳心惴惴，暗暗感到不安？

峙立了良久時光，漆黑之中，仍然是毫無動靜，死一般的沉寂，形成了一種恐怖的緊張。

谷寒香終於忍不住這種使人窒息的沉悶，縱聲大笑一陣，說道：「隱起身形，暗施詭計，豈是男子漢的行徑？如果再不現出身來，可莫怪谷寒香要走路了！」

她聲如鳴金擊玉，字字以內功發出，震得滿室都是回鳴之聲。

倏地，谷寒香探手囊中，摸出火摺子來，隨手晃燃，直往麥小明身畔走去。

只見麥小明臉面朝天，四仰八叉地躺在地上，兩頰之上紅噗噗的，睡得又香又甜。

谷寒香暗暗忖道：「瞧也臉上的顏色，好似中了一種極為厲害的迷藥，但不知是否須有解藥，才能將他救醒？」

思忖中俯下身來，手掌按在他的頭頂「百匯穴」上，將一股綿綿內力，傳入他的「督脈」之內。

麥小明和鍾一豪，都是與她久共患難的人，彼此之間，業已產生一種親切的情誼，她志切夫仇，平日間待人冷峻，言笑不苟，因而那份情誼深藏不露，此時一個重傷垂危，一個人事不省，於是一種自然流露的憂傷和關注之情，突地襲上了她的心頭。

正當她救麥小明不醒，有點心煩意亂之際，身後兩、三尺處，倏地響起一聲極具哂薄意味，冷得不能再冷的哼聲。

谷寒香驚汗一乍，貼地一掠，閃電般飛出丈外，順手一抄，將麥小明掉在地上的寶劍和針筒抬到了掌中，那火摺子卻被扔在地上，一閃而滅。

黑暗中，只聽一個蒼老沉重的聲音，緩緩說道：「小丫頭，你敢輕舉妄動，老夫教你也躺在地上。」

谷寒香聽那語言似曾相識，一時之間，又想不起是誰？當下針筒暗暗對住那人，冷然問道：「你是誰？」

但聽那蒼老沉重的聲音道：「你看不清老夫，老夫卻看得清你，你將那破銅爛鐵指住老夫，是何用意？」

谷寒香毛髮聳然，不知如何是好？怔了一會兒，強自鎮定道：「是酆秋？」

那蒼老沉重的聲音道：「呸！酆秋是什麼東西，怎可與老夫相比！」

碧綠一閃，地上現出一個奇形怪狀的人影。

碧燄光燄之下，只見一個鬚髮虬結，寬袍及膝的老者，一手提著燈籠，一手夾著四肢著地，軟綿綿的「陰手一魔」。

谷寒香雙眸神光如電，一眼之下，認出面前這個老者，即是數日前在「迷蹤谷」外，向自己討取「問心子」的那位無名老叟。

只聽那無名老叟冰冷地道：「丫頭，這買賣你做是不做？」

谷寒香暗暗忖道：「原來他跟到此處，目的仍然在『問心子』上，那東西是大哥唯一的遺物，我怎可送給別人？」

她對胡柏齡情深愛濃，雖是些許微物，在她的心目中，卻是情愛的表徵，有莫大的價值。

無名老叟雙眉一剔，兩道冷電，緊逼在谷寒香臉上，怒聲道：「如果你認爲奇貨可居，任意爲難老夫，惹得老夫火起，這『黑風峽』內，就是你的埋骨之地！」

谷寒香曾經與他交手，知道他的武功，確已到了飛花摘葉傷人的境界，因而雖聽他口出大

言，也找不出適當的言語駁斥於他。

無名老叟沉吟不語，頓時面色一弛，和顏悅色地道：「今夜若非老夫暗中維護，你早就落到這魔崽子的手中了，如今我已將他擒住，並且點倒了他的那批手下，只要你將『問心子』交還老夫，你就可以將『向心露』灌入他的腹中，做這『黑風峽』的主人。」

他似乎生平從未對人講過好話，說完之後，胸前起伏如浪，激動不已。

谷寒香原本是個心腸極軟的女子，自從胡柏齡慘死之後，她創重痛深，心腸轉趨剛硬，此時被無名老叟以惠相挾，以利相誘，心頭不覺動搖起來。

無名老叟見她仍不開口，重又說道：「實對你講，『陰手一魔』狡獪絕倫，他給你的那顆丹丸，乃是一種奇淫絕毒的藥物，那兩瓶『向心露』也是假貨，真的現在老夫身畔，只要你答應這筆交易，老夫將藥物和人一併給你，否則老夫也只得將他放掉，讓你們拚個死活了。」

谷寒香突然莞爾一笑，說道：「我有幾點疑問，老前輩須得據實相告，否則不必談了。」

無名老叟雙眉一蹙，道：「老夫無名無姓，也不知『問心子』有何用途？除此之外，你儘管問吧。」

這兩點正是谷寒香亟欲知道的，不料他先將谷寒香的嘴巴堵住。

谷寒香輕聲一笑，問道：「老前輩的武功，勝過谷寒香許多，何以不明搶硬要，卻想出這個公平交易的法子？」

無名老叟雙目怒睜，厲聲道：「你以爲老夫不敢明搶硬要麼？」

谷寒香淡然一笑，說道：「老前輩當然敢，正因爲如此，晚輩才百思不解，想不出老人家

因何顧忌，遲遲不肯下手？」

她愈講愈客氣，無名老叟卻愈聽愈氣，終於左臂一鬆，扔下「陰手一魔」，一步一步地逼了過來。

谷寒香見他逼近身前，立即橫劍護身，毒針噴筒一指，縱聲道：「老前輩站住，再進一步，休怨晚輩無禮！」

無名老叟怒不可抑，厲喝道：「你太不知道進退！」

喝聲中，舉手一掌，劈出一陣排空暗勁，直向谷寒香撞擊過去。

他右手提著那個碧綠燈籠，僅憑一隻左掌對敵，出手之際，神情傲慢，看起來漫不經意，但那強猛的掌風，卻劃起了呼嘯之聲，威勢懾人。

谷寒香看那掌力來勢，如江河下瀉，猛不可當，情知毒針、毒水攻不進去，匆迫之際，心中閃電般地轉念道：「是福是禍，就看這一劍的結果！」

轉念中，但見她側身上步，右臂疾舒，倏地一劍刺出！

這一劍凝重如山，快捷無倫，劍出未半，陡見劍上驚芒暴漲，那劍恍忽長了數尺，直往掌力中心投去。

但聽無名老叟厲聲喝道：「亡命之徒，老夫教你識得厲害！」

請續看《天香飆》（四）

臥龍生武俠經典珍藏版 15

天香飆（三）

作者：臥龍生
發行人：陳曉林
出版所：風雲時代出版股份有限公司
地址：10576台北市民生東路五段178號7樓之3
電話：(02) 2756-0949　　傳真：(02) 2765-3799
執行主編：劉宇青
美術設計：許惠芳
行銷企劃：林安莉
業務總監：張瑋鳳
出版日期：臥龍生60週年珍藏版 2022年5月
ISBN：978-986-5589-68-4
風雲書網：http://www.eastbooks.com.tw
官方部落格：http://eastbooks.pixnet.net/blog
Facebook：http://www.facebook.com/h7560949
E-mail：h7560949@ms15.hinet.net
劃撥帳號：12043291
戶名：風雲時代出版股份有限公司

風雲發行所：33373桃園市龜山區公西村2鄰復興街304巷96號
電話：(03) 318-1378　　傳真：(03) 318-1378
法律顧問：永然法律事務所 李永然律師
北辰著作權事務所 蕭雄淋律師

行政院新聞局局版台業字第3595號 營利事業統一編號22759935

定價：320元　　

國家圖書館出版品預行編目資料

天香飆／臥龍生 著. -- 臺北市：風雲時代出版股份有限公司，2021.06- 冊；公分（臥龍生武俠經典珍藏版）

ISBN：978-986-5589-66-0（第1冊：平裝）
ISBN：978-986-5589-67-7（第2冊：平裝）
ISBN：978-986-5589-68-4（第3冊：平裝）
ISBN：978-986-5589-69-1（第4冊：平裝）

863.57　　110007328